# 第二十九回　小霸王怒斩于吉　碧眼儿坐领江东

却说孙策自霸江东，兵精粮足。建安四年，袭取庐江，败刘勋，使虞翻驰檄豫章，豫章太守华歆投降。自此声势大振，乃遣张纮往许昌上表献捷。曹操知孙策强盛，叹曰：『狮儿难与争锋也！』遂以曹仁之女许配孙策幼弟孙匡，两家结婚。留张纮在许昌。孙策求为大司马，曹操不许。策恨之，常有袭许都之心。于是吴郡太守许贡，乃暗遣使赴许都上书于曹操。其略曰：

孙策骁勇，与项籍相似。朝廷宜外示荣宠，召还京师；不可使居外镇，以为后患。

使者赍书渡江，被防江将士所获，解赴孙策处。策观书大怒，斩其使，遣人假意请许贡议事。贡至，策出书示之，叱曰：『汝欲送我于死地耶！』命武士绞杀之。贡家属皆逃散。有家客三人，欲为许贡报仇，恨无其便。

一日，孙策引军会猎于丹徒之西山，赶起一大鹿，策纵马上山逐之。正赶之间，只见树林之内有三个人持枪带弓而立。策勒马问曰：『汝等何人？』答曰：『乃韩当军士也。在此射鹿。』策方举辔欲行，一人拈枪望策左腿便刺。策大惊，急取佩剑从马上砍去，剑刃忽坠，止存剑把在手。一人早拈弓搭箭射来，正中孙策面颊。策就拔面上箭，取弓回射放箭之人，应弦而倒。那二人举枪向孙策乱搠，大叫曰：『我等是许贡家客，特来为主人报仇！』策别无器械，只以弓拒之，且拒且走。二人死战不退。策身被数枪，马亦带伤。正危急之时，程普引数人至。孙策大叫：『杀贼！』程普引众齐上，将许贡家客砍为肉泥。看孙策时，血流满面，被伤至重，乃以刀割袍，裹其伤处，救回吴会养病。后人有诗赞许家三客曰：

孙郎智勇冠江湄，射猎山中受困危。许客三人能死义，杀身豫让未为奇。



却说孙策受伤而回，使人寻请华佗医治。不想华佗已往中原去了，止有徒弟在吴，命其治疗。其徒曰：『箭头有药，毒已入骨。须静养百日，方可无虞。若怒气冲激，其疮难治。』孙策为人最是性急，恨不得即日便愈。将息到二十余日，忽闻张纮有使者自许昌回，策唤问之。使者曰：『曹操甚惧主公，其帐下谋士，亦俱敬服；惟有郭嘉不服。』策曰：『郭嘉曾有何说？』使者不敢言。策怒，固问之。使者只得从实告曰：『郭嘉曾对曹操言主公不足惧也：轻而无备，性急少谋，乃匹夫之勇耳，他日必死于小人之手。』策闻言，大怒曰：『匹夫安敢料吾！吾誓取许昌！』遂不待疮愈，便欲商议出兵。张昭谏曰：『医者戒主公百日休动，今何因一时之忿，自轻万金之躯？』

正话间，忽报袁绍遣使陈震至。策唤入问之。震具言袁绍欲结东吴为外应，共攻曹操。策大喜，即日会诸将于城楼上，设宴款待陈震。饮酒之间，忽见诸将互相耳语，纷纷下楼。策怪问何故。左右曰：『有于神仙者，今从楼下过，诸将欲往拜之耳。』策起身凭栏观之，见一道人，身披鹤氅，手携藜杖，立于当道，百姓俱焚香伏道而拜。策怒曰：『是何妖人？快与我擒来！』左右告曰：『此人姓于，名吉，寓居东方，往来吴会，普施符水，救人万病，无有不验。当世呼为神仙，未可轻渎。』策愈怒，喝令：『速速擒来！

违者斩！』左右不得已，只得下楼，拥于吉至楼上。策叱曰：『狂道怎敢煽惑人心！』于吉曰：『贫道乃琅琊宫道士，顺帝时曾入山采药，得神书于阳曲泉水上，号曰《太平青领道》，凡百余卷，皆治人疾病方术。贫道得之，惟务代天宣化，普救万人，未曾取人毫厘之物，安得煽惑人心？』策曰：『汝毫不取人，衣服饮食，从何而得？汝即黄巾张角之流，今若不诛，必为后患！』叱左右斩之。张昭谏曰：『于道人在江东数十年，并无过犯，不可杀害。』策曰：『此等妖人，吾杀之，何异屠猪狗！』众官皆苦谏，陈震亦劝。策怒未息，命且囚于狱中。众官俱散。陈震自归馆驿安歇。

孙策归府，早有内侍传说此事与策母吴太夫人知道。夫人唤孙策入后堂，谓曰：『吾闻汝将于神仙下于缧(léi)绁(xiè)。此人多曾医人疾病，军民敬仰，不可加害。』策曰：『此乃妖人，能以妖术惑众，不可不除！』夫人再三劝解。策曰：『母亲勿听外人妄言，儿自有区处。』乃出唤狱吏取于吉来问。原来狱吏皆敬信于吉，吉在狱中时，尽去其枷锁；及策唤取，方带枷锁而出。策访知大怒，痛责狱吏，仍将于吉械系下狱。张昭等数十人，连名作状，拜求孙策，乞保于神仙。策曰：『公等皆读书人，何不达理？昔交州刺史张津，听信邪教，鼓瑟焚香，常以红帕裹头，自称可助出军之威，后竟为敌军所杀。此等事甚无益，诸君自未悟耳。吾欲杀于吉，正思禁邪觉迷也。』

吕范曰：『某素知于道人能祈风祷雨。方今天旱，何不令其祈雨以赎罪？』策曰：『吾且看此妖人若何。』遂命于狱中取出于吉，开其枷锁，令登坛求雨。吉领命，即沐浴更衣，取绳自缚于烈日之中。百姓观者，填街塞巷。于吉谓众人曰：『吾求三尺甘霖，以救万民，然我终不免一死。』众人曰：『若有灵验，主公必然敬服。』于吉曰：『气数至此，恐不能逃。』少顷，孙策亲至坛中下令：『若午时无雨，即焚死于吉。』先令人堆积干柴伺候。将及午时，狂风骤起。风过处，四下阴云渐合。策曰：『时已近午，空有阴云，而无甘雨，正是妖人！』叱左右将于吉扛上柴堆，四下举火，焰随风起。忽见黑烟一道，冲上空中，一声响亮，雷电齐发，大雨如注。顷刻之间，街市成河，溪涧皆满，足有三尺甘雨。于吉仰卧于柴堆之上，大喝一声，云收雨住，复见太阳。于是众官及百姓，共将于吉扶下柴堆，解去绳索，再拜称谢。孙策见官民俱罗拜于水中，不顾衣服，乃勃然大怒，叱曰：『晴雨乃天地之定数，妖人偶乘其便，你等何得如此惑乱！』掣宝剑令左右速斩于吉。众官力谏，策怒曰：『尔等皆欲从于吉造反耶！』众官乃不敢复言。策叱武士将于吉一刀斩头落地。只见一道青气，投东北去了。策命将其尸号令于市，以正妖妄之罪。

是夜风雨交作，及晓，不见了于吉尸首。守尸军士报知孙策。策怒，欲杀守尸军士。忽见一人，从堂

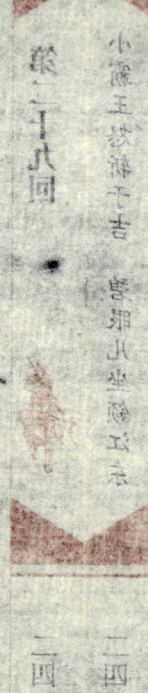

前徐步而来，视之，却是于吉。策大怒，正欲拔剑斫之，忽然昏倒于地。左右急救入卧内，半晌方苏。吴太夫人来视疾，谓策曰：『吾儿屈杀神仙，故招此祸。』策笑曰：『儿自幼随父出征，杀人如麻，何曾有为祸之理？今杀妖人，正绝大祸，得反为我祸？』夫人曰：『因汝不信，以致如此；今可作好事以禳之。』策曰：『吾命在天，妖人决不能为祸，何必禳耶！』夫人料劝不信，乃自令左右暗修善事禳(róng)解。

是夜二更，策卧于内宅，忽然阴风骤起，灯灭而复明。灯影之下，见于吉立于床前。策大喝曰：『吾平生誓诛妖妄，以靖天下！汝既为阴鬼，何敢近我！』取床头剑掷之，忽然不见。吴太夫人闻之，转生忧闷。策乃扶病强行，以宽母心。母谓策曰：『圣人云：「鬼神之为德，其盛矣乎！」又云：「祷尔于上下神祇。」鬼神之事，不可不信。汝屈杀于先生，岂无报应？吾已令人设醮于郡之玉清观内，汝可亲往拜祷，自然安妥。』策不敢违母命，只得勉强乘轿至玉清观。道士接入，请策焚香。策焚香而不谢。忽香炉中烟起不散，结成一座华盖，上面端坐着于吉。策怒，唾骂之；走离殿宇，又见于吉立于殿门首，怒目视策。策顾左右曰：『汝等见妖鬼否？』左右皆云未见。策愈怒，拔佩剑望于吉掷去，一人中剑而倒。众视之，乃前日动手杀于吉之小卒，被剑斫(zhuó)入脑袋，七窍流血而死。策命扛出葬之。比及出观，又见于吉走入观门来。策曰：『此观亦藏妖之所也！』遂坐于观前，命武士五百人拆毁之。武士方上屋揭瓦，却见于吉立于屋上，飞瓦掷地。策大怒，传令逐出本观道士，放火烧毁殿宇。火起处，又见于吉立于火光之中。策怒归府，又见于吉立于府门前。策乃不入府，随点起三军，出城外下寨，传唤众将商议，欲起兵助袁绍夹攻曹操。众将俱曰：『主公玉体违和，未可轻动。且待平愈，出兵未迟。』

是夜孙策宿于寨内，又见于吉披发而来。策于帐中叱喝不绝。次日，吴太夫人传命，召策回府。策乃归见其母。夫人见策形容憔悴，泣曰：『儿失形矣！』策即引镜自照，果见形容十分瘦损，不觉失惊，顾左右曰：『吾奈何憔悴至此耶！』言未已，忽见于吉立于镜中。策拍镜大叫一声，金疮迸裂，昏绝于地。夫人令扶入卧内。须臾苏醒，自叹曰：『吾不能复生矣！』随召张昭等诸人，及弟孙权，至卧榻前，嘱付曰：『天下方乱，以吴越之众，三江之固，大可有为。子布等幸善相吾弟。』乃取印绶与孙权曰：『若举江东之众，决机于两阵之间，与天下争衡，卿不如我；举贤任能，使各尽力以保江东，我不如卿。卿宜念父兄创业之艰难，善自图之！』权大哭，拜受印绶。策告母曰：『儿天年已尽，不能奉慈母。今将印绶付弟，望母朝夕训之。父兄旧人，慎勿轻怠。』母哭曰：『恐汝弟年幼，不能任大事，当复如何？』策曰：『弟才胜儿十倍，足当大任。倘内事不决，可问张昭；外事不决，可问周瑜。恨周瑜不在此，不得面嘱之也！』又唤诸弟嘱曰：『吾死之后，汝等并辅仲谋。宗族中敢有生异心者，众共诛之；骨肉为逆，不得入祖坟安葬。』诸弟泣受命。又唤妻乔夫人谓曰：『吾与汝不幸中途相分，汝须孝养尊姑。早晚汝妹入见，可嘱其转致周郎，尽力辅佐吾弟，休负我平日相知之雅。』言讫，瞑目而逝。年止二十六岁。后人有诗赞曰：

独战东南地，人称『小霸王』。运筹如虎踞，决策似鹰扬。
威镇三江靖，名闻四海香。临终遗大事，专意属周郎。

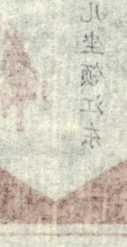

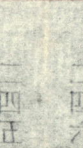

孙策既死，孙权哭倒于床前。张昭曰：『此非将军哭时也。宜一面治丧事，一面理军国大事。』权乃收泪。张昭令孙静理会丧事，请孙权出堂，受众文武谒贺。孙权生得方颐大口，碧眼紫髯。昔汉使刘琬入吴，见孙家诸昆仲，因语人曰：『吾遍观孙氏兄弟，虽各才气秀达，然皆禄祚不终。惟仲谋形貌奇伟，骨格非常，乃大贵之表，又享高寿：众皆不及也。』

且说当时孙权承孙策遗命，掌江东之事。经理未定，人报周瑜自巴丘提兵回吴。权曰：『公瑾已回，吾无忧矣。』原来周瑜守御巴丘，闻知孙策中箭被伤，因此回来问候；将至吴郡，闻策已亡，故星夜来奔丧。当下周瑜哭拜于孙策灵柩之前。吴太夫人出，以遗嘱之语告瑜。瑜拜伏于地曰：『敢不效犬马之力，继之以死！』少顷，孙权入。周瑜拜见毕，权曰：『愿公无忘先兄遗命。』瑜顿首曰：『愿以肝脑涂地，报知己之恩。』权曰：『今承父兄之业，将何策以守之？』瑜曰：『自古「得人者昌，失人者亡」。为今之计，须求高明远见之人为辅，然后江东可定也。』权曰：『先兄遗言：内事托子布，外事全赖公瑾。』瑜曰：『子布贤达之士，足当大任。瑜不才，恐负倚托之重，愿荐一人以辅将军。』

权问何人。瑜曰：『姓鲁，名肃，字子敬，临淮东川人也。此人胸怀韬略，腹隐机谋。早年丧父，事母至孝。其家极富，尝散财以济贫乏。瑜为居巢长之时，将数百人过临淮，因乏粮，闻鲁肃家有两囷米，各三千斛，因往求助。肃即指一囷相赠，其慷慨如此。平生好击剑骑射，寓居曲阿。祖母亡，还葬东城。其友刘子扬欲约彼往巢湖投郑宝，肃尚踌躇未往。今主公可速召之。』权大喜，即命周瑜往聘。瑜奉命亲往，见肃叙礼毕，具道孙权相慕之意。肃曰：『近刘子扬约某往巢湖，某将就之。』瑜曰：『昔马援对光武云：「当今之世，非但君择臣，臣亦择君。」今吾孙将军亲贤礼士，纳奇录异，世所罕有。足下不须他计，只同我往投东吴为是。』肃从其言，遂同周瑜来见孙权。权甚敬之，与之谈论，终日不倦。

一日，众官皆散，权留鲁肃共饮，至晚同榻抵足而卧。夜半，权问肃曰：『方今汉室倾危，四方纷扰；孤承父兄余业，思为桓、文之事，君将何以教我？』肃曰：『昔汉高祖欲尊事义帝而不获者，以项羽为害也。今之曹操可比项羽，将军何由得为桓、文乎？肃窃料汉室不可复兴，曹操不可卒除。为将军计，惟有鼎足

江东以观天下之衅。今乘北方多务，剿除黄祖，进伐刘表，竟长江所极而据守之；然后建号帝王，以图天下：此高祖之业也。』权闻言大喜，披衣起谢。次日厚赠鲁肃，并将衣服帏帐等物赐肃之母。肃又荐一人见孙权：此人博学多才，事母至孝；覆姓诸葛，名瑾，字子瑜，琅琊南阳人也。权拜之为上宾。瑾劝权勿通袁绍，且顺曹操，然后乘便图之。权依言，乃遣陈震回，以书绝袁绍。

却说曹操闻孙策已死，欲起兵下江南。侍御史张纮谏曰：『乘人之丧而伐之，既非义举；若其不克，弃好成仇：不如因而善遇之。』操然其说，乃即奏封孙权为将军，兼领会稽太守；即令张纮为会稽都尉，赍印往江东。孙权大喜，又得张纮回吴，即命与张昭同理政事。张纮又荐一人于孙权：此人姓顾，名雍，字元叹，乃中郎蔡邕之徒；其为人少言语，不饮酒，严厉正大。权以为丞，行太守事。自是孙权威震江东，深得民心。

且说陈震回见袁绍，具说：『孙策已亡，孙权继立。曹操封之为将军，结为外应矣。』袁绍大怒，遂起冀、青、幽、并等处人马七十余万，复来攻取许昌。正是：江南兵革方休息，冀北干戈又复兴。未知胜负若何，且听下文分解。





## 第三十回　战官渡本初败绩　劫乌巢孟德烧粮

却说袁绍兴兵，望官渡进发。夏侯惇发书告急。曹操起军七万，前往迎敌，留荀彧守许都。绍兵临发，田丰从狱中上书谏曰：『今且宜静守以待天时，不可妄兴大兵，恐有不利。』逢纪谮曰：『主公兴仁义之师，田丰何得出此不祥之语！』绍因怒，欲斩田丰。众官告免。绍恨曰：『待吾破了曹操，明正其罪！』遂催军进发，旌旗遍野，刀剑如林。行至阳武，下定寨栅。沮授曰：『我军虽众，而勇猛不及彼军；彼军虽精，而粮草不如我军。彼军无粮，利在急战；我军有粮，宜且缓守。若能旷以日月，则彼军不战自败矣。』绍怒曰：『田丰慢我军心，吾回日必斩之。汝安敢又如此！』叱左右：『将沮授锁禁军中，待我破曹之后，与田丰一体治罪！』于是下令，将大军七十万，东西南北，周围安营，连络九十余里。

细作探知虚实，报至官渡。曹军新到，闻之皆惧。曹操与众谋士商议。荀攸曰：『绍军虽多，不足惧也。我军俱精锐之士，无不一以当十。但利在急战。若迁延日月，粮草不敷，事可忧矣。』操曰：『所言正合吾意。』遂传令军将鼓噪而进。绍军来迎，两边排成阵势。审配拨弩手一万，伏于两翼；弓箭手五千，伏于门旗内：约炮响齐发。三通鼓罢，袁绍金盔金甲，锦袍玉带，立马阵前。左右排列着张郃、高览、韩猛、淳于琼等诸将。旌旗节钺，甚是严整。曹阵上门旗开处，曹操出马。许褚、张辽、徐晃、李典等，各持兵器，前后拥卫。曹操以鞭指袁绍曰：『吾于天子之前，保奏你为大将军，今何故谋反？』绍怒曰：『汝托名汉相，

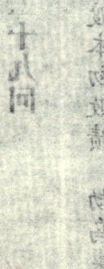

实为汉贼！罪恶弥天，甚于莽、卓，乃反诬人造反耶！』操曰：『吾奉诏讨贼！』操怒，使张辽出战。张郃跃马来迎。二将斗了四五十合，不分胜负。曹操见了，暗暗称奇。许褚挥刀纵马，直出助战。高览挺枪接住。四员将捉对儿厮杀。曹操令夏侯惇、曹洪，各引三千军，齐冲彼阵。审配见曹军来冲阵，便令放起号炮：两下万弩并发，中军内弓箭手一齐拥出阵前乱射。曹军如何抵敌，望南急走。袁绍驱兵掩杀，曹军大败，尽退至官渡。

袁绍移军逼近官渡下寨。审配曰：『今可拨兵十万守官渡，就曹操寨前筑起土山，令军人下视寨中放箭。操若弃此而去，吾得此隘口，许昌可破矣。』绍从之，于各寨内选精壮军人，用铁锹担土，齐来曹操寨边，垒土成山。曹营内见袁军堆筑土山，欲待出去冲突，被审配弓弩手当住咽喉要路，不能前进。十日之内，筑成土山五十余座，上立高橹，分拨弓弩手于其上射箭。曹军大惧，皆顶着遮箭牌守御。土山上一声梆子响处，箭下如雨。曹军皆蒙楯伏地，袁军呐喊而笑。曹操见军慌乱，集众谋士问计。刘晔进曰：『可作发石车以破之。』操令晔进车式，连夜造发石车数百乘，分布营墙内，正对着土山上云梯。候弓箭手射箭时，营内一齐拽动石车，炮石飞空，往上乱打。人无躲处，弓箭手死者无数。袁军皆号其车为『霹雳车』。由是袁军不敢登高射箭。审配又献一计：令军人用铁锹暗打地道，直透曹营内，号为『掘子军』。曹兵望见袁军于山后掘土坑，报知曹操。操又问计于刘晔。晔曰：『此袁军不能攻明而攻暗，发掘伏道，欲从地下透营而入耳。』操曰：『何以御之？』晔曰：『可绕营掘长堑，则彼伏道无用也。』操连夜差军掘堑。袁军掘伏道到堑边，果不能入，空费军力。



却说曹操守官渡，自八月起，至九月终，军力渐乏，粮草不继。意欲弃官渡退回许昌，迟疑未决，乃作书遣人赴许昌问荀彧。彧以书报之。书略曰：

承尊命，使决进退之疑。愚以袁绍悉众聚于官渡，欲与明公决胜负，公以至弱当至强，若不能制，必为所乘：是天下之大机也。绍军虽众，而不能用；以公之神武明哲，何向而不济！今军实虽少，未若楚、汉在荥阳、成皋间也。公今画地而守，扼其喉而使不能进，情见势竭，必将有变。此用奇之时，断不可失。惟明公裁察焉。

曹操得书大喜，令将士效力死守。绍军约退三十余里，操遣将出营巡哨。有徐晃部将史涣获得袁军细作，解见徐晃。晃问其军中虚实。答曰：『早晚大将韩猛运粮至军前接济，先令我等探路。』徐晃便将此事报知曹操。荀攸曰：『韩猛匹夫之勇耳。若遣一人引轻骑数千，从半路击之，断其粮草，绍军自乱。』操曰：『谁人可往？』攸曰：『即遣徐晃可也。』操遂差徐晃将带史涣并所部兵先出，后使张辽、许褚引兵救应。当夜韩猛押粮车数千辆，解赴绍寨。正走之间，山谷内徐晃、史涣引军截住去路。韩猛飞马来战，徐晃接住厮杀。史涣便杀散人夫，放火焚烧粮车。韩猛抵当不住，拨回马走。徐晃催军烧尽辎重。袁绍军中望见西北上火起，正惊疑间，败军报来：『粮草被劫！』绍急遣张郃、高览去截大路，正遇徐晃烧粮而回。恰欲交锋，背后张辽、许褚军到。两下夹攻，杀散袁军，四将合兵一处，回官渡寨中。曹操大喜，重加赏劳。

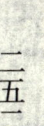

又分军于寨前结营，为犄角之势。

却说韩猛败军还营，绍大怒，欲斩韩猛，众官劝免。审配曰：『行军以粮食为重，不可不用心提防。乌巢乃屯粮之处，必得重兵守之。』袁绍曰：『吾筹策已定。汝可回邺都监督粮草，休教缺乏。』审配领命而去。袁绍遣大将淳于琼，部领督将眭元进、韩莒(jǔ)子、吕威璜、赵睿等，引二万人马，守乌巢。那淳于琼性刚好酒，军士多畏之；既至乌巢，终日与诸将聚饮。

且说曹操军粮告竭，急发使往许昌教荀彧作速措办粮草，星夜解赴军前接济。使者赍书而往，行不上三十里，被袁军捉住，缚见谋士许攸。那许攸字子远，少时曾与曹操为友，此时却在袁绍处为谋士。当下搜得使者所赍曹操催粮书信，径来见绍曰：『曹操屯军官渡，与我相持已久，许昌必空虚：若分一军星夜掩袭许昌，则许昌可拔，而操可擒也。今操粮草已尽，正可乘此机会，两路击之。』绍曰：『曹操诡计极多，此书乃诱敌之计也。』攸曰：『今若不取，后将反受其害。』正话间，忽有使者自邺郡来，呈上审配书。书中先说运粮事；后言许攸在冀州时，尝滥受民间财物，且纵令子侄辈多

科税，钱粮入己，今已收其子侄下狱矣。绍见书大怒曰：『滥行匹夫！尚有面目于吾前献计耶！汝与曹操有旧，想今亦受他财贿，为他作奸细，啜赚吾军耳！本当斩首，今权且寄头在项！可速退出，今后不许相见！』许攸出，仰天叹曰：『忠言逆耳，竖子不足与谋！吾子侄已遭审配之害，吾何颜复见冀州之人乎！』遂欲拔剑自刎。左右夺剑劝曰：『公何轻生至此？袁绍不纳直言，后必为曹操所擒。公既与曹公有旧，何不弃暗投明？』只这两句言语，点醒许攸；于是许攸径投曹操。后人有诗叹曰：

本初豪气盖中华，官渡相持枉叹嗟。若使许攸谋见用，山河争得属曹家？

却说许攸暗步出营，径投曹寨，伏路军人拿住。攸曰：『我是曹丞相故友，快与我通报，说南阳许攸来见。』军士忙报入寨中。时操方解衣歇息，闻说许攸私奔到寨，大喜，不及穿履，跣足出迎。遥见许攸，抚掌欢笑，携手共入，操先拜于地。攸慌扶起曰：『公乃汉相，吾乃布衣，何谦恭如此？』操曰：『公乃操故友，岂敢以名爵相上下乎！』攸曰：『某不能择主，屈身袁绍，言不听，计不从，今特弃之来见故人。愿赐收录。』操曰：『子远肯来，吾事济矣！愿即教我以破绍之计。』攸曰：『吾曾教袁绍以轻骑乘虚袭许都，首尾相攻。』操大惊曰：『若袁绍用子言，吾事败矣。』攸曰：『公今军粮尚有几何？』操曰：『可支一年。』攸笑曰：『恐未必。』操曰：『有半年耳。』攸拂袖而起，趋步出帐曰：『吾以诚相投，而公见欺如是，岂吾所望哉！』操挽留曰：『子远勿嗔，尚容实诉：军中粮实可支三月耳。』攸笑曰：『世人皆言孟德奸雄，今果然也。』操亦笑曰：『岂不闻「兵不厌诈」！』遂附耳低言曰：『军中止有此月之粮。』攸大声曰：『休瞒我！粮

已尽矣！』操愕然曰：『何以知之？』攸乃出操与荀彧之书以示之曰：『此书何人所写？』操惊问曰：『何处得之？』攸以获使之事相告。操执其手曰：『子远既念旧交而来，愿即有以教我。』攸曰：『明公以孤军抗大敌，而不求急胜之方，此取死之道也。攸有一策，不过三日，使袁绍百万之众，不战自破。明公还肯听否？』操喜曰：『愿闻良策。』攸曰：『袁绍军粮辎重，尽积乌巢，今拨淳于琼守把，琼嗜酒无备。公可选精兵诈称袁将蒋奇领兵到彼护粮，乘间烧其粮草辎重，则绍军不三日将自乱矣。』操大喜，重待许攸，留于寨中。

次日，操自选马步军士五千，准备往乌巢劫粮。张辽曰：『袁绍屯粮之所，安得无备？丞相未可轻往，恐许攸有诈。』操曰：『不然。许攸此来，天败袁绍。今吾军粮不给，难以久持；若不用许攸之计，是坐而待困也。彼若有诈，安肯留我寨中？且吾亦欲劫寨久矣。今劫粮之举，计在必行，君请勿疑。』辽曰：『亦须防袁绍乘虚来袭。』操笑曰：『吾已筹之熟矣。』便教荀攸、贾诩、曹洪同许攸守大寨，夏侯惇、夏侯渊领一军伏于左，曹仁、李典领一军伏于右，以备不虞。教张辽、许褚在前，徐晃、于禁在后，操自引诸将居中：共五千人马，打着袁军旗号，军士皆束草负薪，人衔枚，马勒口，黄昏时分，望乌巢进发。是夜星光满天。

且说沮授被袁绍拘禁在军中，是夜因见众星朗列，乃命监者引出中庭，仰观天象。忽见太白逆行，侵犯牛、斗之分，大惊曰：『祸将至矣！』遂连夜求见袁绍。时绍已醉卧，听说沮授有密事启报，唤入问之。授曰：『适观天象，见太白逆行于柳、鬼之间，流光射入牛、斗之分，恐有贼兵劫掠之害。乌巢屯粮之所，不可不提备。宜速遣精兵猛将，于间道山路巡哨，免为曹操所算。』绍怒叱曰：『汝乃得罪之人，何敢妄言惑众！』因叱监者曰：『吾令汝拘囚之，何敢放出！』遂命斩监者，别唤人监押沮授。授出，掩泪叹曰：『我军亡在旦夕，我尸骸不知落何处也！』后人有诗叹曰：

逆耳忠言反见仇，独夫袁绍少机谋。乌巢粮尽根基拔，犹欲区区守冀州。



却说曹操领兵夜行，前过袁绍别寨，寨兵问是何处军马。操使人应曰：『蒋奇奉命往乌巢护粮。』袁军见是自家旗号，遂不疑惑。凡过数处，皆诈称蒋奇之兵，并无阻碍。及到乌巢，四更已尽。操教军士将束草周围举火，众将校鼓噪直入。时淳于琼方与众将饮了酒，醉卧帐中；闻鼓噪之声，连忙跳起问：『何故喧闹？』言未已，早被挠钩拖翻。眭元进、赵睿运粮方回，见屯上火起，急来救应。曹军飞报曹操，说：『贼兵在后，请分军拒之。』操大喝曰：『诸将只顾奋力向前，待贼至背后，方可回战！』于是众军将无不争先掩杀。一霎时，火焰四起，烟迷太空。眭、赵二将驱兵来救，操勒马回战。二将抵敌不住，皆被曹军所杀，粮草尽行烧绝。淳于琼被擒见操，操命割去其耳鼻手指，缚于马上，放回绍营以辱之。

却说袁绍在帐中，闻报正北上火光满天，知是乌巢有失，急出帐召文武各官，商议遣兵往救。张郃曰：『某与高览同往救之。』郭图曰：『不可。曹军劫粮，曹操必然亲往；操既自出，寨必空虚，可纵兵先击曹操之寨；操闻之，必速还：此孙膑「围魏救赵」之计也。』张郃曰：『非也。曹操多谋，外出必为内备，

以防不虞。今若攻操营而不拔，琼等见获，吾属皆被擒矣。』郭图曰：『曹操只顾劫粮，岂留兵在寨耶！』再三请劫曹营。绍乃遣张郃、高览引军五千，往官渡击曹营；遣蒋奇领兵一万，往救乌巢。

且说曹操杀散淳于琼部卒，尽夺其衣甲旗帜，伪作淳于琼部下败军回寨，至山僻小路，正遇蒋奇军马。奇军问之，称是乌巢败军奔回。奇遂不疑，驱马径过。张辽、许褚忽至，大喝：『蒋奇休走！』奇措手不及，被张辽斩于马下，尽杀蒋奇之兵。又使人当先伪报云：『蒋奇已自杀散乌巢兵了。』袁绍因不复遣人接应乌巢。只添兵往官渡。

却说张郃、高览攻打曹营，左边夏侯惇，右边曹仁，中路曹洪，一齐冲出：三下攻击，袁军大败。比及接应军到，曹操又从背后杀来，四下围住掩杀。张郃、高览夺路走脱。袁绍收得乌巢败残军马归寨，见淳于琼耳鼻皆无，手足尽落。绍问：『如何失了乌巢？』败军告说：『淳于琼醉卧，因此不能抵敌。』绍怒，立斩之。郭图恐张郃、高览回寨证对是非，先于袁绍前谮曰：『张郃、高览见主公兵败，心中必喜。』绍曰：『何出此言？』图曰：『二人素有降曹之意，今遣击寨，故意不肯用力，以致损折士卒。』绍大怒，遂遣使急召二人归寨问罪。郭图先使人报二人云：『主公将杀汝矣。』及绍使至，高览问曰：『主公唤我等为何？』使者曰：『不知何故。』览遂拔剑斩来使。郃大惊。览曰：『袁绍听信谗言，必为曹操所擒；吾等岂可坐而待死？不如去投曹操。』郃曰：『吾亦有此心久矣。』于是二人领本部兵马，往曹操寨中投降。夏侯惇曰：『张、高二人来降，未知虚实。』操曰：『吾以恩遇之，虽有异心，亦可变矣。』遂开营门命二人入。二人倒戈卸甲，拜伏于地。操曰：『若使袁绍肯从二将军之言，不至有败。今二将军肯来相投，如微子去殷，韩信归汉也。』遂封张郃为偏将军、都亭侯，高览为偏将军、东莱侯。二人大喜。

却说袁绍既去了许攸，又去了张郃、高览，又失了乌巢粮，军心皇皇。许攸又劝曹操作速进兵；张郃、高览请为先锋；操从之。即令张郃、高览领兵往劫绍寨。当夜三更时分，出军三路劫寨。混战到明，各自收兵，绍军折其大半。荀攸献计曰：『今可扬言调拨人马，一路取酸枣，攻邺郡；一路取黎阳，断袁兵归路。袁绍闻之，必然惊惶，分兵拒我；我乘其兵动时击之，绍可破也。』操用其计，使大小三军，四远扬言。绍军闻此信，来寨中报说：『曹操分兵两路：一路取邺郡，一路取黎阳去也。』绍大惊，急遣袁谭分兵五万救邺郡，辛明分兵五万救黎阳，连夜起行。曹操探知袁绍兵动，便分大队军马，八路齐出，直冲绍营。袁军俱无斗志，四散奔走，遂大溃。袁绍披甲不迭，单衣幅巾上马；幼子袁尚后随。张辽、许褚、徐晃、于禁四员将，引军追赶袁绍。绍急渡河，尽弃图书车仗金帛，止引随行八百余骑而去。操军追之不及，尽获遗下之物。所杀八万余人，血流盈沟，溺水死者不计其数。操获全胜，将所得金宝缎匹，给赏军士。于图书中检出书信一束，皆许都及军中诸人与绍暗通之书。左右曰：『可逐一点对姓名，收而杀之。』操曰：『当绍之强，孤亦不能自保，况他人乎？』遂命尽焚之，更不再问。

却说袁绍兵败而奔，沮授因被囚禁，急走不脱，为曹军所获，擒见曹操。操素与授相识。授见操，大

呼曰：『授不降也！』操曰：『本初无谋，不用君言，君何尚执迷耶？吾若早得足下，天下不足虑也。』因厚待之，留于军中。授乃于营中盗马，欲归袁氏。操怒，乃杀之。授至死神色不变。操叹曰：『吾误杀忠义之士也！』命厚礼殡殓，为建坟安葬于黄河渡口，题其墓曰：『忠烈沮君之墓』。后人有诗赞曰：

河北多名士，忠贞推沮君：凝眸知阵法，仰面识天文；至死心如铁，临危气似云。曹公钦义烈，特与建孤坟。

操下令攻冀州。正是：势弱只因多算胜，兵强却为寡谋亡。未知胜负如何，且看下文分解。



## 第三十一回　曹操仓亭破本初　玄德荆州依刘表

却说曹操乘袁绍之败，整顿军马，迤逦追袭。袁绍幅巾单衣，引八百余骑，奔至黎阳北岸，大将蒋义渠出寨迎接。绍以前事诉与义渠。义渠乃招谕离散之众，众闻绍在，又皆蚁聚。军势复振，议还冀州。军行之次，夜宿荒山。绍于帐中闻远远有哭声，遂私往听之。却是败军相聚，诉说丧兄失弟，弃伴亡亲之苦，各各捶胸大哭，皆曰：『若听田丰之言，我等怎遭此祸！』绍大悔曰：『吾不听田丰之言，兵败将亡；今回去，有何面目见之耶！』次日，上马正行间，逢纪引军来接。绍对逢纪曰：『吾不听田丰之言，致有此败。吾今归去，羞见此人。』逢纪因谮曰：『丰在狱中闻主公兵败，抚掌大笑曰：「果不出吾之料！」』袁绍大怒曰：『竖儒怎敢笑我！我必杀之！』遂命使者赍宝剑先往冀州狱中杀田丰。

却说田丰在狱中，一日，狱吏来见丰曰：『与别驾贺喜！』丰曰：『何喜可贺？』狱吏曰：『袁将军大败而回，君必见重矣。』丰笑曰：『吾今死矣！』狱吏问曰：『人皆为君喜，君何言死也？』丰曰：『袁将军外宽而内忌，不念忠诚。若胜而喜，犹能赦我；今战败则羞，吾不望生矣。』狱吏未信。忽使者赍剑至，传袁绍命，欲取田丰之首，狱吏方惊。丰曰：『吾固知必死也。』狱吏皆流泪。丰曰：『大丈夫生于天地间，不识其主而事之，是无智也！今日受死，夫何足惜！』乃自刎于狱中。后人有诗曰：

昨朝沮授军中失，今日田丰狱内亡。河北栋梁皆折断，本初焉不丧家邦！

田丰既死，闻者皆为叹惜。

袁绍回冀州，心烦意乱，不理政事。其妻刘氏劝立后嗣。绍所生三子：长子袁谭字显思，出守青州；次子袁熙字显奕，出守幽州；三子袁尚字显甫，是绍后妻刘氏所生，生得形貌俊伟，绍甚爱之，因此留在身边。自官渡兵败之后，刘氏劝立尚为后嗣，绍乃与审配、逢纪、辛评、郭图四人商议。原来审、逢二人，向辅袁尚；辛、郭二人，向辅袁谭；四人各为其主。当下袁绍谓四人曰：『今外患未息，内事不可不早定，吾将议立后嗣：长子谭，为人性刚好杀；次子熙，为人柔懦难成；三子尚，有英雄之表，礼贤敬士，吾欲立之。公等之意若何？』郭图曰：『三子之中，谭为长，今又居外；主公若废长立幼，此乱萌也。今军威稍挫，敌兵压境，岂可复使父子兄弟自相争乱耶？主公且理会拒敌之策，立嗣之事，毋容多议。』袁绍踌躇未决。

忽报袁熙引兵六万，自幽州来；袁谭引兵五万，自青州来；外甥高干亦引兵五万，自并州来：各至冀州助战。绍喜，再整人马来战曹操。时操引得胜之兵，陈列于河上，有土人箪(dān)食壶浆以迎之。操见父老数人，须发尽白，乃命入帐中赐坐，问之曰：『老丈多少年纪？』答曰：『皆近百岁矣。』操曰：『吾军士惊扰汝乡，吾甚不安。』父老曰：『桓帝时，有黄星见于楚、宋之分，辽东人殷馗善晓天文，夜宿于此，对老汉等言：「黄星见于乾象，正照此间。后五十年，当有真人起于梁、沛之间。」今以年计之，整整五十年。袁本初重敛于民，民皆怨之。丞相兴仁义之兵，吊民伐罪，官渡一战，破袁绍百万之众，正应当时殷馗之言，兆民可望太平矣。』操笑曰：『何敢当老丈所言？』遂取酒食绢帛赐老人而遣之。号令三军：『如有下乡杀人家鸡犬者，如杀人之罪！』于是军民震服。操亦心中暗喜。

人报袁绍聚四州之兵，得二三十万，前至仓亭下寨。操提兵前进，下寨已定。次日，两军相对，各布成阵势。操引诸将出阵，绍亦引三子一甥及文官武将出到阵前。操曰：『本初计穷力尽，何尚不思投降？直待刀临项上，悔无及矣！』绍大怒，回顾众将曰：『谁敢出马？』袁尚欲于父前逞能，便舞双刀，飞马出阵，来往奔驰。操指问众将曰：『此何人？』有识者答曰：『此袁绍三子袁尚也。』言未毕，一将挺枪早出。操视之，乃徐晃部将史涣也。两骑相交，不三合，尚拨马刺斜而走。史涣赶来，袁尚拈弓搭箭，翻身背射，正中史涣左目，坠马而死。袁绍见子得胜，挥鞭一指，大队人马拥将过来，混战大杀一场，各鸣金收军还寨。

操与诸将商议破绍之策。程昱献『十面埋伏』之计，劝操退军于河上，伏兵十队，诱绍追至河上，『我军无退路，必将死战，可胜绍矣。』操然其计。左右各分五队。左：一队夏侯惇，二队张辽，三队李典，四队乐进，五队夏侯渊；右：一队曹洪，二队张郃，三队徐晃，四队于禁，五队高览。中军许褚为先锋。次日，十队先进，埋伏左右已定。至半夜，操令许褚引兵前进，伪作劫寨之势。袁绍五寨人马，一齐俱起。许褚回军便走。袁绍引军赶来，喊声不绝；比及天明，赶至河上。曹军无去路，操大呼曰：『前无去路，诸军何不死战？』众军回身奋力向前。许褚飞马当先，力斩十数将。袁军大乱。袁绍退军急回，背后曹军

赶来。正行间，一声鼓响，左边夏侯渊，右边高览，两军冲出。袁绍聚三子一甥，死冲血路奔走。又行不到十里，左边乐进，右边于禁杀出，杀得袁军尸横遍野，血流成渠。又行不到数里，左边李典，右边徐晃，两军截杀一阵。袁绍父子胆丧心惊，奔入旧寨。令三军造饭，方欲待食，左边张辽，右边张郃，径来冲寨。绍慌上马，前奔仓亭。人马困乏，欲待歇息，后面曹操大军赶来，袁绍舍命而走。正行之间，右边曹洪，左边夏侯惇，挡住去路。绍大呼曰：『若不决死战，必为所擒矣！』奋力冲突，得脱重围。袁熙、高干皆被箭伤。军马死亡殆尽。绍抱三子痛哭一场，不觉昏倒。众人急救，绍口吐鲜血不止，叹曰：『吾自历战数十场，不意今日狼狈至此！此天丧吾也！汝等各回本州，誓与曹贼一决雌雄！』便教辛评、郭图火急随袁谭前往青州整顿，恐曹操犯境；令袁熙仍回幽州，高干仍回并州：各去收拾人马，以备调用。袁绍引袁尚等入冀州养病，令尚与审配、逢纪暂掌军事。

却说曹操自仓亭大胜，重赏三军，令人探察冀州虚实。细作回报：『绍卧病在床。袁尚、审配紧守城池。袁谭、袁熙、高干皆回本州。』众皆劝操急攻之。操曰：『冀州粮食极广，审配又有机谋，未可急拔。现今禾稼在田，恐废民业，姑待秋成后取之未晚。』正议间，忽荀彧有书到，报说：『刘备在汝南得刘辟、龚都数万之众。闻丞相提军出征河北，乃令刘辟守汝南，备亲自引兵乘虚来攻许昌。丞相可速回军御之。』操大惊，留曹洪屯兵河上，虚张声势。操自提大兵往汝南来迎刘备。

却说玄德与关、张、赵云等，引兵欲袭许都。行近穰山地面，正遇曹兵杀来，玄德便于穰山下寨。军



分三队：云长屯兵于东南角上，张飞屯兵于西南角上，玄德与赵云于正南立寨。曹操兵至，玄德鼓噪而出。操布成阵势，叫玄德打话。玄德出马于门旗下。操以鞭指骂曰：『吾待汝为上宾，汝何背义忘恩？』玄德曰：『汝托名汉相，实为国贼！吾乃汉室宗亲，奉天子密诏，来讨反贼！』遂于马上朗诵衣带诏。操大怒，教许褚出战。玄德背后赵云挺枪出马。二将相交三十合，不分胜负。忽然喊声大震，东南角上，云长冲突而来；西南角上，张飞引军冲突而来。三处一齐掩杀。曹军远来疲困，不能抵当，大败而走。玄德得胜回营。

次日，又使赵云搦战。操兵旬日不出。玄德再使张飞搦战，操兵亦不出。玄德愈疑。忽报龚都运粮至，被曹军围住，玄德急令张飞去救。忽又报夏侯惇引军抄背后径取汝南，玄德大惊曰：『若如此，吾前后受敌，无所归矣！』急遣云长救之。两军皆去。不一日，飞马为报夏侯惇已打破汝南，刘辟弃城而走，云长现今被围。玄德大惊。又报张飞去救龚都，也被围住了。玄德急欲回兵，又恐操兵后袭。忽报寨外许褚搦战。玄德不敢出战，候至天黑，教军士饱餐，步军先起，马军后随，寨中虚传更点。玄德等离寨约行数里，转过土山，火把齐明，山头上大呼曰：『休教走了刘备！丞相在此专等！』玄德慌寻走路。赵云曰：『主公勿忧，但跟某来。』赵云挺枪跃马，杀开条路，玄德掣双股剑后随。正战间，许褚追至，与赵云力战。背后于禁、李典又到。玄德见势危，落荒而走。听得背后喊声渐远，玄德望深山僻路，单马逃生。捱到天明，侧首一彪军冲出。玄德大惊，视之，乃刘辟引败军千余骑，护送玄德家小前来；孙乾、简雍、糜芳亦至，诉说：『夏侯惇军势甚锐，因此弃城而走。曹兵赶来，幸得云长当住，因此得脱。』玄德曰：『不知云长今在何处？』

刘辟曰：『将军且行，却再理会。』行到数里，一棒鼓响，前面拥出一彪人马。当先大将，乃是张郃，大叫：『刘备快下马受降！』玄德方欲退后，只见山头上红旗磨动，一军从山坞内拥出，为首大将，乃高览也。玄德两头无路，仰天大呼曰：『天何使我受此窘极耶！事势至此，不如就死！』欲拔剑自刎。刘辟急止之曰：『容某死战，夺路救君。』言讫，便来与高览交锋。战不三合，被高览一刀砍于马下。玄德正慌，方欲自战，高览后军忽然自乱，一将冲阵而来，枪起处，高览翻身落马。视之，乃赵云也。玄德大喜。云纵马挺枪，杀散后队，又来前军独战张郃。郃与云战三十余合，拨马败走。云乘势冲杀，却被郃兵守住山隘，路窄不得出。正夺路间，只见云长、关平、周仓引三百军到。两下相攻，杀退张郃。各出隘口，占住山险下寨。玄德使云长寻觅张飞。原来张飞去救龚都，龚都已被夏侯渊所杀；飞奋力杀退夏侯渊，迤逦赶去，却被乐进引军围住。云长路逢败军，寻踪而去，杀退乐进，与飞同回见玄德。人报曹军大队赶来，玄德教孙乾等保护老小先行。玄德与关、张、赵云在后，且战且走。操见玄德去远，收军不赶。

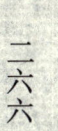

玄德败军不满一千，狼狈而奔。前至一江，唤土人问之，乃汉江也。玄德权用安营。土人知是玄德，奉献羊酒，乃聚饮于沙滩之上。玄德叹曰：『诸君皆有王佐之才，不幸跟随刘备。备之命窘，累及诸君。今日身无立锥，诚恐有误诸君。君等何不弃备而投明主，以取功名乎？』众皆掩面而哭。云长曰：『兄言差矣。昔日高祖与项羽争天下，数败于羽；后九里山一战成功，而开四百年基业。胜负兵家之常，何可自隳(huī)其志！』





孙乾曰：『成败有时，不可丧志。此离荆州不远。刘景升坐镇九郡，兵强粮足，更且与公皆汉室宗亲，何不往投之？』玄德曰：『但恐不容耳。』乾曰：『某愿先往说之，使景升出境而迎主公。』玄德大喜，便令孙乾星夜往荆州。到郡入见刘表，礼毕，刘表问曰：『公从玄德，何故至此？』乾曰：『刘使君天下英雄，虽兵微将寡，而志欲匡扶社稷。汝南刘辟、龚都素无亲故，亦以死报之。明公与使君，同为汉室之胄；今使君新败，欲往江东投孙仲谋。乾僭言曰：「不可背亲而向疏。荆州刘将军礼贤下士，士归之如水之投东，何况同宗乎？」因此使君特使乾先来拜白。惟明公命之。』表大喜曰：『玄德，吾弟也。久欲相会，而不可得。今肯惠顾，实为幸甚！』蔡瑁谮曰：『不可。刘备先从吕布，后事曹操，近投袁绍，皆不克终，足可见其为人。今若纳之，曹操必加兵于我，枉动干戈。不如斩孙乾之首，以献曹操，操必重待主公也。』孙乾正色曰：『乾非惧死之人也。刘使君忠心为国，非曹操、袁绍、吕布等比。前此相从，不得已也。今闻刘将军汉朝苗裔，谊切同宗，故千里相投。尔何献谗而妒贤如此耶？』刘表闻言，乃叱蔡瑁曰：『吾主意已定，汝勿多言。』蔡瑁惭恨而出。刘表遂命孙乾先往报玄德，一面亲自出郭三十里迎接。玄德见表，执礼甚恭。表亦相待甚厚。玄德引关、张等拜见刘表，表遂与玄德等同入荆州，分拨院宅居住。

却说曹操探知玄德已往荆州，投奔刘表，便欲引兵攻之。程昱曰：『袁绍未除，而遽攻荆襄，倘袁绍从北而起，胜负未可知矣。不如还兵许都，养军蓄锐，待来年春暖，然后引兵先破袁绍，后取荆襄：南北之利，一举可收也。』操然其言，遂提兵回许都。至建安七年，春正月，操复商议兴兵。先差夏侯惇、满

宠镇守汝南，以拒刘表；留曹仁、荀彧守许都；亲统大军前赴官渡屯扎。

且说袁绍自旧岁感冒吐血症候，方今稍愈，商议欲攻许都。审配谏曰：『旧岁官渡、仓亭之败，军心未振；尚当深沟高垒，以养军民之力。』正议间，忽报曹操进兵官渡，来攻冀州。绍曰：『若候兵临城下，将至壕边，然后拒敌，事已迟矣。吾当自领大军出迎。』袁尚曰：『父亲病体未痊，不可远征。儿愿提兵前去迎敌。』绍许之，遂使人往青州取袁谭，幽州取袁熙，并州取高干：四路同破曹操。正是：才向汝南鸣战鼓，又从冀北动征鼙(pí)。未知胜负如何，且听下文分解。



## 第三十一回 夺冀州袁尚争锋 决漳河许攸献计

却说袁尚自斩史涣之后，自负其勇，不待袁谭等兵至，自引兵数万出黎阳，与曹军前队相迎。张辽当先出马，袁尚挺枪来战，不三合，架隔遮拦不住，大败而走。张辽乘势掩杀，袁尚不能主张，急急引军奔回冀州。袁绍闻袁尚败回，又受了一惊，旧病复发，吐血数斗，昏倒在地。刘夫人慌救入卧内，病势渐危。刘夫人急请审配、逢纪，直至袁绍榻前，商议后事。绍但以手指而不能言。刘夫人曰：『尚可继后嗣否？』绍点头。审配便就榻前写了遗嘱。绍翻身大叫一声，又吐血斗余而死。后人有诗曰：

累世公卿立大名，少年意气自纵横。空招俊杰三千客，漫有英雄百万兵。
羊质虎皮功不就，凤毛鸡胆事难成。更怜一种伤心处，家难徒延两弟兄。

袁绍既死，审配等主持丧事。刘夫人便将袁绍所爱宠妾五人，尽行杀害；又恐其阴魂于九泉之下再与绍相见，乃髡其发，刺其面，毁其尸：其妒恶如此。袁尚恐宠妾家属为害，并收而杀之。审配、逢纪立袁尚为大司马将军，领冀、青、幽、并四州牧，遣使报丧。此时袁谭已发兵离青州，知父死，便与郭图、辛评商议。图曰：『主公不在冀州，审配、逢纪必立显甫为主矣。当速行。』辛评曰：『审、逢二人，必预定机谋。今若速往，必遭其祸。』袁谭曰：『若此当何如？』郭图曰：『可屯兵城外，观其动静。某当亲往察之。』谭依言。郭图遂入冀州，见袁尚。礼毕，尚问：『兄何不至？』图曰：『因抱病在军中，不能

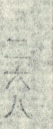

相见。』尚曰：『吾受父亲遗命，立我为主，加兄为车骑将军。目下曹军压境，请兄为前部，吾随后便调兵接应也。』图曰：『军中无人商议良策，愿乞审正南、逢元图二人为辅。』尚曰：『吾亦欲仗此二人早晚画策，如何离得！』图曰：『然则于二人内遣一人去，何如？』尚不得已，乃令二人拈阄，拈着者便去。逢纪拈着，尚即命逢纪赍印绶，同郭图赴袁谭军中。纪随图至谭军，见谭无病，心中不安，献上印绶。谭大怒，欲斩逢纪。郭图密谏曰：『今曹军压境，且只款留逢纪在此，以安尚心。待破曹之后，却来争冀州不迟。』

谭从其言。即时拔寨起行，前至黎阳，与曹军相抵。谭遣大将汪昭出战，操遣徐晃迎敌。二将战不数合，徐晃一刀斩汪昭于马下。曹军乘势掩杀，谭军大败。谭收败军入黎阳，遣人求救于尚。尚与审配计议，只发兵五千余人相助。曹操探知救军已到，遣乐进、李典引兵于半路接着，两头围住尽杀之。袁谭知尚止拨兵五千，又被半路坑杀，大怒，乃唤逢纪责骂。纪曰：『容某作书致主公，求其亲自来救。』谭即令纪作书，遣人到冀州致袁尚。尚与审配共议。配曰：『郭图多谋，前次不争而去者，为曹军在境也。今若破曹，必来争冀州矣。不如不发救兵，借操之力以除之。』尚从其言，不肯发兵。使者回报，谭大怒，立斩逢纪，议欲降曹。早有细作密报袁尚。尚与审配议曰：『使谭降曹，并力来攻，则冀州危矣。』乃留审配并大将苏由固守冀州，自领大军来黎阳救谭。尚问军中谁敢为前部，大将吕旷、吕翔兄弟二人愿去。尚点兵三万，使为先锋，先至黎阳。谭闻尚自来，大喜，遂罢降曹之议。谭屯兵城中，尚屯兵城外，为掎角之势。



不一日，袁熙、高干皆领军到城外，屯兵三处，每日出兵与操相持。尚屡败，操兵屡胜。至建安八年春二月，操分路攻打，袁谭、袁熙、袁尚、高干皆大败，弃黎阳而走。操引兵追至冀州。谭与尚入城坚守；熙与干离城三十里下寨，虚张声势。操兵连日攻打不下。郭嘉进曰：『袁氏废长立幼，而兄弟之间，权力相并，各自树党，急之则相救，缓之则相争；不如举兵南向荆州，征讨刘表，以候袁氏兄弟之变；变成而后击之，可一举而定也。』操善其言，命贾诩为太守，守黎阳；曹洪引兵守官渡。操引大军向荆州进兵。

谭、尚听知曹军自退，遂相庆贺。袁熙、高干各自辞去。袁谭与郭图、辛评议曰：『我为长子，反不能承父业；尚乃继母所生，反承大爵：心实不甘。』图曰：『主公可勒兵城外，只做请显甫、审配饮酒，伏刀斧手杀之，大事定矣。』谭从其言。适别驾王修自青州来，谭将此计告之。修曰：『兄弟者，左右手也。今与他人争斗，断其右手，而曰我必胜，安可得乎？夫弃兄弟而不亲，天下其谁亲之？彼谗人离间骨肉，以求一朝之利，愿塞耳勿听也。』谭怒，叱退王修，使人去请袁尚。尚与审配商议。配曰：『此必郭图之计也。主公若往，必遭奸计；不如乘势攻之。』袁尚依言，便披挂上马，引兵五万出城。袁谭见袁尚引军来，情知事泄，亦即披挂上马，与尚交锋。尚见谭大骂。谭亦骂曰：『汝药死父亲，篡夺爵位，今又来杀兄耶！』二人亲自交锋，袁谭大败。尚亲冒矢石，冲突掩杀。谭引败军奔平原，尚收兵还。袁谭与郭图再议进兵，令岑璧为将，领兵前来。尚自引兵出冀州。两阵对圆，旗鼓相望。璧出骂阵；尚欲自战，大将吕旷，拍马舞刀，来战岑璧。二将战无数合，旷斩岑璧于马下。谭兵又败，再奔平原。审配劝尚进兵，追至平原。谭

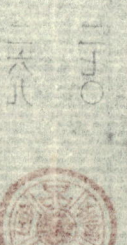

## 第三十二回 夺冀州袁尚争锋 决漳河许攸献计

抵当不住，退入平原，坚守不出。尚三面围城攻打。谭与郭图计议。图曰：『今城中粮少，彼军方锐，势不相敌。愚意可遣人投降曹操，使操将兵攻冀州，尚必还救。将军引兵夹击之，尚可擒矣。若操击破尚军，我因而敛其军以拒操。操军远来，粮食不继，必自退去。我可以仍据冀州，以图进取也。』

谭从其言，问曰：『何人可为使？』图曰：『辛评之弟辛毗，字佐治，见为平原令。此人乃能言之士，可命为使。』谭即召辛毗，毗欣然而至。谭修书付毗，使三千军送毗出境。毗星夜赍书往见曹操。时操屯军西平伐刘表，表遣玄德引兵为前部以迎之。未及交锋，辛毗到操寨。见操礼毕，操问其来意，毗具言袁谭相求之意，呈上书信。操看书毕，留辛毗于寨中，聚文武计议。程昱曰：『袁谭被袁尚攻击太急，不得已而来降，不可准信。』吕虔、满宠亦曰：『丞相既引兵至此，安可复舍表而助谭？』荀攸曰：『三公之言未善。以愚意度之：天下方有事，而刘表坐保江、汉之间，不敢展足，其无四方之志可知矣。袁氏据四州之地，带甲数十万，若二子和睦，共守成业，天下事未可知也；今乘其兄弟相攻，势穷而投我，我提兵先除袁尚，后观其变，并灭袁谭，天下定矣。此机会不可失也。』操大喜，便邀辛毗饮酒，谓之曰：『袁谭之降，真耶诈耶？袁尚之兵，果可必胜耶？』毗对曰：『明公勿问真与诈也，只论其势可耳。袁氏连年丧败，兵革疲于外，谋臣诛于内；兄弟谗隙，国分为二；加之饥馑并臻，天灾人困：无问智愚，皆知土崩瓦解，此乃天灭袁氏之时也。今明公提兵攻邺，袁尚不还救，则失巢穴；若还救，则谭踵袭其后。以明公之威，击疲惫之众，如迅风之扫秋叶也。不此之图，而伐荆州；荆州丰乐之地，国和民顺，未可摇动。况四方之患，莫大于河北；河北既平，则霸业成矣。愿明公详之。』操大喜曰：『恨与辛佐治相见之晚也！』即日督军还取冀州。玄德恐操有谋，不敢追袭，引兵自回荆州。

却说袁尚知曹军渡河，急急引军还邺，命吕旷、吕翔断后。袁谭见尚退军，乃大起平原军马，随后赶来。行不到数十里，一声炮响，两军齐出：左边吕旷，右边吕翔，兄弟二人截住袁谭。谭勒马告二将曰：『吾父在日，吾并未慢待二将军，今何从吾弟而见逼耶？』二将闻言，乃下马降谭。谭曰：『勿降我，可降曹丞相。』二将因随谭归营。谭候操军至，引二将见操。操大喜，以女许谭为妻，即令吕旷、吕翔为媒。谭请操攻取冀州。操曰：『方今粮草不接，搬运劳苦，我济河，遏淇水入白沟，以通粮道，然后进兵。』令谭且居平原。操引军退屯黎阳，封吕旷、吕翔为列侯，随军听用。郭图谓袁谭曰：『曹操以女许婚，恐非真意。今又封赏吕旷、吕翔，带去军中，此乃牢笼河北人心。后必终为我祸。主公可刻将军印二颗，暗使人送与二吕，令作内应。待操破了袁尚，可乘便图之。』谭依言，遂刻将军印二颗，暗送与二吕。二吕受讫，径将印来禀曹操。操大笑曰：『谭暗送印者，欲汝等为内助，待我破袁尚之后，就中取事耳。汝等且权受之，我自有主张。』自此曹操便有杀谭之心。

且说袁尚与审配商议：『今曹兵运粮入白沟，必来攻冀州，如之奈何？』配曰：『可发檄使武安长尹楷屯毛城，通上党运粮道；令沮授之子沮鹄守邯郸，遥为声援。主公可进兵平原，急攻袁谭。先绝袁谭，然后破曹。』袁尚大喜，留审配与陈琳守冀州，使马延、张顗(yi)二将为先锋，连夜起兵攻打平原。谭知尚

兵来近，告急于操。操曰：『吾今番必得冀州矣。』正说间，适许攸自许昌来；闻尚又攻谭，入见操曰：『丞相坐守于此，岂欲待天雷击杀二袁乎？』操笑曰：『吾已料定矣。』遂令曹洪先进兵攻邺，操自引一军来攻尹楷。兵临本境，楷引军来迎。楷出马，操曰：『许仲康安在？』许褚应声而出，纵马直取尹楷。楷措手不及，被许褚一刀斩于马下，余众奔溃。操尽招降之，即勒兵取邯郸。沮鹄进兵来迎。张辽出马，与鹄交锋。战不三合，鹄大败，辽从后追赶。两马相离不远，辽急取弓射之，应弦落马。操指挥军马掩杀，众皆奔散。于是操引大军前抵冀州。曹洪已近城下。操令三军绕城筑起土山，又暗掘地道以攻之。审配设计坚守，法令甚严，东门守将冯礼，因酒醉有误巡警，配痛责之。冯礼怀恨，潜地出城降操。操问破城之策，礼曰：『突门内土厚，可掘地道而入。』操便命冯礼引三百壮士，夤夜掘地道而入。

却说审配自冯礼出降之后，每夜亲自登城点视军马。当夜在突门阁上，望见城外无灯火。配曰：『冯礼必引兵从地道而入也。』急唤精兵运石击突闸门；门闭，冯礼及三百壮士，皆死于土内。操折了这一场，遂罢地道之计，退军于洹水之上，以候袁尚回兵。袁尚攻平原，闻曹操已破

尹楷、沮鹄，大军围困冀州，乃掣兵回救。部将马延曰：『从大路去，曹操必有伏兵；可取小路，从西山出滏水口去劫曹营，必解围也。』尚从其言，自领大军先行，令马延与张顗断后。早有细作去报曹操。操曰：『彼若从大路上来，吾当避之；若从西山小路而来，一战可擒也。吾料袁尚必举火为号，令城中接应。吾可分兵击之。』于是分拨已定。

却说袁尚出滏水界口，东至阳平，屯军阳平亭，离冀州十七里，一边靠着滏水。尚令军士堆积柴薪干草，至夜焚烧为号；遣主簿李孚扮作曹军都督，直至城下，大叫：『开门！』审配认得是李孚声音，放入城中，说：『袁尚已陈兵在阳平亭，等候接应。若城中兵出，亦举火为号。』配教城中堆草放火，以通音信。孚曰：『城中无粮，可发老弱残兵并妇人出降；彼必不为备，我即以兵继百姓之后出攻之。』配从其论。次日，城上竖起白旗，上写『冀州百姓投降』。操曰：『此是城中无粮，教老弱百姓出降，后必有兵出也。』操教张辽、徐晃各引三千军马，伏于两边。操自乘马，张麾盖至城下。果见城门开处，百姓扶老携幼，手持白旗而出。百姓才出尽，城中兵突出。操教将红旗一招，张辽、徐晃两路兵齐出乱杀，城中兵只得复回。操自飞马赶来，到吊桥边，城中弩箭如雨，射中操盔，险透其顶。众将急救回阵。操更衣换马，引众将来攻尚寨，尚自迎敌。时各路军马一齐杀至，两军混战，袁尚大败。尚引败兵退往西山下寨，令人催取马延、张顗军来。——不知曹操已使吕旷、吕翔去招安二将。二将随二吕来降，操亦封为列侯。即日进兵攻打西山，先使二吕、马延、张顗截断袁尚粮道。尚情知西山守不住，夜走滥口。安营未定，四下火光并起，伏兵齐出，

人不及甲，马不及鞍。尚军大溃，退走五十里，势穷力极，只得遣豫州刺史阴夔(kuí)至操营请降。操佯许之，却连夜使张辽、徐晃去劫寨。尚尽弃印绶、节钺、衣甲、辎重，望中山而逃。

操回军攻冀州。许攸献计曰：『何不决漳河之水以淹之？』操然其计，先差军于城外掘壕堑，周围四十里。审配在城上见操军在城外掘堑，却掘得甚浅。配暗笑曰：『此欲决漳河之水以灌城耳。壕深可灌；如此之浅，有何用哉！』遂不为备。当夜曹操添十倍军士并力发掘，比及天明，广深二丈，引漳水灌之，城中水深数尺。更兼粮绝，军士皆饿死。辛毗在城外，用枪挑袁尚印绶衣服，招安城内之人。审配大怒，将辛毗家属老小八十余口，就于城上斩之，将头掷下。辛毗号哭不已。审配之侄审荣，素与辛毗相厚，见辛毗家属被害，心中怀忿，乃密写献门之书，拴于箭上，射下城来。军士拾献辛毗，毗将书献操。操先下令：如入冀州，休得杀害袁氏一门老小；军民降者免死。次日天明，审荣大开西门，放曹兵入。辛毗跃马先入，军将随后，杀入冀州。审配在东南城楼上，见操军已入城中，引数骑下城死战，正迎徐晃交马。徐晃生擒审配，绑出城来。路逢辛毗，毗咬牙切齿，以鞭鞭配首曰：『贼杀才！今日死矣！』配大骂：『辛毗贼徒！引曹操破我冀州，我恨不杀汝也！』徐晃解配见操。操曰：『汝知献门接我者乎？』配曰：『不知。』操曰：『此汝侄审荣所献也。』配怒曰：『小儿不行，乃至于此！』操曰：『昨孤至城下，何城中弩箭之多耶？』配曰：『恨少！恨少！』操曰：『卿忠于袁氏，不容不如此。今肯降吾否？』配曰：『不降！不降！』辛毗哭拜于地曰：『家属八十余口，尽遭此贼杀害。愿丞相戮之，以雪此恨！』配曰：『吾生为袁氏臣，死为袁氏鬼，不似汝辈谗谄阿谀之贼！可速斩我！』操教牵出。临受刑，叱行刑者曰：『吾主在北，不可使我面南而死！』乃向北跪，引颈就刃。后人有诗叹曰：

河北多名士，谁如审正南：命因昏主丧，心与古人参。忠直言无隐，廉能志不贪。临亡犹北面，降者尽羞惭。

审配既死，操怜其忠义，命葬于城北。众将请曹操入城。操方欲起行，只见刀斧手拥一人至，操视之，乃陈琳也。操谓之曰：『汝前为本初作檄，但罪状孤，可也；何乃辱及祖、父耶？』琳答曰：『箭在弦上，不得不发耳。』左右劝操杀之；操怜其才，乃赦之，命为从事。

却说操长子曹丕，字子桓，时年十八岁。丕初生时，有云气一片，其色青紫，圆如车盖，覆于其室，终日不散。有望气者，密谓操曰：『此天子气也。令嗣贵不可言！』丕八岁能属文，有逸才，博古通今，善骑射，好击剑。时操破冀州，丕随父在军中，先领随身军，径投袁绍家，下马拔剑而入。有一将当之曰：『丞相有命，诸人不许入绍府。』丕叱退，提剑入后堂。见两个妇人相抱而哭，丕向前欲杀之。正是：四世公侯已成梦，一家骨肉又遭殃。未知性命如何，且听下文分解。

## 第三十三回　曹丕乘乱纳甄氏　郭嘉遗计定辽东

却说曹丕见二妇人啼哭，拔剑欲斩之。忽见红光满目，遂按剑而问曰：『汝何人也？』一妇人告曰：『妾乃袁将军之妻刘氏也。』丕曰：『此女何人？』刘氏曰：『此次男袁熙之妻甄氏也。因熙出镇幽州，甄氏不肯远行，故留于此。』丕拖此女近前，见披发垢面。丕以衫袖拭其面而观之，见甄氏玉肌花貌，有倾国之色。遂对刘氏曰：『吾乃曹丞相之子也。愿保汝家。汝勿忧虑。』遂按剑坐于堂上。

却说曹操统领众将入冀州城，将入城门，许攸纵马近前，以鞭指城门而呼操曰：『阿瞒，汝不得我，安得入此门？』操大笑。众将闻言，俱怀不平。操至绍府门下，问曰：『谁曾入此门来？』守将对曰：『世子在内。』操唤出责之。刘氏出拜曰：『非世子不能保全妾家，愿献甄氏为世子执箕帚。』操教唤出甄氏拜于前。操视之曰：『真吾儿妇也！』遂令曹丕纳之。

操既定冀州，亲往袁绍墓下设祭，再拜而哭甚哀，顾谓众官曰：『昔日吾与本初共起兵时，本初问吾曰：「若事不辑，方面何所可据？」吾问之曰：「足下意欲若何？」本初曰：「吾南据河，北阻燕、代，兼沙漠之众，南向以争天下，庶可以济乎？」吾答曰：「吾任天下之智力，以道御之，无所不可。」此言如昨，而今本初已丧，吾不能不为流涕也！』众皆叹息。操以金帛粮米赐绍妻刘氏。乃下令曰：『河北居民遭兵革之难，尽免今年租赋。』一面写表申朝；操自领冀州牧。一日，许褚走马入东门，正迎许攸。攸唤褚曰：





『汝等无我，安能出入此门乎？』褚怒曰：『吾等千生万死，身冒血战，夺得城池，汝安敢夸口！』攸骂曰：『汝等皆匹夫耳，何足道哉！』褚大怒，拔剑杀攸，提头来见曹操，说许攸如此无礼，『某杀之矣。』操曰：『子远与吾旧交，故相戏耳，何故杀之！』深责许褚，令厚葬许攸。乃令人遍访冀州贤士。冀民曰：『骑都尉崔琰，字季珪，清河东武城人也。数曾献计于袁绍，绍不从，因此托疾在家。』操即召琰为本州别驾从事，因谓曰：『昨按本州户籍，共计三十万众，可谓大州。』琰曰：『今天下分崩，九州幅裂，二袁兄弟相争，冀民暴骨原野，丞相不急存问风俗，救其涂炭，而先计校户籍，岂本州士女所望于明公哉？』操闻言，改容谢之，待为上宾。

操已定冀州，使人探袁谭消息。时谭引兵劫掠甘陵、安平、渤海、河间等处，闻袁尚败走中山，乃统军攻之。尚无心战斗，径奔幽州投袁熙。谭尽降其众，欲复图冀州。操使人召之，谭不至。操大怒，驰书绝其婚，自统大军征之，直抵平原。谭闻操自统军来，遣人求救于刘表。表请玄德商议。玄德曰：『今操已破冀州，兵势正盛，袁氏兄弟不久必为操擒，救之无益；况操常有窥荆襄之意，我只养兵自守，未可妄动。』表曰：『然则何以谢之？』玄德曰：『可作书与袁氏兄弟，以和解为名，婉词谢之。』表然其言，先遣人以书遗谭。书略曰：

君子违难，不适仇国。日前闻君屈膝降曹，则是忘先人之仇，弃手足之谊，而遗同盟之耻矣。若冀州不弟，当降心相从。待事定之后，使天下平其曲直，不亦高义耶？

又与袁尚书曰：

青州天性峭急，迷于曲直。君当先除曹操，以卒先公之恨。事定之后，乃计曲直，不亦善乎？若迷而不返，则是韩卢、东郭自困于前，而遗田父之获也。

谭得表书，知表无发兵之意，又自料不能敌操，遂弃平原，走保南皮。曹操追至南皮，时天气寒肃，河道尽冻，粮船不能行动。操令本处百姓敲冰拽船，百姓闻令而逃。操大怒，欲捕斩之。百姓闻得，乃亲往营中投首。操曰：『若不杀汝等，则吾号令不行；若杀汝等，吾又不忍：汝等快往山中藏避，休被我军士擒获。』百姓皆垂泪而去。

袁谭引兵出城，与曹军相敌。两阵对圆，操出马以鞭指谭而骂曰：『吾厚待汝，汝何生异心？』谭曰：『汝犯吾境界，夺吾城池，赖吾妻子，反说我有异心耶！』操大怒，使徐晃出马。谭使彭安接战。两马相交，不数合，晃斩彭安于马下。谭军败走，退入南皮。操遣军四面围住。谭着慌，使辛评见操约降。操曰：『袁谭小子，反覆无常，吾难准信。汝弟辛毗，吾已重用，汝亦留此可也。』评曰：『丞相差矣。某闻「主贵臣荣，主忧臣辱」。评久事袁氏，岂可背之！』操知其不可留，乃遣回。评回见谭，言操不准投降。谭叱曰：『汝弟现事曹操，汝怀二心耶？』评闻言，气满填胸，昏绝于地。谭令扶出，须臾而死。谭亦悔之。郭图谓谭曰：『来日尽驱百姓当先，以军继其后，与曹操决一死战。』谭从其言。当夜尽驱南皮百姓，皆执刀枪听令。次日平明，大开四门，军在后，驱百姓在前，喊声大举，一齐拥出，直抵曹寨。两军混战，自辰至午，胜负未分，杀人遍地。操见未获全胜，弃马上山，亲自击鼓。将士见之，奋力向前，谭军大败。百姓被杀者无数。曹洪奋威突阵，正迎袁谭，举刀乱砍，谭竟被曹洪杀于阵中。郭图见阵大乱，急驰入城中。乐进望见，拈弓搭箭，射下城壕，人马俱陷。操引兵入南城，安抚百姓。忽有一彪军来到，乃袁熙部将焦触、张南也。操自引军迎之。二将倒戈卸甲，特来投降。操封为列侯。又黑山贼张燕，引军十万来降，操封为平北将军。

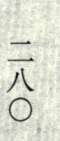

下令将袁谭首级号令，敢有哭者斩。头挂北门外。一人布冠衰衣，哭于头下。左右拿来见操。操问之，乃青州别驾王修也，因谏袁谭被逐，今知谭死，故来哭之。操曰：『汝知吾令否？』修曰：『知之。』操曰：『汝不怕死耶？』修曰：『我生受其辟命，亡而不哭，非义也。畏死忘义，何以立世乎！若得收葬谭尸，受戮无恨。』操曰：『河北义士，何其如此之多也！可惜袁氏不能用！若能用，则吾安敢正眼觑此地哉！』遂命收葬谭尸，礼修为上宾，以为司金中郎将。因问之曰：『今袁尚已投袁熙，取之当用何策？』修不答。操曰：『忠臣也。』问郭嘉，嘉曰：『可使袁氏降将焦触、张南等自攻之。』操用其言，随差焦触、张南、吕旷、吕翔，马延、张顗，各引本部兵，分三路进攻幽州；一面使李典、乐进会合张燕，打并州，攻高干。

且说袁尚、袁熙知曹兵将至，料难迎敌，乃弃城引兵，星夜奔辽西投乌桓去了。幽州刺史乌桓触，聚幽州众官，歃血为盟，共议背袁向曹之事。乌桓触先言曰：『吾知曹丞相当世英雄，今往投降，有不遵令者斩。』依次歃血，循至别驾韩珩。珩乃掷剑于地，大呼曰：『吾受袁公父子厚恩，今主败亡，智不能救，勇不能死，于义缺矣！若北面而降操，吾不为也！』众皆失色。乌桓触曰：『夫兴大事，当立大义。事之

济否，不待一人。韩珩既有志如此，听其自便。』推珩而出。乌桓触乃出城迎接三路军马，径来降操。操大喜，加为镇北将军。

忽探马来报：『乐进、李典、张燕攻打并州，高干守住壶关口，不能下。』操自勒兵前往。三将接着，说干拒关难击。操集众将共议破干之计。荀攸曰：『若破干，须用诈降计方可。』操然之。唤降将吕旷、吕翔，附耳低言如此如此。吕旷等引军数十，直抵关下，叫曰：『吾等原系袁氏旧将，不得已而降曹。曹操为人诡谲，薄待吾等；吾今还扶旧主。可疾开关相纳。』高干未信，只教二将自上关说话。二将卸甲弃马而入，谓干曰：『曹军新到，可乘其军心未定，今夜劫寨。某等愿当先。』干喜，从其言，是夜教二吕当先，引万余军前去。将至曹寨，背后喊声大震，伏兵四起。高干知是中计，急回壶关城，乐进、李典已夺了关。高干夺路走脱，往投单于。操领兵拒住关口，使人追袭高干。干到单于界，正迎北番左贤王。干下马拜伏于地，言：『曹操吞并疆土，今欲犯王子地面，万乞救援，同力克复，以保北方。』左贤王曰：『吾与曹操无仇，岂有侵我土地？汝欲使我结怨于曹氏耶！』叱退高干。干寻思无路，

第三十三回 曹丕乘乱纳甄氏 郭嘉遗计定辽东



只得去投刘表。行至上洛，被都尉王琰所杀，将头解送曹操。曹封琰为列侯。

并州既定，操商议西击乌桓。曹洪等曰：『袁熙、袁尚兵败将亡，势穷力尽，远投沙漠；我今引兵西击，倘刘备、刘表乘虚袭许都，我救应不及，为祸不浅矣。请回师勿进为上。』郭嘉曰：『诸公所言错矣。主公虽威震天下，沙漠之人恃其边远，必不设备；乘其无备，卒然击之，必可破也。且袁绍与乌桓有恩，而尚与熙兄弟犹存，不可不除。刘表坐谈之客耳，自知才不足以御刘备，重任之，则恐不能制；轻任之，则备不为用。虽虚国远征，公无忧也。』操曰：『奉孝之言极是。』遂率大小三军，车数千辆，望前进发。但见黄沙漠漠，狂风四起；道路崎岖，人马难行。操有回军之心，问于郭嘉。嘉此时不伏水土，卧病车上。操泣曰：『因我欲平沙漠，使公远涉艰辛，以至染病，吾心何安！』嘉曰：『某感丞相大恩，虽死不能报万一。』操曰：『吾见北地崎岖，意欲回军，若何？』嘉曰：『兵贵神速。今千里袭人，辎重多而难以趋利，不如轻兵兼道以出，掩其不备。但须得识径者为引导耳。』遂留郭嘉于易州养病，求向导官以引路。人荐袁绍旧将田畴深知此境，操召而问之。畴曰：『此道秋夏间有水，浅不通车马，深不载舟楫，最难行动。不如回军，从卢龙口越白檀之险，出空虚之地，前近柳城，掩其不备：蹋顿可一战而擒也。』操从其言，封田畴为靖北将军，作向导官，为前驱；张辽为次；操自押后：倍道轻骑而进。田畴引张辽前至白狼山，正遇袁熙、袁尚会合蹋顿等数万骑前来。张辽飞报曹操。操自勒马登高望之，见蹋顿兵无队伍，参差不整。操谓张辽曰：『敌兵不整，便可击之。』乃以麾授辽。辽引许褚、于禁、徐晃分四路下山，奋力急攻，蹋

顿大乱。辽拍马斩蹋顿于马下，余众皆降。袁熙、袁尚引数千骑投辽东去了。

操收军入柳城，封田畴为柳亭侯，以守柳城。畴涕泣曰：「某负义逃窜之人耳，蒙厚恩全活，为幸多矣；岂可卖卢龙之寨，以邀赏禄哉！死不敢受侯爵。」操义之，乃拜畴为议郎。操抚慰单于人等，收得骏马万匹，即日回兵。时天气寒且旱，二百里无水，军又乏粮，杀马为食，凿地三四十丈，方得水。操回至易州，重赏先曾谏者，因谓众将曰：「孤前者乘危远征，侥幸成功。虽得胜，天所佑也，不可以为法。诸君之谏，乃万安之计，是以相赏。后勿难言。」操到易州时，郭嘉已死数日，停柩在公廨。操往祭之，大哭曰：「奉孝死，乃天丧吾也！」回顾众官曰：「诸君年齿，皆孤等辈，惟奉孝最少，吾欲托以后事。不期中年夭折，使吾心肠崩裂矣！」嘉之左右，将嘉临死所封之书呈上曰：「郭公临亡，亲笔书此，嘱曰：『丞相若从书中所言，辽东事定矣。』」操拆书视之，点头嗟叹。诸人皆不知其意。次日，夏侯惇引众人禀曰：「辽东太守公孙康，久不宾服。今袁熙、袁尚又往投之，必为后患。不如乘其未动，速往征之，辽东可得也。」操笑曰：「不烦诸公虎威。数日之后，公孙康自送二袁之首至矣。」

诸将皆不肯信。

却说袁熙、袁尚引数千骑奔辽东。辽东太守公孙康，本襄平人，武威将军公孙度之子也。当日知袁熙、袁尚来投，遂聚本部属官商议此事。公孙恭曰：「袁绍在日，常有吞辽东之心；今袁熙、袁尚兵败将亡，无处依栖，来此相投，是鸠夺鹊巢之意也。若容纳之，后必相图。不如赚入城中杀之，献头与曹公，曹公必重待我。」康曰：「只怕曹操引兵下辽东，又不如纳二袁使为我助。」恭曰：「可使人探听。如曹兵来攻，则留二袁；如其不动，则杀二袁，送与曹公。」康从之，使人去探消息。

却说袁熙、袁尚至辽东，二人密议曰：「辽东军兵数万，足可与曹操争衡。今暂投之，后当杀公孙康而夺其地，养成气力而抗中原，可复河北也。」商议已定，乃入见公孙康。康留于馆驿，只推有病，不即相见。不一日，细作回报：「曹公兵屯易州，并无下辽东之意。」公孙康大喜，乃先伏刀斧手于壁衣中，使二袁入。相见礼毕，命坐。时天气严寒，尚见床榻上无裀褥，谓康曰：「愿铺坐席。」康瞋目言曰：「汝二人之头，将行万里！何席之有！」尚大惊。康叱曰：「左右何不下手！」刀斧手拥出，就坐席上砍下二人之头，用木匣盛贮，使人送到易州，来见曹操。时操在易州，按兵不动。夏侯惇、张辽入禀曰：「如不下辽东，可回许都。——恐刘表生心。」操曰：「待二袁首级至，即便回兵。」众皆暗笑。忽报辽东公孙康遣人送袁熙、袁尚首级至，众皆大惊。使者呈上书信。操大笑曰：「不出奉孝之料！」重赏来使，封公孙康为襄平侯、左将军。众官问曰：「何为不出奉孝之所料？」操道出郭嘉书以示之。书略曰：

今闻袁熙、袁尚往投辽东，明公切不可加兵。公孙康久畏袁氏吞并，二袁往投必疑。若以兵击之，必并力迎敌，急不可下；若缓之，公孙康、袁氏必自相图，其势然也。

众皆踊跃称善。操引众官复设祭于郭嘉灵前。——亡年三十八岁，从征十有一年，多立奇勋。后人有诗赞曰：

天生郭奉孝，豪杰冠群英：腹内藏经史，胸中隐甲兵；运谋如范蠡，决策似陈平。可惜身先丧，中原梁栋倾。

操领兵还冀州，使人先扶郭嘉灵柩于许都安葬。

程昱等请曰：『北方既定，今还许都，可早建下江南之策。』操笑曰：『吾有此志久矣。诸君所言，正合吾意。』是夜宿于冀州城东角楼上，凭栏仰观天文。时荀攸在侧，操指曰：『南方旺气灿然，恐未可图也。』攸曰：『以丞相天威，何所不服！』正看间，忽见一道金光，从地而起。攸曰：『此必有宝于地下。』操下楼令人随光掘之。正是：星文方向南中指，金宝旋从北地生。不知所得何物，且听下文分解。

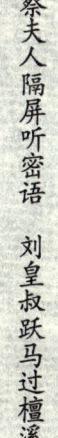

## 第三十四回 蔡夫人隔屏听密语 刘皇叔跃马过檀溪

却说曹操于金光处，掘出一铜雀，问荀攸曰：『此何兆也？』攸曰：『昔舜母梦玉雀入怀而生舜。今得铜雀，亦吉祥之兆也。』操大喜，遂命作高台以庆之。乃即日破土断木，烧瓦磨砖，筑铜雀台于漳河之上。约计一年而工毕。少子曹植进曰：『若建层台，必立三座：中间高者，名为铜雀；左边一座，名为玉龙；右边一座，名为金凤。更作两条飞桥，横空而上，乃为壮观。』操曰：『吾儿所言甚善。他日台成，足可娱吾老矣！』原来曹操有五子，惟植性敏慧，善文章，曹操平日最爱之。于是留曹植与曹丕在邺郡造台，使张燕守北寨。操将所得袁绍之兵，共五六十万，班师回许都。大封功臣；又表赠郭嘉为贞侯，养其子奕于府中。复聚众谋士商议，欲南征刘表。荀彧曰：『大军方北征而回，未可复动。且待半年，养精蓄锐，刘表、孙权可一鼓而下也。』操从之，遂分兵屯田，以候调用。

却说玄德自到荆州，刘表待之甚厚。一日，正相聚饮酒，忽报降将张武、陈孙在江夏掳掠人民，共谋造反。表惊曰：『二贼又反，为祸不小！』玄德曰：『不须兄长忧虑，备请往讨之。』表大喜，即点三万军，与玄德前去。玄德领命即行，不一日，来到江夏。张武、陈孙引兵来迎。玄德与关、张、赵云出马在门旗下，望见张武所骑之马，极其雄骏。玄德曰：『此必千里马也。』言未毕，赵云挺枪而出，径冲彼阵。张武纵马来迎，不三合，被赵云一枪刺落马下，随手扯住辔头，牵马回阵。陈孙见了，随赶来夺。张飞大

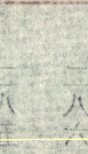

喝一声，挺矛直出，将陈孙刺死。众皆溃散。玄德招安余党，平复江夏诸县，班师而回。表出郭迎接入城，设宴庆功。酒至半酣，表曰：『吾弟如此雄才，荆州有倚赖也。但忧南越不时来寇，张鲁、孙权皆足为虑。』玄德曰：『弟有三将，足可委用：使张飞巡南越之境；云长拒固子城，以镇张鲁；赵云拒三江，以当孙权。何足虑哉？』表喜，欲从其言。蔡瑁告其姊蔡夫人曰：『刘备遣三将居外，而自居荆州，久必为患。』蔡夫人乃夜对刘表曰：『我闻荆州人多与刘备往来，不可不防之。今容其居住城中，无益，不若遣使他往。』表曰：『玄德仁人也。』蔡氏曰：『只恐他人不似汝心。』表沉吟不答。

次日出城，见玄德所乘之马极骏，问之，知是张武之马，表称赞不已。玄德遂将此马送与刘表。表大喜，骑回城中。蒯越见而问之。表曰：『此玄德所送也。』越曰：『昔先兄蒯良，最善相马；越亦颇晓。此马眼下有泪槽，额边生白点，名为「的卢」，骑则妨主。张武为此马而亡。主公不可乘之。』表听其言。次日请玄德宴，因言曰：『昨承惠良马，深感厚意。但贤弟不时征进，可以用之。敬当送还。』玄德起谢。表又曰：『贤弟久居此间，恐废武事。襄阳属邑新野县，颇有钱粮。弟可引本部军马于本县屯扎，何如？』玄德领诺。次日，谢别刘表，引本部军径往新野。方出城门，只见一人在马前长揖曰：『公所骑马，不可乘也。』玄德视之，乃荆州幕宾伊籍，字机伯，山阳人也。玄德忙下马问之。籍曰：『昨闻蒯异度对刘荆州云：「此马名的卢，乘则妨主。」因此还公。公岂可复乘之？』玄德曰：『深感先生见爱。但凡人死生有命，岂马所能妨哉！』籍服其高见，自此常与玄德往来。





玄德自到新野，军民皆喜，政治一新。建安十二年春，甘夫人生刘禅。是夜有白鹤一只，飞来县衙屋上，高鸣四十余声，望西飞去。临分娩时，异香满室。甘夫人尝夜梦仰吞北斗，因而怀孕，故乳名阿斗。此时曹操正统兵北征。玄德乃往荆州，说刘表曰：『今曹操悉兵北征，许昌空虚，若以荆襄之众，乘间袭之，大事可就也。』表曰：『吾坐据九郡足矣，岂可别图？』玄德默然。表邀入后堂饮酒。酒至半酣，表忽然长叹。玄德曰：『兄长何故长叹？』表曰：『吾有心事，未易明言。』玄德再欲问时，蔡夫人出立屏后。刘表乃垂头不语。须臾席散，玄德自归新野。至是年冬，闻曹操自柳城回，玄德甚叹表之不用其言。忽一日，刘表遣使至，请玄德赴荆州相会。玄德随使而往。刘表接着，叙礼毕，请入后堂饮宴。因谓玄德曰：『近闻曹操提兵回许都，势日强盛，必有吞并荆襄之心。昔日悔不听贤弟之言，失此好机会。』玄德曰：『今天下分裂，干戈日起，机会岂有尽乎？若能应之于后，未足为恨也。』表曰：『吾弟之言甚当。』相与对饮。酒酣，表忽潸然泪下。玄德问其故。表曰：『吾有心事，前者欲诉与贤弟，未得其便。』玄德曰：『兄长有何难决之事？倘有用弟之处，弟虽死不辞。』表曰：『前妻陈氏所生长子

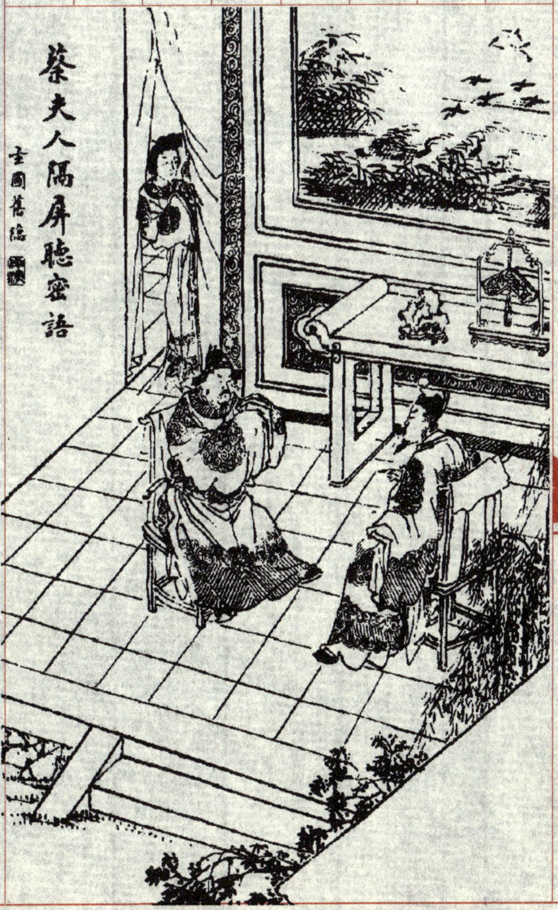

琦，为人虽贤，而柔懦不足立事；后妻蔡氏所生少子琮，颇聪明。吾欲废长立幼，恐碍于礼法；欲立长子，争奈蔡氏族中，皆掌军务，后必生乱：因此委决不下。』玄德曰：『自古废长立幼，取乱之道。若忧蔡氏权重，可徐徐削之，不可溺爱而立少子也。』表默然。

原来蔡夫人素疑玄德，凡遇玄德与表叙论，必来窃听。是时正在屏风后，闻玄德此言，心甚恨之。玄德自知语失，遂起身如厕。因见己身髀肉复生，亦不觉潸然流涕。少顷复入席。表见玄德有泪容，怪问之。玄德长叹曰：『备往常身不离鞍，髀肉皆散；今久不骑，髀里肉生。日月蹉跎，老将至矣，而功业不建：是以悲耳！』表曰：『吾闻贤弟在许昌，与曹操青梅煮酒，共论英雄；贤弟尽举当世名士，操皆不许，而独曰：「天下英雄，惟使君与操耳。」以曹操之权力，犹不敢居吾弟之先，何虑功业不建乎？』玄德乘着酒兴，失口答曰：『备若有基本，天下碌碌之辈，诚不足虑也。』表闻言默然。玄德自知语失，托醉而起，归馆舍安歇。后人有诗赞玄德曰：

曹公屈指从头数：『天下英雄独使君。』髀肉复生犹感叹，争教寰宇不三分？

却说刘表闻玄德语，口虽不言，心怀不足，别了玄德，退入内宅。蔡夫人曰：『适间我于屏后听得刘备之言，甚轻觑人，足见其有吞并荆州之意。今若不除，必为后患。』表不答，但摇头而已。蔡氏乃密召蔡瑁入，商议此事。瑁曰：『请先就馆舍杀之，然后告知主公。』蔡氏然其言。瑁出，便连夜点军。

却说玄德在馆舍中秉烛而坐，三更以后，方欲就寝。忽一人叩门而入，视之乃伊籍也：原来伊籍探知




蔡瑁欲害玄德，特夤夜来报。当下伊籍将蔡瑁之谋，报知玄德，催促玄德速速起身。玄德曰：『未辞景升，如何便去？』籍曰：『公若辞，必遭蔡瑁之害矣。』玄德乃谢别伊籍，急唤从者，一齐上马，不待天明，星夜奔回新野。比及蔡瑁领军到馆舍时，玄德已去远矣。瑁悔恨无及，乃写诗一首于壁间，径入见表曰：『刘备有反叛之意，题反诗于壁上，不辞而去矣。』表不信，亲诣馆舍观之，果有诗四句。诗曰：

数年徒守困，空对旧山川。龙岂池中物，乘雷欲上天！

刘表见诗大怒，拔剑言曰：『誓杀此无义之徒！』行数步，猛省曰：『吾与玄德相处许多时，不曾见他作诗。——此必外人离间之计也。』遂回步入馆舍，用剑尖削去此诗，弃剑上马。蔡瑁请曰：『军士已点齐，可就往新野擒刘备。』表曰：『未可造次，容徐图之。』蔡瑁见表持疑不决，乃暗与蔡夫人商议：即日大会众官于襄阳，应彼处谋之。次日，瑁禀表曰：『近年丰熟，合聚众官于襄阳，以示抚劝之意。请主公一行。』表曰：『吾近日气疾作，实不能行。可令二子为主待客。』瑁曰：『公子年幼，恐失于礼节。』表曰：『可往新野请玄德待客。』瑁暗喜正中其计，便差人请玄德赴襄阳。

却说玄德奔回新野，自知失言取祸，未对众人言之。忽使者至，请赴襄阳。孙乾曰：『昨见主公匆匆而回，意甚不乐。愚意度之，在荆州必有事故。今忽请赴会，不可轻往。』玄德方将前项事诉与诸人。云长曰：『兄自疑心语失。刘荆州并无嗔责之意。外人之言，未可轻信。襄阳离此不远，若不去，则荆州反生疑矣。』玄德曰：『云长之言是也。』张飞曰：『「筵无好筵，会无好会」，不如休去。』赵云曰：『某

将马步军三百人同往，可保主公无事。」玄德曰：「如此甚好。」

遂与赵云即日赴襄阳。蔡瑁出郭迎接，意甚谦谨。随后刘琦、刘琮二子，引一班文武官僚出迎。玄德见二公子俱在，并不疑忌。是日请玄德于馆舍暂歇。赵云引三百军围绕保护。云披甲挂剑，行坐不离左右。刘琦告玄德曰：「父亲气疾作，不能行动，特请叔父待客，抚劝各处守牧之官。」玄德曰：「吾本不敢当此；既有兄命，不敢不从。」次日，人报九郡四十二州官员，俱已到齐。蔡瑁预请蒯越计议曰：「刘备世之枭雄，久留于此，后必为害，可就今日除之。」越曰：「恐失士民之望。」瑁曰：「吾已密领刘荆州言语在此。」越曰：「既如此，可预作准备。」瑁曰：「东门岘(xiàn)山大路，已使吾弟蔡和引军守把；南门外已使蔡中守把；北门外已使蔡勋守把。止有西门不必守把：前有檀溪阻隔，虽有数万之众，不易过也。」越曰：「吾见赵云行坐不离玄德，恐难下手。」瑁曰：「吾伏五百军在城内准备。」越曰：「可使文聘、王威二人另设一席于外厅，以待武将。先请住赵云，然后可行事。」瑁从其言。当日杀牛宰马，大张筵席。玄德乘的卢马至州衙，命牵入后园拴系。众官皆至堂中。玄德主席，二公子两边分坐，其余各依次而坐。赵云带剑立于玄德之侧。文聘、王威入请赵云赴席。云推辞不去。玄德令云就席，云勉强应命而出。蔡瑁在外收拾得铁桶相似，将玄德带来三百军，都遣归馆舍，只待半酣，号起下手。酒至三巡，伊籍起把盏，至玄德前，以目视玄德，低声谓曰：「请更衣。」玄德会意，即起如厕。伊籍把盏毕，疾入后园，接着玄德，附耳报曰：「蔡瑁设计害君，城外东、南、北三处，皆有军马守把。惟西门可走，公宜速逃！」玄德大惊，急解的卢马，开后园门牵出，飞身上马，不顾从者，匹马望西门而走。门吏问之，玄德不答，加鞭而出。门吏当之不住，飞报蔡瑁。瑁即上马，引五百军随后追赶。

却说玄德撞出西门，行无数里，前有大溪，拦住去路。那檀溪阔数丈，水通襄江，其波甚紧。玄德到溪边，见不可渡，勒马再回，遥望城西尘头大起，追兵将至。玄德曰：「今番死矣！」遂回马到溪边。回头看时，追兵已近。玄德着慌，纵马下溪。行不数步，马前蹄忽陷，浸湿衣袍。玄德乃加鞭大呼曰：「的卢，的卢！今日妨吾！」言毕，那马忽从水中涌身而起，一跃三丈，飞上西岸。玄德如从云雾中起。后来苏学士有古风一篇，单咏跃马檀溪事。诗曰：

老去花残春日暮，宦游偶至檀溪路；停骖遥望独徘徊，眼前零落飘红絮。暗想咸阳火德衰，
龙争虎斗交相持；襄阳会上王孙饮，坐中玄德身将危。逃生独出西门道，背后追兵复将到；
一川烟水涨檀溪，急叱征骑往前跳。马蹄踏碎青玻璃，天风响处金鞭挥；耳畔但闻千骑走，
波中忽见双龙飞：西川独霸真英主，坐下龙驹两相遇。檀溪溪水自东流，龙驹英主今何处！
临流三叹心欲酸，斜阳寂寂照空山；三分鼎足浑如梦，踪迹空留在世间。

玄德跃过溪西，顾望东岸。蔡瑁已引军赶到溪边，大叫：「使君何故逃席而去？」玄德曰：「吾与汝无仇，何故欲相害？」瑁曰：「吾并无此心。使君休听人言。」玄德见瑁手将拈弓取箭，乃急拨马望西南而去。瑁谓左右曰：「是何神助也？」方欲收军回城，只见西门内赵云引三百军赶来。正是：跃去龙驹能救主，追来虎将欲诛仇。未知蔡瑁性命如何，且听下文分解。

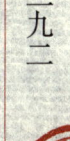

## 第三十五回　玄德南漳逢隐沦　单福新野遇英主

却说蔡瑁方欲回城，赵云引军赶出城来。原来赵云正饮酒间，忽见人马动，急入内观之，席上不见了玄德。云大惊，出投馆舍，听得人说：『蔡瑁引军望西赶去了。』云火急绰枪上马，引着原带来三百军，奔出西门，正迎着蔡瑁，急问曰：『吾主何在？』瑁曰：『使君逃席而去，不知何往。』赵云是谨细之人，不肯造次，即策马前行。遥望大溪，别无去路，乃复回马，喝问蔡瑁曰：『汝请吾主赴宴，何故引着军马追来？』瑁曰：『九郡四十二州县官僚俱在此，吾为上将，岂可不防护？』云曰：『汝逼吾主何处去了？』瑁曰：『闻使君匹马出西门，到此却又不见。』云惊疑不定，直来溪边看时，只见隔岸一带水迹。云暗忖曰：『难道连马跳过了溪去？……』令三百军四散观望，并不见踪迹。云再回马时，蔡瑁已入城去了。云乃拿守门军士追问，皆说曰：『刘使君飞马出西门而去。』云再欲入城，又恐有埋伏，遂急引军归新野。

却说玄德跃马过溪，似醉如痴，想：『此阔涧一跃而过，岂非天意！』迤逦望南漳策马而行，日将沉西。正行之间，见一牧童跨于牛背上，口吹短笛而来。玄德叹曰：『吾不如也！』遂立马观之。牧童亦停牛罢笛，熟视玄德，曰：『将军莫非破黄巾刘玄德否？』玄德惊问曰：『汝乃村僻小童，何以知吾姓字？』牧童曰：『我本不知。因常侍师父，有客到日，多曾说有一刘玄德，身长七尺五寸，垂手过膝，目能自顾其耳，乃当世之英雄。今观将军如此模样，想必是也。』玄德曰：『汝师何人也？』牧童曰：『吾师覆姓司马，名徽，字德操，颍川人也。道号「水镜先生」。』玄德曰：『汝师与谁为友？』小童曰：『与襄阳庞德公、庞统为友。』玄德曰：『庞德公乃庞统何人？』童子曰：『叔侄也。庞德公字山民，长俺师父十岁；庞统字士元，少俺师父五岁。一日，我师父在树上采桑，适庞统来相访，坐于树下，共相议论，终日不倦。吾师甚爱庞统，呼之为弟。』玄德曰：『汝师今居何处？』牧童遥指曰：『前面林中，便是庄院。』玄德曰：『吾正是刘玄德。汝可引我去拜见你师父。』

童子便引玄德，行二里余，到庄前下马，入至中门，忽闻琴声甚美。玄德教童子且休通报，侧耳听之。琴声忽住而不弹。一人笑而出曰：『琴韵清幽，音中忽起高抗之调，必有英雄窃听。』童子指谓玄德曰：『此即吾师水镜先生也。』玄德视其人，松形鹤骨，器宇不凡。慌忙进前施礼，——衣襟尚湿。水镜曰：『公今日幸免大难！』玄德惊讶不已。小童曰：『此刘玄德也。』水镜请入草堂，分宾主坐定。玄德见架上满堆书卷，窗外盛栽松竹，横琴于石床之上，清气飘然。水镜问曰：『明公何来？』玄德曰：『偶尔经由此地，因小童相指，得拜尊颜，不胜万幸！』水镜笑曰：『公不必隐讳。公今必逃难至此。』玄德遂以襄阳一事



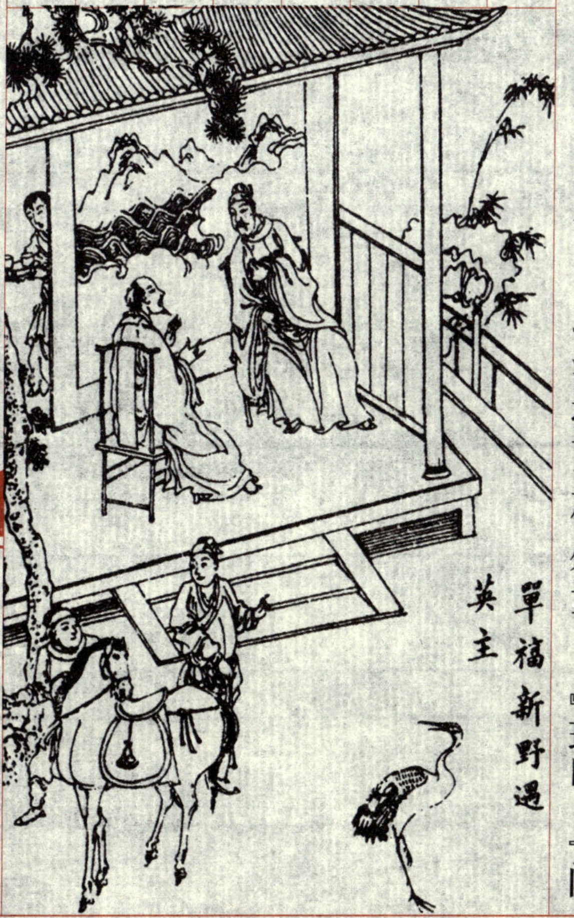
单福新野遇英主

告之。水镜曰：『吾观公气色，已知之矣。』因问玄德曰：『吾久闻明公大名，何故至今犹落魄不偶耶？』玄德曰：『命途多蹇，所以至此。』水镜曰：『不然。盖因将军左右不得其人耳。』玄德曰：『备虽不才，文有孙乾、糜竺、简雍之辈，武有关、张、赵云之流，竭忠辅相，颇赖其力。』水镜曰：『关、张、赵云，皆万人敌，惜无善用之人。若孙乾、糜竺辈，乃白面书生，非经纶济世之才也。』玄德曰：『备亦尝侧身以求山谷之遗贤，奈未遇其人何！』水镜曰：『岂不闻孔子云：「十室之邑，必有忠信。」何谓无人？』玄德曰：『备愚昧不识，愿赐指教。』水镜曰：『公闻荆襄诸郡小儿谣言乎？其谣曰：「八九年间始欲衰，至十三年无孑遗。到头天命有所归，泥中蟠龙向天飞。」此谣始于建安初：建安八年，刘景升丧却前妻，便生家乱，此所谓「始欲衰」也；「无孑遗」者，不久则景升将逝，文武零落无孑遗矣；「天命有归」，「龙向天飞」，盖应在将军也。』玄德闻言惊谢曰：『备安敢当此！』水镜曰：『今天下之奇才，尽在于此，公当往求之。』玄德急问曰：『奇才安在？果系何人？』水镜曰：『伏龙、凤雏，两人得一，可安天下。』玄德曰：『伏龙、凤雏何人也？』水镜抚掌大笑曰：『好！好！』玄德再问时，水镜曰：『天色已晚，将军可于此暂宿一宵，明日当言之。』即命小童具饮馔相待，马牵入后院喂养。

玄德饮膳毕，即宿于草堂之侧。玄德因思水镜之言，寝不成寐。约至更深，忽听一人叩门而入，水镜曰：『元直何来？』玄德起床密听之，闻其人答曰：『久闻刘景升善善恶恶，特往谒之。及至相见，徒有虚名，盖善善而不能用，恶恶而不能去者也。故遗书别之，而来至此。』水镜曰：『公怀王佐之才，宜择人而事，奈何轻身往见景升乎？且英雄豪杰，只在眼前，公自不识耳。』其人曰：『先生之言是也。』玄德闻之大喜，暗忖此人必是伏龙、凤雏，即欲出见，又恐造次。

候至天晓，玄德求见水镜，问曰：『昨夜来者是谁？』水镜曰：『此吾友也。』玄德求与相见。水镜曰：『此人欲往投明主，已到他处去了。』玄德请问其姓名。水镜笑曰：『好！好！』玄德再问：『伏龙、凤雏，果系何人？』水镜亦只笑曰：『好！好！』玄德拜请水镜出山相助，同扶汉室。水镜曰：『山野闲散之人，不堪世用。自有胜吾十倍者来助公，公宜访之。』正谈论间，忽闻庄外人喊马嘶，小童来报：『有一将军，引数百人到庄来也。』玄德大惊，急出视之，乃赵云也。玄德大喜。云下马入见曰：『某夜来回县，寻不见主公，连夜跟问到此。主公可作速回县。只恐有人来县中厮杀。』玄德辞了水镜，与赵云上马，投新野来。行不数里，一彪人马来到，视之，乃云长、翼德也。相见大喜。玄德诉说跃马檀溪之事，共相嗟讶。

到县中，与孙乾等商议。乾曰：『可先致书于景升，诉告此事。』玄德从其言，即令孙乾赍书至荆州。

刘表唤入问曰：『吾请玄德襄阳赴会，缘何逃席而去？』孙乾呈上书札，具言蔡瑁设谋相害，赖跃马檀溪得脱。表大怒，急唤蔡瑁责骂曰：『汝焉敢害吾弟！』命推出斩之。蔡夫人出，哭求免死，表怒犹未息。孙乾告曰：『若杀蔡瑁，恐皇叔不能安居于此矣。』表乃责而释之，使长子刘琦同孙乾至玄德处请罪。琦奉命赴新野，玄德接着，设宴相待。酒酣，琦忽然堕泪。玄德问其故。琦曰：『继母蔡氏，常怀谋害之心，侄无计免祸，幸叔父指教。』玄德劝以『小心尽孝，自然无祸』。次日，琦泣别。玄德乘马送琦出郭，因指马谓琦曰：『若非此马，吾已为泉下之人矣。』琦曰：『此非马之力，乃叔父之洪福也。』说罢，相别。刘琦涕泣而去。

玄德回马入城，忽见市上一人，葛巾布袍，皂绦乌履，长歌而来。歌曰：

天地反覆兮，火欲殂；大厦将崩兮，一木难扶。山谷有贤兮，欲投明主；明主求贤兮，却不知吾。

玄德闻歌，暗思：『此人莫非水镜所言伏龙、凤雏乎？』遂下马相见，邀入县衙，问其姓名，答曰：『某乃颍上人也，姓单，名福。久闻使君纳士招贤，欲来投托，未敢辄造；故行歌于市，以动尊听耳。』玄德大喜，待为上宾。单福曰：『适使君所乘之马，再乞一观。』玄德命去鞍牵于堂下。单福曰：『此非的卢马乎？虽是千里马，却只妨主，不可乘也。』玄德曰：『已应之矣。』遂具言跃檀溪之事。福曰：『此乃救主，非妨主也；终必妨一主。某有一法可禳。』玄德曰：『愿闻禳法。』福曰：『公意中有仇怨之人，可将此马赐之；待妨过了此人，然后乘之，自然无事。』玄德闻言变色曰：『公初至此，不教吾以正道，便教作利己妨人之事，备不敢闻教。』福笑谢曰：『向闻使君仁德，未敢便信，故以此言相试耳。』玄德





亦改容起谢曰：『备安能有仁德及人，惟先生教之。』福曰：『吾自颍上来此，闻新野之人歌曰：「新野牧，刘皇叔；自到此，民丰足。」可见使君之仁德及人也。』玄德乃拜单福为军师，调练本部人马。

却说曹操自冀州回许都，常有取荆州之意，特差曹仁、李典并降将吕旷、吕翔等领兵三万，屯樊城，虎视荆襄，就探看虚实。时吕旷、吕翔禀曹仁曰：『今刘备屯兵新野，招军买马，积草储粮，其志不小，不可不早图之。吾二人自降丞相之后，未有寸功，愿请精兵五千，取刘备之头，以献丞相。』曹仁大喜，与二吕兵五千，前往新野厮杀。探马飞报玄德。玄德请单福商议。福曰：『既有敌兵，不可令其入境。可使关公引一军从左而出，以敌来军中路；张飞引一军从右而出，以敌来军后路；公自引赵云出兵前路相迎：敌可破矣。』玄德从其言，即差关、张二人去讫；然后与单福、赵云等，共引二千人马出关相迎。行不数里，只见山后尘头大起，吕旷、吕翔引军来到。两边各射住阵角。玄德出马于旗门下，大呼曰：『来者何人，敢犯吾境！』吕旷出马曰：『吾乃大将吕旷也。奉丞相命，特来擒汝！』玄德大怒，使赵云出马。二将交战，不数合，赵云一枪刺吕旷于马下。玄德麾军掩杀，吕翔抵敌不住，引军便走。正行间，路傍一军突出，为首大将，乃关云长也；冲杀一阵，吕翔折兵大半，夺路走脱。行不到十里，又一军拦住去路，为首大将，挺矛大叫：『张翼德在此！』直取吕翔。翔措手不及，被张飞一矛刺中，翻身落马而死。余众四散奔走。玄德合军追赶，大半多被擒获。玄德班师回县，重待单福，犒赏三军。

却说败军回见曹仁，报说：『二吕被杀，军士多被活捉。』曹仁大惊，与李典商议。典曰：『二将欺

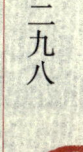

敌而亡，今只宜按兵不动，申报丞相，起大兵来征剿，乃为上策。』仁曰：『不然。今二将阵亡，又折许多军马，此仇不可不急报。量新野弹丸之地，何劳丞相大军？』典曰：『刘备人杰也，不可轻视。』仁曰：『公何怯也！』典曰：『兵法云：「知彼知己，百战百胜。」某非怯战，但恐不能必胜耳。』仁怒曰：『公怀二心耶？吾必欲生擒刘备！』典曰：『将军若去，某守樊城。』仁曰：『汝若不同去，真怀二心矣！』典不得已，只得与曹仁点起二万五千军马，渡河投新野而来。正是：偏裨既有舆尸辱，主将重兴雪耻兵。

未知胜负何如，且听下文分解。



## 第三十六回　玄德用计袭樊城　元直走马荐诸葛

却说曹仁忿怒，遂大起本部之兵，星夜渡河，意欲踏平新野。

且说单福得胜回县，谓玄德曰：『曹仁屯兵樊城，今知二将被诛，必起大军来战。』玄德曰：『当何以迎之？』福曰：『彼若尽提兵而来，樊城空虚，可乘间夺之。』玄德问计。福附耳低言如此如此。玄德大喜，预先准备已定。忽探马报说：『曹仁引大军渡河来了。』单福曰：『果不出吾之料。』遂请玄德出军迎敌。两阵对圆，赵云出马唤彼将答话。曹仁命李典出阵，与赵云交锋。约战十数合，李典料敌不过，拨马回阵。云纵马追赶，两翼军射住，遂各罢兵归寨。李典回见曹仁，言：『彼军精锐，不可轻敌，不如回樊城。』曹仁大怒曰：『汝未出军时，已慢吾军心；今又卖阵，罪当斩首！』便喝刀斧手推出李典要斩；众将苦告方免。乃调李典领后军，仁自引兵为前部。次日鸣鼓进军，布成一个阵势，使人问玄德曰：『识吾阵势？』单福便上高处观看毕，谓玄德曰：『此「八门金锁阵」也。八门者：休、生、伤、杜、景、死、惊、开。如从生门、景门、开门而入则吉；从伤门、惊门、休门而入则伤；从杜门、死门而入则亡。今八门虽布得整齐，只是中间通欠主持。如从东南角上生门击入，往正西景门而出，其阵必乱。』玄德传令，教军士把住阵角，命赵云引五百军从东南而入，径往西出。云得令，挺枪跃马，引兵径投东南角上，呐喊杀入中军。曹仁便投北走。云不追赶，却突出西门，又从西杀转东南角上来。曹仁军大乱。玄德麾军冲击，曹兵大败

而退。单福命休追赶，收军自回。

却说曹仁输了一阵，方信李典之言，因复请典商议，言：『刘备军中必有能者。吾阵竟为所破。』李典曰：『吾虽在此，甚忧樊城。』曹仁曰：『今晚去劫寨。如得胜，再作计议；如不胜，便退军回樊城。』李典曰：『不可。刘备必有准备。』仁曰：『若如此多疑，何以用兵！』遂不听李典之言。自引军为前队，使李典为后应，当夜二更劫寨。

却说单福正与玄德在寨中议事，忽信风骤起。福曰：『今夜曹仁必来劫寨。』玄德曰：『何以敌之？』福笑曰：『吾已预算定了。』遂密密分拨已毕。至二更，曹仁兵将近寨，只见寨中四围火起，烧着寨栅。曹仁知有准备，急令退军。赵云掩杀将来。仁不及收兵回寨，急望北河而走。将到河边，才欲寻船渡河，岸上一彪军杀到：为首大将，乃张飞也。曹仁死战，李典保护曹仁下船渡河。曹军大半淹死水中。曹仁渡过河面，上岸奔至樊城，令人叫门。只见城上一声鼓响，一将引军而出，大喝曰：『吾已取樊城多时矣！』众惊视之，乃关云长也。仁大惊，拨马便走。云长追杀过来。曹仁又折了好些军马，星夜投许昌。于路打听，方知有单福为军师，设谋定计。

不说曹仁败回许昌。且说玄德大获全胜，引军入樊城，县令刘泌出迎。玄德安民已定。那刘泌乃长沙人，亦汉室宗亲，遂请玄德到家，设宴相待。只见一人侍立于侧。玄德视其人器宇轩昂，因问泌曰：『此何人？』泌曰：『此吾之甥寇封，本罗侯寇氏之子也，因父母双亡，故依于此。』玄德爱之，欲嗣为义子。



刘泌欣然从之，遂使寇封拜玄德为父，改名刘封。玄德带回，令拜云长、翼德为叔。云长曰：『兄长既有子，何必用螟蛉？后必生乱。』玄德曰：『吾待之如子，彼必事吾如父，何乱之有！』云长不悦。玄德与单福计议，令赵云引一千军守樊城。玄德领众自回新野。

却说曹仁与李典回许都，见曹操，泣拜于地请罪，具言损将折兵之事。操曰：『胜负乃军家之常。但不知谁为刘备画策？』曹仁言是单福之计。操曰：『单福何人也？』程昱笑曰：『此非单福也。此人幼好学击剑；中平末年，尝为人报仇杀人，披发涂面而走，为吏所获；问其姓名不答，吏乃缚于车上，击鼓行于市，令市人识之，虽有识者不敢言，而同伴窃解救之。乃更姓名而逃，折节向学，遍访名师，尝与司马徽谈论。——此人乃颍川徐庶，字元直。单福乃其托名耳。』操曰：『徐庶之才，比君何如？』昱曰：『十倍于昱。』操曰：『惜乎贤士归于刘备！羽翼成矣！奈何？』昱曰：『徐庶虽在彼，丞相要用，召来不难。』操曰：『安得彼来归？』昱曰：『徐庶为人至孝。幼丧其父，止有老母在堂。现今其弟徐康已亡，老母无人侍养。丞相可使人赚其子至许昌，令作书召其子，则徐庶必至矣。』

操大喜，使人星夜前去取徐庶母。不一日，取至。操厚待之，因谓之曰：『闻令嗣徐元直，乃天下奇才也。今在新野，助逆臣刘备，背叛朝廷，正犹美玉落于污泥之中，诚为可惜。今烦老母作书，唤回许都，吾于天子之前保奏，必有重赏。』遂命左右捧过文房四宝，令徐母作书。徐母曰：『刘备何如人也？』操曰：『沛郡小辈，妄称「皇叔」，全无信义，所谓外君子而内小人者也。』徐母厉声曰：『汝何虚诳之甚也！吾久闻玄德乃中山靖王之后，孝景皇帝阁下玄孙，屈身下士，恭己待人，仁声素著，世之黄童、白叟、牧子、樵夫皆知其名：真当世之英雄也。吾儿辅之，得其主矣。汝虽托名汉相，实为汉贼。乃反以玄德为逆臣，欲使吾儿背明投暗，岂不自耻乎！』言讫，取石砚便打曹操。操大怒，叱武士执徐母出，将斩之。程昱急止之，入谏操曰：『徐母触忤丞相者，欲求死也。丞相若杀之，则招不义之名，而成徐母之德。徐母既死，徐庶必死心助刘备以报仇矣；不如留之，使徐庶身心两处，纵使助刘备，亦不尽力也。且留得徐母在，昱自有计赚徐庶至此，以辅丞相。』操然其言，遂不杀徐母，送于别室养之。程昱日往问候，诈言曾与徐庶结为兄弟，待徐母如亲母；时常馈送物件，必具手启。徐母因亦作手启答之。程昱赚得徐母笔迹，乃仿其字体，诈修家书一封，差一心腹人，持书径奔新野县，寻问『单福』行幕。军士引见徐庶。庶知母有家书至，急唤入问之。来人曰：『某乃馆下走卒，奉老夫人言语，有书附达。』庶拆封视之。书曰：

> 近汝弟康丧，举目无亲。正悲凄间，不期曹丞相使人赚至许昌，言汝背反，下我于缧绁，赖程昱等救免。若得汝降，能免我死。如书到日，可念劬(qú)劳之恩，星夜前来，以全孝道；然后徐图归耕故园，免遭大祸。吾今命若悬丝，专望救援！更不多嘱。

徐庶览毕，泪如泉涌。持书来见玄德曰：『某本颍川徐庶，字元直；为因逃难，更名单福。前闻刘景升招贤纳士，特往见之；及与论事，方知是无用之人，故作书别之。夤夜至司马水镜庄上，诉说其事。水镜深责庶不识主，因说：「刘豫州在此，何不事之？」庶故作狂歌于市，以动使君；幸蒙不弃，即赐重用。争奈老母今被曹操奸计，赚至许昌囚禁，将欲加害。老母手书来唤，庶不容不去。非不欲效犬马之劳，以报使君；奈慈亲被执，不得尽力。今当告归，容图后会。』玄德闻言大哭曰：『子母乃天性之亲，元直无以备为念。待与老夫人相见之后，或者再得奉教。』徐庶便拜谢欲行。玄德曰：『乞再聚一宵，来日饯行。』孙乾密谓玄德曰：『元直天下奇才，久在新野，尽知我军中虚实。今若使归曹操，必然重用，我其危矣。主公宜苦留之，切勿放去。操见元直不去，必斩其母。元直知母死，必为母报仇，力攻曹操也。』玄德曰：『不可。使人杀其母，而吾用其子，不仁也；留之不使去，以绝其子母之道，不义也。吾宁死，不为不仁不义之事。』众皆感叹。玄德请徐庶饮酒，庶曰：『今闻老母被囚，虽金波玉液不能下咽矣。』玄德曰：『备闻公将去，如失左右手，虽龙肝凤髓，亦不甘味。』二人相对而泣，坐以待旦。诸将已于郭外安排筵席饯行。玄德与徐庶并马出城，至长亭，下马相辞。玄德举杯谓徐庶曰：『备分浅缘薄，不能与先生相聚。望先生善事新主，以成功名。』庶泣曰：『某才微智浅，深荷使君重用。今不幸半途而别，实为老母故也。纵使曹操相逼，庶亦终身不设一谋。』玄德曰：『先生既去，刘备亦将远遁山林矣。』庶曰：『某所以与

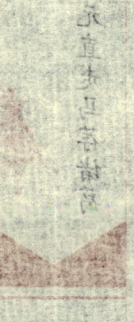

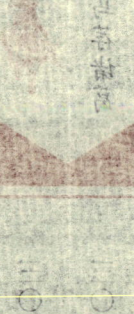

使君共图王霸之业者，恃此方寸耳，今以老母之故，方寸乱矣，纵使在此，无益于事。使君宜别求高贤辅佐，共图大业，何便灰心如此？』玄德曰：『天下高贤，无有出先生右者。』庶曰：『某樗(chū)栎庸材，何敢当此重誉。』临别，又顾谓诸将曰：『愿诸公善事使君，以图名垂竹帛，功标青史，切勿效庶之无始终也。』诸将无不伤感。玄德不忍相离，送了一程，又送一程。庶辞曰：『不劳使君远送，庶就此告别。』玄德就马上执庶之手曰：『先生此去，天各一方，未知相会却在何日！』说罢，泪如雨下。庶亦涕泣而别。玄德立马于林畔，看徐庶乘马与从者匆匆而去。玄德哭曰：『元直去矣！吾将奈何？』凝泪而望，却被一树林隔断。玄德以鞭指曰：『吾欲尽伐此处树木。』众问何故。玄德曰：『因阻吾望徐元直之目也。』

正望间，忽见徐庶拍马而回。玄德曰：『元直复回，莫非无去意乎？』遂欣然拍马向前迎问曰：『先生此回，必有主意。』庶勒马谓玄德曰：『某因心绪如麻，忘却一语：此间有一奇士，只在襄阳城外二十里隆中。使君何不求之？』玄德曰：『敢烦元直为备请来相见。』庶曰：『此人不可屈致，使君可亲往求之。若得此人，无异周得吕望、汉得张良也。』玄德曰：『此人比先生才德何如？』庶曰：『以某比之，譬犹驽马并麒麟、寒鸦配鸾凤耳。此人每尝自比管仲、乐毅；以吾观之，管、乐殆不及此人。此人有经天纬地之才，盖天下一人也！』玄德喜曰：『愿闻此人姓名。』庶曰：『此人乃琅琊阳都人，覆姓诸葛，名亮，字孔明，乃汉司隶校尉诸葛丰之后。其父名珪，字子贡，为泰山郡丞，早卒；亮从其叔玄。玄与荆州刘景升有旧，因往依之，遂家于襄阳。后玄卒，亮与弟诸葛均躬耕于南阳。尝好为《梁父吟》。所居之地有一冈，名卧龙冈，因自号为「卧龙先生」。此人乃绝代奇才，使君急宜枉驾见之。若此人肯相辅佐，何愁天下不定乎！』玄德曰：『昔水镜先生曾为备言：「伏龙、凤雏，两人得一，可安天下。」今所云莫非即伏龙、凤雏乎？』庶曰：『凤雏乃襄阳庞统也。伏龙正是诸葛孔明。』玄德踊跃曰：『今日方知「伏龙、凤雏」之语。何期大贤只在目前！非先生言，备有眼如盲也！』后人有赞徐庶走马荐诸葛诗曰：

痛恨高贤不再逢，临岐泣别两情浓。片言却似春雷震，能使南阳起卧龙。

徐庶荐了孔明，再别玄德，策马而去。玄德闻徐庶之语，方悟司马德操之言，似醉方醒，如梦初觉。引众将回至新野，便具厚币，同关、张前去南阳请孔明。

且说徐庶既别玄德，感其留恋之情，恐孔明不肯出山辅之，遂乘马直至卧龙冈下，入草庐见孔明。孔明问其来意。庶曰：『庶本欲事刘豫州，奈老母为曹操所囚，驰书来召，只得舍之而往。临行时，将公荐与玄德。玄德即日将来奉谒，望公勿推阻，即展平生之大才以辅之，幸甚！』孔明闻言作色曰：『君以我为享祭之牺牲乎！』说罢，拂袖而入。庶羞惭而退，上马趱程，赴许昌见母。正是：嘱友一言因爱主，赴家千里为思亲。未知后事若何，下文便见。

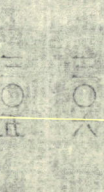

## 第三十七回　司马徽再荐名士　刘玄德三顾草庐

却说徐庶趱程赴许昌。曹操知徐庶已到，遂命荀彧、程昱等一班谋士往迎之。庶入相府拜见曹操。操曰：『公乃高明之士，何故屈身而事刘备乎？』庶曰：『某幼逃难，流落江湖，偶至新野，遂与玄德交厚。老母在此，幸蒙慈念，不胜愧感。』操曰：『公今至此，正可晨昏侍奉令堂，吾亦得听清诲矣。』庶拜谢而出，急往见其母，泣拜于堂下。母大惊曰：『汝何故至此？』庶曰：『近于新野事刘豫州，因得母书，故星夜至此。』徐母勃然大怒，拍案骂曰：『辱子飘荡江湖数年，吾以为汝学业有进，何其反不如初也！汝既读书，须知忠孝不能两全。岂不识曹操欺君罔上之贼？刘玄德仁义布于四海，况又汉室之胄，汝既事之，得其主矣。今凭一纸伪书，更不详察，遂弃明投暗，自取恶名，真愚夫也！吾有何面目与汝相见！汝玷辱祖宗，空生于天地间耳！』骂得徐庶拜伏于地，不敢仰视。母自转入屏风后去了。少顷，家人出报曰：『老夫人自缢于梁间。』徐庶慌入救时，母气已绝。后人有《徐母赞》曰：

贤哉徐母，流芳千古：守节无亏，于家有补；教子多方，处身自苦；气若丘山，义出肺腑；赞美『豫州』，毁触魏武；不畏鼎镬(huò)，不惧刀斧；唯恐后嗣，玷辱先祖。伏剑同流，断机堪伍；生得其名，死得其所。贤哉徐母，

流芳千古！

徐庶见母已死，哭绝于地，良久方苏。曹操使人赍礼吊问，又亲往祭奠。徐庶葬母柩于许昌之南原，

居丧守墓。凡曹操所赐，庶俱不受。

时操欲商议南征。荀彧谏曰：『天寒未可用兵；姑待春暖，方可长驱大进。』操从之，乃引漳河之水作一池，名玄武池，于内教练水军，准备南征。

却说玄德正安排礼物，欲往隆中谒诸葛亮，忽人报：『门外有一先生，峨冠博带，道貌非常，特来相探。』玄德曰：『此莫非即孔明否？』遂整衣出迎。视之，乃司马徽也。玄德大喜，请入后堂高坐，拜问曰：『备自别仙颜，因军务倥(kōng)偬(zǒng)，有失拜访。今得光降，大慰仰慕之私。』徽曰：『闻徐元直在此，特来一会。』玄德曰：『近因曹操囚其母，徐母遣人驰书，唤回许昌去矣。』徽曰：『此中曹操之计矣！吾素闻徐母最贤，虽为操所囚，必不肯驰书召其子：此书必诈也。元直不去，其母尚存；今若去，母必死矣！』玄德惊问其故，徽曰：『徐母高义，必羞见其子也。』玄德曰：『元直临行，荐南阳诸葛亮，其人若何？』徽笑曰：『元直欲去，自去便了，何又惹他出来呕心血也？』玄德曰：『先生何出此言？』徽曰：『孔明与博陵崔州平、颍川石广元、汝南孟公威与徐元直四人为密友。此四人务于精纯，惟孔明独观其大略。尝抱膝长吟，而指四人曰：「公等仕

进可至刺史、郡守。」众问孔明之志若何，孔明但笑而不答。每常自比管仲、乐毅，其才不可量也。」玄德曰：「何颍川之多贤乎！」徽曰：「昔有殷馗善观天文，尝谓『群星聚于颍分，其地必多贤士』。」时云长在侧曰：「某闻管仲、乐毅乃春秋、战国名人，功盖寰宇；孔明自比此二人，毋乃太过？」徽笑曰：「以吾观之，不当比此二人；我欲另以二人比之。」云长问：「那二人？」徽曰：「可比兴周八百年之姜子牙、旺汉四百年之张子房也。」众皆愕然。徽下阶相辞欲行，玄德留之不住。徽出门仰天大笑曰：「卧龙虽得其主，不得其时，惜哉！」言罢，飘然而去。玄德叹曰：「真隐居贤士也！」

次日，玄德同关、张并从人等来隆中。遥望山畔数人，荷锄耕于田间，而作歌曰：

苍天如圆盖，陆地似棋局；世人黑白分，往来争荣辱：荣者自安安，辱者定碌碌。南阳有隐居，高眠卧不足！

玄德闻歌，勒马唤农夫问曰：「此歌何人所作？」答曰：「乃卧龙先生所作也。」玄德曰：「卧龙先生住何处？」农夫曰：「自此山之南，一带高冈，乃卧龙冈也。冈前疏林内茅庐中，即诸葛先生高卧之地。」玄德谢之，策马前行。不数里，遥望卧龙冈，果然清景异常。后人有古风一篇，单道卧龙居处。诗曰：

襄阳城西二十里，一带高冈枕流水。高冈屈曲压云根，流水潺湲飞石髓；势若困龙石上蟠，形如单凤松阴里；柴门半掩闭茅庐，中有高人卧不起。修竹交加列翠屏，四时篱落野花馨；床头堆积皆黄卷，座上往来无白丁；叩户苍猿时献果，守门老鹤夜听经；囊里名琴藏古锦，壁间宝剑挂七星。庐中先生独幽雅，闲来亲自勤耕稼：专待春雷惊梦回，一声长啸安天下。



玄德来到庄前，下马亲叩柴门，一童出问。玄德曰：「汉左将军、宜城亭侯、领豫州牧、皇叔刘备，特来拜见先生。」童子曰：「我记不得许多名字。」玄德曰：「你只说刘备来访。」童子曰：「先生今早少出。」玄德曰：「何处去了？」童子曰：「踪迹不定，不知何处去了。」玄德曰：「几时归？」童子曰：「归期亦不定，或三五日，或十数日。」玄德惆怅不已。张飞曰：「既不见，自归去罢了。」玄德曰：「且待片时。」云长曰：「不如且归，再使人来探听。」玄德从其言，嘱付童子：「如先生回，可言刘备拜访。」

遂上马，行数里，勒马回观隆中景物，果然山不高而秀雅，水不深而澄清；地不广而平坦，林不大而茂盛；猿鹤相亲，松篁(huáng)交翠：观之不已。忽见一人，容貌轩昂，丰姿俊爽，头戴逍遥巾，身穿皂布袍，杖藜从山僻小路而来。玄德曰：「此必卧龙先生也！」急下马向前施礼，问曰：「先生非卧龙否？」其人曰：「将军是谁？」玄德曰：「刘备也。」其人曰：「吾非孔明，乃孔明之友：博陵崔州平也。」玄德曰：「久闻大名，幸得相遇。乞即席地权坐，请教一言。」二人对坐于林间石，关、张侍立于侧。州平曰：「将

军何故欲见孔明？』玄德曰：『方今天下大乱，四方云扰，欲见孔明，求安邦定国之策耳。』州平笑曰：『公以定乱为主，虽是仁心，但自古以来，治乱无常。自高祖斩蛇起义，诛无道秦，是由乱而入治也；至哀、平之世二百年，太平日久，王莽篡逆，又由治而入乱；光武中兴，重整基业，复由乱而入治；至今二百年，民安已久，故干戈又复四起：此正由治入乱之时，未可猝定也。将军欲使孔明斡旋天地，补缀乾坤，恐不易为，徒费心力耳。岂不闻「顺天者逸，逆天者劳」、「数之所在，理不得而夺之；命之所在，人不得而强之」乎？』玄德曰：『先生所言，诚为高见。但备身为汉胄，合当匡扶汉室，何敢委之数与命？』州平曰：『山野之夫，不足与论天下事，适承明问，故妄言之。』玄德曰：『蒙先生见教。但不知孔明往何处去了？』州平曰：『吾亦欲访之，正不知其何往。』玄德曰：『请先生同至敝县，若何？』州平曰：『愚性颇乐闲散，无意功名久矣；容他日再见。』言讫，长揖而去。玄德与关、张上马而行。张飞曰：『孔明又访不着，却遇此腐儒，闲谈许久！』玄德曰：『此亦隐者之言也。』

三人回至新野，过了数日，玄德使人探听孔明。回报曰：『卧龙先生已回矣。』玄德便教备马。张飞曰：『量一村夫，何必哥哥自去，可使人唤来便了。』玄德叱曰：『汝岂不闻孟子云：「欲见贤而不以其道，犹欲其入而闭之门也。」孔明当世大贤，岂可召乎！』遂上马再往访孔明。关、张亦乘马相随。时值隆冬，天气严寒，彤云密布。行无数里，忽然朔风凛凛，瑞雪霏霏：山如玉簇，林似银妆。张飞曰：『天寒地冻，尚不用兵，岂宜远见无益之人乎！不如回新野以避风雪。』玄德曰：『吾正欲使孔明知我殷勤之意。如弟辈怕冷，可先回去。』飞曰：『死且不怕，岂怕冷乎！但恐哥哥空劳神思。』玄德曰：『勿多言，只相随同去。』将近茅庐，忽闻路傍酒店中有人作歌。玄德立马听之。其歌曰：

壮士功名尚未成，呜呼久不遇阳春！君不见：东海老叟辞荆榛，后车遂与文王亲；八百诸侯不期会，白鱼入舟涉孟津；牧野一战血流杵，鹰扬伟烈冠武臣。又不见：高阳酒徒起草中，长揖芒砀『隆準(huaí)公』；高谈王霸惊人耳，辍洗延坐钦英风；东下齐城七十二，天下无人能继踪。二人功迹尚如此，至今谁肯论英雄？

歌罢，又有一人击桌而歌。其歌曰：

吾皇提剑清寰海，创业垂基四百载；桓灵季业火德衰，奸臣贼子调鼎鼐。
青蛇飞下御座傍，又见妖虹降玉堂；群盗四方如蚁聚，奸雄百辈皆鹰扬。
吾侪(chái)长啸空拍手，闷来村店饮村酒；独善其身尽日安，何须千古名不朽！

二人歌罢，抚掌大笑。玄德曰：『卧龙其在此间乎！』遂下马入店。见二人凭桌对饮：上首者白面长须，下首者清奇古貌。玄德揖而问曰：『二公谁是卧龙先生？』长须者曰：『公何人？欲寻卧龙何干？』玄德曰：『某乃刘备也。欲访先生，求济世安民之术。』长须者曰：『我等非卧龙，皆卧龙之友也：吾乃颍川石广元，此位是汝南孟公威。』玄德喜曰：『备久闻二公大名，幸得邂逅。今有随行马匹在此，敢请二公同往卧龙庄上一谈。』广元曰：『吾等皆山野慵懒之徒，不省治国安民之事，不劳下问。明公请自上马，寻访卧龙。』

玄德乃辞二人，上马投卧龙冈来。到庄前下马，扣门问童子曰：『先生今日在庄否？』童子曰：『现

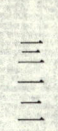

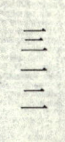

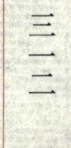

高妙。』承彦曰：『老夫在小婿家观《梁父吟》，记得这一篇，适过小桥，偶见篱落间梅花，故感而诵之。不期为尊客所闻。』玄德曰：『曾见令婿否？』承彦曰：『便是老夫也来看他。』玄德闻言，辞别承彦，上马而归。正值风雪又大，回望卧龙冈，悒怏不已。后人有诗单道玄德风雪访孔明。诗曰：

一天风雪访贤良，不遇空回意感伤。冻合溪桥山石滑，寒侵鞍马路途长。
当头片片梨花落，扑面纷纷柳絮狂。回首停鞭遥望处，烂银堆满卧龙冈。

玄德回新野之后，光阴荏苒，又早新春。乃令卜者揲(shé)蓍(shī)，选择吉期，斋戒三日，薰沐更衣，再往卧龙冈谒孔明。关、张闻之不悦，遂一齐入谏玄德。正是：高贤未服英雄志，屈节偏生杰士疑。未知其言若何，下文便晓。




## 第三十八回　定三分隆中决策　战长江孙氏报仇

却说玄德访孔明两次不遇，欲再往访之。关公曰：『兄长两次亲往拜谒，其礼太过矣。想诸葛亮有虚名而无实学，故避而不敢见。兄何惑于斯人之甚也！』玄德曰：『不然。昔齐桓公欲见东郭野人，五反而方得一面。况吾欲见大贤耶？』张飞曰：『哥哥差矣。量此村夫，何足为大贤！今番不须哥哥去；他如不来，我只用一条麻绳缚将来！』玄德叱曰：『汝岂不闻周文王谒姜子牙之事乎？文王且如此敬贤，汝何太无礼！今番汝休去，我自与云长去。』飞曰：『既两位哥哥都去，小弟如何落后！』玄德曰：『汝若同往，不可失礼。』飞应诺。

于是三人乘马引从者往隆中。离草庐半里之外，玄德便下马步行，正遇诸葛均。玄德忙施礼，问曰：『令兄在庄否？』均曰：『昨暮方归。将军今日可与相见。』言罢，飘然自去。玄德曰：『今番侥幸得见先生矣！』张飞曰：『此人无礼！便引我等到庄也不妨，何故竟自去了！』玄德曰：『彼各有事，岂可相强。』三人来到庄前叩门，童子开门出问。玄德曰：『有劳仙童转报：刘备专来拜见先生。』童子曰：『今日先生虽在家，但今在草堂上昼寝未醒。』玄德曰：『既如此，且休通报。』分付关、张二人，只在门首等着。玄德徐步而入，见先生仰卧于草堂几席之上。玄德拱立阶下。半晌，先生未醒。关、张在外立久，不见动静，入见玄德犹然侍立。张飞大怒，谓云长曰：『这先生如何傲慢！见我哥哥侍立阶下，他竟高卧，推睡不起！

等我去屋后放一把火，看他起不起！』云长再三劝住。玄德仍命二人出门外等候。望堂上时，见先生翻身将起，忽又朝里壁睡着。童子欲报。玄德曰：『且勿惊动。』又立了一个时辰，孔明才醒，口吟诗曰：

大梦谁先觉？平生我自知。草堂春睡足，窗外日迟迟。

孔明吟罢，翻身问童子曰：『有俗客来否？』童子曰：『刘皇叔在此，立候多时。』孔明乃起身曰：『何不早报！尚容更衣。』遂转入后堂。又半晌，方整衣冠出迎。玄德见孔明身长八尺，面如冠玉，头戴纶巾，身披鹤氅，飘飘然有神仙之概。玄德下拜曰：『汉室末胄、涿郡愚夫，久闻先生大名，如雷灌耳。昨两次晋谒，不得一见，已书贱名于文几，未审得入览否？』孔明曰：『南阳野人，疏懒性成，屡蒙将军枉临，不胜愧赧。』二人叙礼毕，分宾主而坐，童子献茶。

茶罢，孔明曰：『昨观书意，足见将军忧民忧国之心；但恨亮年幼才疏，有误下问。』玄德曰：『司马德操之言，徐元直之语，岂虚谈哉？望先生不弃鄙贱，曲赐教诲。』孔明曰：『德操、元直，世之高士。亮乃一耕夫耳，安敢谈天下事？二公谬举矣。将军奈何舍美玉而求顽石乎？』玄德曰：『大丈夫抱经世奇才，岂可空老于林泉之下？愿先生以天下苍生为念，开备愚鲁而赐教。』孔明笑曰：『愿闻将军之志。』玄德屏人促席而告曰：『汉室倾颓，奸臣窃命，备不量力，欲伸大义于天下，而智术浅短，迄无所就。惟先生开其愚而拯其厄，实为万幸！』孔明曰：『自董卓造逆以来，天下豪杰并起。曹操势不及袁绍，而竟能克绍者，非惟天时，抑亦人谋也。今操已拥百万之众，挟天子以令诸侯，此诚不可与争锋。孙权据有江东，已历三世，国险而民附，此可用为援而不可图也。荆州北据汉、沔，利尽南海，东连吴会，西通巴、蜀，此用武之地，非其主不能守：是殆天所以资将军，将军岂有意乎？益州险塞，沃野千里，天府之国，高祖因之以成帝业；今刘璋暗弱，民殷国富，而不知存恤，智能之士，思得明君。将军既帝室之胄，信义著于四海，总揽英雄，思贤如渴，若跨有荆、益，保其岩阻，西和诸戎，南抚彝、越，外结孙权，内修政理；待天下有变，则命一上将将荆州之兵以向宛、洛，将军身率益州之众以出秦川，百姓有不箪食壶浆以迎将军者乎？诚如是，则大业可成，汉室可兴矣。此亮所以为将军谋者也。惟将军图之。』言罢，命童子取出画一轴，挂于中堂，指谓玄德曰：『此西川五十四州之图也。将军欲成霸业，北让曹操占天时，南让孙权占地利，将军可占人和。先取荆州为家，后即取西川建基业，以成鼎足之势，然后可图中原也。』玄德闻言，避席拱手谢曰：『先生之言，顿开茅塞，使备如拨云雾而睹青天。但荆州刘表、益州刘璋，皆汉室宗亲，备安忍夺之？』孔明曰：『亮夜观天象，刘表不久人世；刘璋非立业之主：久后必归将军。』玄德闻言，顿首拜谢。只这一席话，乃孔明未出茅庐，已知三分天下，真万古之人不及也！后人有诗赞曰：

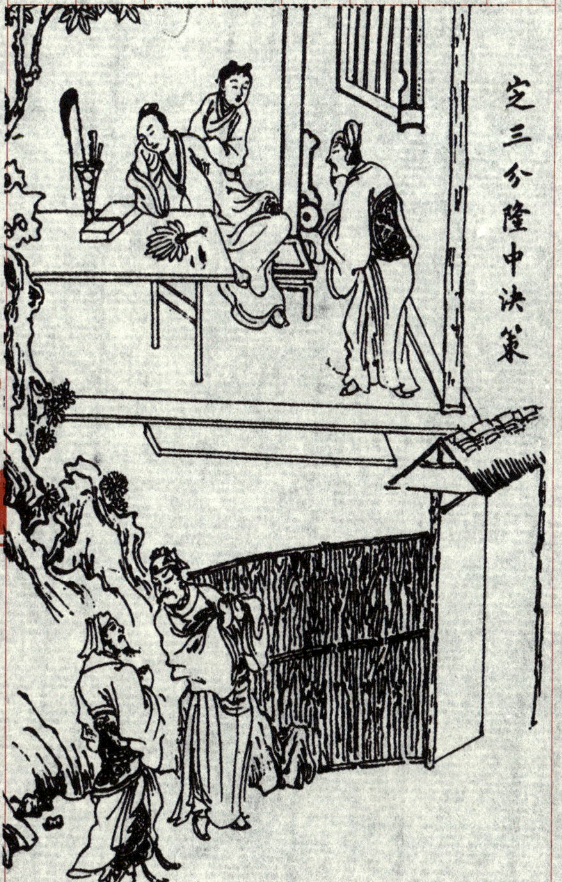

豫州当日叹孤穷，何幸南阳有卧龙！欲识他年分鼎处，先生笑指画图中。

玄德拜请孔明曰：『备虽名微德薄，愿先生不弃鄙贱，出山相助。备当拱听明诲。』孔明曰：『亮久乐耕锄，懒于应世，不能奉命。』玄德泣曰：『先生不出，如苍生何！』言毕，泪沾袍袖，衣襟尽湿。孔明见其意甚诚，乃曰：『将军既不相弃，愿效犬马之劳。』玄德大喜，遂命关、张入，拜献金帛礼物。孔明固辞不受。玄德曰：『此非聘大贤之礼，但表刘备寸心耳。』孔明方受。于是玄德等在庄中共宿一宵。次日，诸葛均回，孔明嘱付曰：『吾受刘皇叔三顾之恩，不容不出。汝可躬耕于此，勿得荒芜田亩。待我功成之日，即当归隐。』后人有诗叹曰：

身未升腾思退步，功成应忆去时言。只因先主丁宁后，星落秋风五丈原。

又有古风一篇曰：

高皇手提三尺雪，芒砀白蛇夜流血；平秦灭楚入咸阳，二百年前几断绝。大哉光武兴洛阳，
传至桓灵又崩裂；献帝迁都幸许昌，纷纷四海生豪杰：曹操专权得天时，江东孙氏开鸿业；
孤穷玄德走天下，独居新野愁民厄。南阳卧龙有大志，腹内雄兵分正奇；只因徐庶临行语，
茅庐三顾心相知。先生尔时年三九，收拾琴书离陇亩；先取荆州后取川，大展经纶补天手；
纵横舌上鼓风雷，谈笑胸中换星斗；龙骧虎视安乾坤，万古千秋名不朽！

玄德等三人别了诸葛均，与孔明同归新野。玄德待孔明如师，食则同桌，寝则同榻，终日共论天下之事。



孔明曰：『曹操于冀州作玄武池以练水军，必有侵江南之意。可密令人过江探听虚实。』玄德从之，使人往江东探听。

却说孙权自孙策死后，据住江东，承父兄基业，广纳贤士，开宾馆于吴会，命顾雍、张纮延接四方宾客。连年以来，你我相荐。时有会稽阚泽，字德润；彭城严畯（jùn），字曼才；沛县薛综，字敬文；汝阳程秉，字德枢；吴郡朱桓，字休穆；陆绩，字公纪；吴人张温，字惠恕；乌伤骆统，字公绪；乌程吾粲，字孔休：此数人皆至江东，孙权敬礼甚厚。又得良将数人：乃汝南吕蒙，字子明；吴郡陆逊，字伯言；琅琊徐盛，字文向；东郡潘璋，字文珪；庐江丁奉，字承渊。文武诸人，共相辅佐，由此江东称得人之盛。

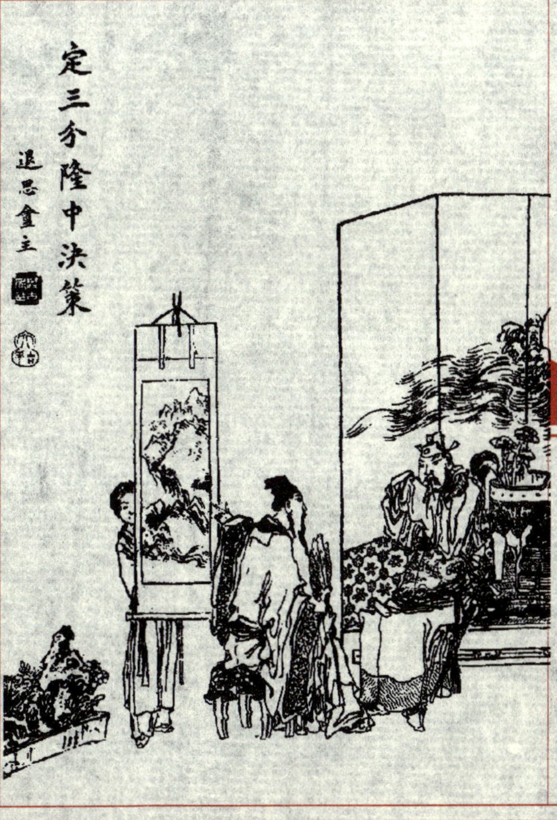


建安七年，曹操破袁绍，遣使往江东，命孙权遣子入朝随驾。权犹豫未决。吴太夫人命周瑜、张昭等面议。张昭曰：『操欲令我遣子入朝，是牵制诸侯之法也。然若不令去，恐其兴兵下江东，势必危矣。』周瑜曰：『将军承父兄遗业，兼六郡之众，兵精粮足，将士用命，有何逼迫而欲送质于人？质一入，不得不与曹氏连和；彼有命召，不得不往：如此，则见制于人也。不如勿遣，徐观其变，别以良策御之。』吴太夫人曰：

『公瑾之言是也。』权遂从其言，谢使者，不遣子。自此曹操有下江南之意。但正值北方未宁，无暇南征。

建安八年十一月，孙权引兵伐黄祖，战于大江之中。祖军败绩。权部将凌操，轻舟当先，杀入夏口，被黄祖部将甘宁一箭射死。凌操子凌统，时年方十五岁，奋力往夺父尸而归。权见风色不利，收军还东吴。

却说孙权弟孙翊为丹阳太守。翊性刚好酒，醉后尝鞭挞士卒。丹阳督将妫(guī)览、郡丞戴员二人，常有杀翊之心；乃与翊从人边洪结为心腹，共谋杀翊。时诸将县令，皆集丹阳。翊设宴相待。翊妻徐氏美而慧，极善卜《易》；是日卜一卦，其象大凶，劝翊勿出会客。翊不从，遂与众大会。至晚席散，边洪带刀跟出门外，即抽刀砍死孙翊。妫览、戴员乃归罪边洪，斩之于市。二人乘势掳翊家资侍妾。妫览见徐氏美貌，乃谓之曰：『吾为汝夫报仇，汝当从我；不从则死。』徐氏曰：『夫死未几，不忍便相从；可待至晦日，设祭除服，然后成亲未迟。』览从之。徐氏乃密召孙翊心腹旧将孙高、傅婴二人入府，泣告曰：『先夫在日，常言二公忠义。今妫、戴二贼，谋杀我夫，只归罪边洪，将我家资童婢尽皆分去。妫览又欲强占妾身，妾已诈许之，以安其心。二将军可差人星夜报知吴侯，一面设密计以图二贼，雪此仇辱，生死衔恩！』言毕再拜。孙高、傅婴皆泣曰：『我等平日感府君恩遇，今日所以不即死难者，正欲为复仇计耳。夫人所命，敢不效力！』于是密遣心腹使者往报孙权。至晦日，徐氏先召孙、傅二人，伏于密室帏幕之中，然后设祭于堂上。祭毕，即除去孝服，沐浴薰香，浓妆艳裹，言笑自若。妫览闻之甚喜。至夜，徐氏遣婢妾请览入府，设席堂中饮酒。饮既醉，徐氏乃邀览入密室。览喜，乘醉而入。徐氏大呼曰：『孙、傅二将军何在！』二人即从帏幕中持刀跃出。妫览措手不及，被傅婴一刀砍倒在地，孙高再复一刀，登时杀死。徐氏复传请戴员赴宴。员入府来，至堂中，亦被孙、傅二将所杀。一面使人诛戮二贼家小，及其余党。徐氏遂重穿孝服，将妫览、戴员首级，祭于孙翊灵前。不一日，孙权自领军马至丹阳，见徐氏已杀妫、戴二贼，乃封孙高、傅婴为牙门将，令守丹阳，取徐氏归家养老。江东人无不称徐氏之德。后人有诗赞曰：

才节双全世所无，奸回一旦受摧锄。庸臣从贼忠臣死，不及东吴女丈夫。

且说东吴各处山贼，尽皆平复。大江之中，有战船七千余只。孙权拜周瑜为大都督，总统江东水陆军马。建安十二年，冬十月，权母吴太夫人病危，召周瑜、张昭二人至，谓曰：『我本吴人，幼亡父母，与弟吴景徙居越中。后嫁与孙氏，生四子。长子策生时，吾梦月入怀；后生次子权，又梦日入怀。卜者云：『梦日月入怀者，其子大贵。』不幸策早丧，今将江东基业付权。望公等同心助之，吾死不朽矣！』又嘱权曰：『汝事子布、公瑾以师傅之礼，不可怠慢。吾妹与我共嫁汝父，则亦汝之母也；吾死之后，事吾妹如事我。汝妹亦当恩养，择佳婿以嫁之。』言讫遂终。孙权哀哭，具丧葬之礼，自不必说。

至来年春，孙权商议欲伐黄祖。张昭曰：『居丧未及期年，不可动兵。』周瑜曰：『报仇雪恨，何待期年？』权犹豫未决。适平北都尉吕蒙入见，告权曰：『某把龙湫水口，忽有黄祖部将甘宁来降。某细询之：宁字兴霸，巴郡临江人也；颇通书史，有气力，好游侠；尝招合亡命，纵横于江湖之中；腰悬铜铃，人听铃声，尽皆避之。又尝以西川锦作帆幔，时人皆称为「锦帆贼」。后悔前非，改行从善，引众投刘表。

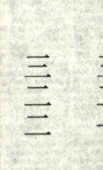

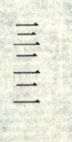

见表不能成事，即欲来投东吴，却被黄祖留住在夏口。前东吴破祖时，祖得甘宁之力，救回夏口；乃待宁甚薄。都督苏飞屡荐宁于祖。祖曰：「宁乃劫江之贼，岂可重用！」宁因此怀恨。苏飞知其意，乃置酒邀宁到家，谓之曰：「吾荐公数次，奈主公不能用。日月逾迈，人生几何，宜自远图。吾当保公为邾(zhū)县长，自作去就之计。」宁因此得过夏口，欲投江东，恐江东恨其救黄祖杀凌操之事。某具言主公求贤若渴，不记旧恨；况各为其主，又何恨焉？宁欣然引众渡江，来见主公。乞钧旨定夺。」孙权大喜曰：「吾得兴霸，破黄祖必矣。」遂命吕蒙引甘宁入见。参拜已毕，权曰：「兴霸来此，大获我心，岂有记恨之理？请无怀疑。愿教我以破黄祖之策。」宁曰：「今汉祚日危，曹操终必篡窃。南荆之地，操所必争也。刘表无远虑，

其子又愚劣，不能承业传基，明公宜早图之；若迟，则操先图之矣。今宜先取黄祖。祖今年老昏迈，务于货利，侵求吏民，人心皆怨，战具不修，军无法律。明公若往攻之，其势必破。既破祖军，鼓行而西，据楚关而图巴、蜀，霸业可定也。」孙权曰：「此金玉之论也！」

遂命周瑜为大都督，总水陆军兵；吕蒙为前部先锋；董袭与甘宁为副将；权自领大军十万，征讨黄祖。细作探知，报至江夏。黄祖急聚众商议，令苏飞为大将，陈就、邓龙为先锋，尽起江夏之兵迎敌。陈就、邓龙各引一队艨艟截住沔口，艨艟上各设强弓硬弩千余张，将大索系定艨艟于水面上。东吴兵至，艨艟上鼓响，弓弩齐发，兵不敢进，约退数里水面。甘宁谓董袭曰：「事已至此，不得不进。」乃选小船百余只，每船用精兵五十人：二十人撑船，三十人各披衣甲，手执钢刀，不避矢石，直至艨艟傍边，砍断大索，艨艟遂横。甘宁飞上艨艟，将邓龙砍死。陈就弃船而走。吕蒙见了，跳下小船，自举橹棹，直入船队，放火烧船。陈就急待上岸，吕蒙舍命赶到跟前，当胸一刀砍翻。比及苏飞引军于岸上接应时，东吴诸将一齐上岸，势不可当。祖军大败。苏飞落荒而走，而遇东吴大将潘璋，两马相交，战不数合，被璋生擒过去，径至船中来见孙权。权命左右以槛车囚之，待活捉黄祖，一并诛戮。催动三军，不分昼夜，攻打夏口。正是：

只因不用锦帆贼，至今冲开大索船。

未知黄祖胜负如何，且看下文分解。

# 第三十九回　荆州城公子三求计　博望坡军师初用兵

却说孙权督众攻打夏口，黄祖兵败将亡，情知守把不住，遂弃江夏，望荆州而走。甘宁料得黄祖必走荆州，乃于东门外伏兵等候。祖带数十骑突出东门，正走之间，一声喊起，甘宁拦住。祖于马上谓宁曰：『我向日不曾轻待汝，今何相逼耶？』宁叱曰：『吾昔在江夏，多立功绩，汝乃以「劫江贼」待我，今日尚有何说！』黄祖自知难免，拨马而走。甘宁冲开士卒，直赶将来，只听得后面喊声起处，又有数骑赶来。宁视之，乃程普也。宁恐普来争功，慌忙拈弓搭箭，背射黄祖，祖中箭翻身落马，宁枭其首级，回马与程普合兵一处，回见孙权，献黄祖首级。权命以木匣盛贮，待回江东祭献于亡父灵前。重赏三军，升甘宁为都尉。商议欲分兵守江夏。张昭曰：『孤城不可守，不如且回江东。刘表知我破黄祖，必来报仇；我以逸待劳，必败刘表；表败而后乘势攻之，荆襄可得也。』权从其言，遂弃江夏，班师回江东。

苏飞在槛车内，密使人告甘宁求救。宁曰：『飞即不言，吾岂忘之？』大军既至吴会，权命将苏飞枭首，与黄祖首级一同祭献。甘宁乃入见权，顿首哭告曰：『某向日若不得苏飞，则骨填沟壑矣，安能效命将军麾下哉？今飞罪当诛，某念其昔日之恩情，愿纳还官爵，以赎飞罪。』权曰：『彼既有恩于君，吾为君赦之。但彼若逃去奈何？』宁曰：『飞得免诛戮，感恩无地，岂肯走乎！若飞去，宁愿将首级献于阶下。』权乃赦苏飞，止将黄祖首级祭献。祭毕设宴，大会文武庆功。正饮酒间，忽见座上一人大哭而起，拔剑在





手，直取甘宁。宁忙举坐椅以迎之。权惊视其人，乃凌统也。因甘宁在江夏时，射死他父亲凌操，今日相见，故欲报仇。权连忙劝住，谓统曰：『兴霸射死卿父，彼时各为其主，不容不尽力。今既为一家人，岂可复理旧仇？万事皆看吾面。』凌统叩头大哭曰：『不共戴天之仇，岂容不报！』权与众官再三劝之，凌统只是怒目而视甘宁。权即日命甘宁领兵五千、战船一百只，往夏口镇守，以避凌统。宁拜谢，领兵自往夏口去了。权又加封凌统为承烈都尉，统只得含恨而止。东吴自此广造战船，分兵守把江岸；又命孙静引一枝军守吴会；孙权自领大军，屯柴桑；周瑜日于鄱阳湖教练水军，以备攻战。

话分两头。却说玄德差人打探江东消息，回报：『东吴已攻杀黄祖，现今屯兵柴桑。』玄德便请孔明计议。正话间，忽刘表差人来请玄德赴荆州议事。孔明曰：『此必因江东破了黄祖，故请主公商议报仇之策也。某当与主公同往，相机而行，自有良策。』玄德从之，留云长守新野，令张飞引五百人马跟随往荆州来。玄德在马上谓孔明曰：『今见景升，当若何对答？』孔明曰：『当先谢襄阳之事。他若令主公去征讨江东，切不可应允，但说容归新野，整顿军马。』玄德依言。来到荆州，馆驿安下，留张飞屯兵城外，玄德与孔明入城见刘表。礼毕，玄德请罪于阶下。表曰：『吾已悉知贤弟被害之事。当时即欲斩蔡瑁之首，以献贤弟；因众人告免，故姑恕之。贤弟幸勿见罪。』玄德曰：『非干蔡将军之事，想皆下人所为耳。』表曰：『今江夏失守，黄祖遇害，故请贤弟共议报复之策。』玄德曰：『黄祖性暴，不能用人，故致此祸。今若兴兵南征，倘曹操北来，又当奈何？』表曰：『吾今年老多病，不能理事，贤弟可来助我。我死之后，

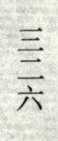

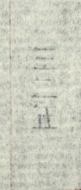

弟便为荆州之主也。』玄德曰：『兄何出此言！量备安敢当此重任。』孔明以目视玄德。玄德曰：『容徐思良策。』遂辞出，回至馆驿。孔明曰：『景升欲以荆州付主公，奈何却之？』玄德曰：『景升待我，恩礼交至，安忍乘其危而夺之？』孔明叹曰：『真仁慈之主也！』

正商论间，忽报公子刘琦来见。玄德接入。琦泣拜曰：『继母不能相容，性命只在旦夕，望叔父怜而救之。』玄德曰：『此贤侄家事耳，奈何问我？』孔明微笑。玄德求计于孔明，孔明曰：『此家事，亮不敢与闻。』少时，玄德送琦出，附耳低言曰：『来日我使孔明回拜贤侄，可如此如此，彼定有妙计相告。』琦谢而去。次日，玄德只推腹痛，乃浼孔明代往拜刘琦。孔明允诺，来至公子宅前下马，入见公子。公子邀入后堂。茶罢，琦曰：『琦不见容于继母，幸先生一言相救。』孔明曰：『亮客寄于此，岂敢与人骨肉之事？倘有漏泄，为害不浅。』说罢，起身告辞。琦曰：『既承光顾，安敢慢别。』乃挽留孔明入密室共饮。饮酒之间，琦又曰：『继母不见容，乞先生一言救我。』孔明曰：『此非亮所敢谋也。』言讫，又欲辞去。琦曰：『先生不言则已，何便欲去？』孔明乃复坐。琦曰：『琦有一古书，请先生一观。』乃引孔明登一小楼。孔明曰：『书在何处？』琦泣拜曰：『继母不见容，琦命在旦夕，先生忍无一言相救乎？』孔明作色而起，便欲下楼，只见楼梯已撤去。琦告曰：『琦欲求教良策，先生恐有泄漏，不肯出言；今日上不至天，下不至地，出君之口，入琦之耳：可以赐教矣。』孔明曰：『「疏不间亲」，亮何能为公子谋？』琦曰：『先生终不幸教琦乎！琦命固不保矣，请即死于先生之前。』乃掣剑欲自刎。孔明止之曰：『已有良策。』



琦拜曰：『愿即赐教。』孔明曰：『公子岂不闻申生、重耳之事乎？申生在内而亡，重耳在外而安。今黄祖新亡，江夏乏人守御，公子何不上言，乞屯兵守江夏，则可以避祸矣。』琦再拜谢教，乃命人取梯送孔明下楼。孔明辞别，回见玄德，具言其事。玄德大喜。

次日，刘琦上言，欲守江夏。刘表犹豫未决，请玄德共议。玄德曰：『江夏重地，固非他人可守，正须公子自往。东南之事，兄父子当之；西北之事，备愿当之。』表曰：『近闻曹操于邺郡作玄武池以练水军，必有南征之意，不可不防。』玄德曰：『备已知之，兄勿忧虑。』遂拜辞回新野。刘表令刘琦引兵三千往江夏镇守。

却说曹操罢三公之职，自以丞相兼之。以毛玠为东曹掾，崔琰为西曹掾，司马懿为文学掾。懿字仲达，河内温人也：颍川太守司马隽之孙，京兆尹司马防之子，主簿司马朗之弟也。自是文官大备，乃聚武将商议南征。夏侯惇进曰：『近闻刘备在新野，每日教演士卒，必为后患，可早图之。』操即命夏侯惇为都督，于禁、李典、夏侯兰、韩浩为副将，领兵十万，直抵博望城，以窥新野。荀彧谏曰：『刘备英雄，今更兼诸葛亮为军师，不可轻敌。』惇曰：『刘备鼠辈耳，吾必擒之。』徐庶曰：『将军勿轻视刘玄德。今玄德得诸葛亮为辅，如虎生翼矣。』操曰：『诸葛亮何人也？』庶曰：『亮字孔明，道号卧龙先生。有经天纬地之才，出鬼入神之计，真当世之奇才，非可小觑。』操曰：『比公若何？』庶曰：『庶安敢比亮？庶如萤火之光，亮乃皓月之明也。』夏侯惇曰：『元直之言谬矣。吾看诸葛亮如草芥耳，何足惧哉！吾若不一

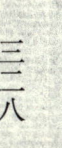

阵生擒刘备，活捉诸葛，愿将首级献与丞相。』操曰：『汝早报捷书，以慰吾心。』惇奋然辞曹操，引军登程。

却说玄德自得孔明，以师礼待之。关、张二人不悦，曰：『孔明年幼，有甚才学？兄长待之太过！又未见他真实效验！』玄德曰：『吾得孔明，犹鱼之得水也。两弟勿复多言。』关、张见说，不言而退。一日，有人送犛（lí）牛尾至。玄德取尾亲自结帽。孔明入见，正色曰：『明公无复有远志，但事此而已耶？』玄德投帽于地而谢曰：『吾聊假此以忘忧耳。』孔明曰：『明公自度比曹操若何？』玄德曰：『不如也。』孔明曰：『明公之众，不过数千人，万一曹兵至，何以迎之？』玄德曰：『吾正愁此事，未得良策。』孔明曰：『可速招募民兵，亮自教之，可以待敌。』玄德遂招新野之民，得三千人。孔明朝夕教演阵法。

忽报曹操差夏侯惇引兵十万，杀奔新野来了。张飞闻知，谓云长曰：『可着孔明前去迎敌便了。』正说之间，玄德召二人入，谓曰：『夏侯惇引兵到来，如何迎敌？』张飞曰：『哥哥何不使「水」去？』玄德曰：『智赖孔明，勇须二弟，何可推调？』关、张出，玄德请孔明商议。孔明曰：『但恐关、张二人不肯听吾号令；主公若欲亮行兵，乞假剑印。』玄德便以剑印付孔明，孔明遂聚集众将听令。张飞谓云长曰：『且听令去，看他如何调度。』孔明令曰：『博望之左有山，名曰豫山；右有林，名曰安林：可以埋伏军马。云长可引一千军往豫山埋伏，等彼军至，放过休敌，其辎重粮草，必在后面，但看南面火起，可纵兵出击，就焚其粮草。翼德可引一千军去安林背后山谷中埋伏，只看南面火起，便可出，向博望城旧屯粮草处纵火烧之。关平、刘封可引五百军，预备引火之物，于博望坡后两边等候，至初更兵到，便可放火矣。』又命于樊城取回赵云，令为前部，不要赢，只要输。『主公自引一军为后援。各须依计而行，勿使有失。』云长曰：『我等皆出迎敌，未审军师却作何事？』孔明曰：『我只坐守县城。』张飞大笑曰：『我们都去厮杀，你却在家里坐地，好自在！』孔明曰：『剑印在此，违令者斩！』玄德曰：『岂不闻「运筹帷幄之中，决胜千里之外」？二弟不可违令。』张飞冷笑而去。云长曰：『我们且看他的计应也不应，那时却来问他未迟。』二人去了。众将皆未知孔明韬略，今虽听令，却都疑惑不定。孔明谓玄德曰：『主公今日便引兵就博望山下屯住。来日黄昏，敌军必到，主公便弃营而走；但见火起，即回军掩杀。亮与糜竺、糜芳引五百军守县。』命孙乾、简雍准备庆喜筵席，安排『功劳簿』伺候。派拨已毕，玄德亦疑惑不定。

却说夏侯惇与于禁等引兵至博望，分一半精兵作前队，其余尽护粮车而行。时当秋月，商飙徐起。人马趱行之间，望见前面尘头忽起。惇便将人马摆开，问向导官曰：『此间是何处？』答曰：『前面便是博望坡，后面是罗川口。』惇令于禁、李典押住阵脚，亲自出马阵前。遥望军马来到，惇忽然大笑。众问：『将军为何而笑？』惇曰：『吾笑徐元直在丞相面前，夸诸葛亮为天人；今观其用兵，乃以此等军马为前部，与吾对敌，正如驱犬羊与虎豹斗耳！吾于丞相前夸口，要活捉刘备、诸葛亮，今必应吾言矣。』遂自纵马向前。赵云出马。惇骂曰：『汝等随刘备，如孤魂随鬼耳！』云大怒，纵马来战。两马相交，不数合，云诈败而走。夏侯惇从后追赶。云约走十余里，回马又战，不数合又走。韩浩拍马向前谏曰：『赵云诱敌，

恐有埋伏。』惇曰：『敌军如此，虽十面埋伏，吾何惧哉！』遂不听浩言，直赶至博望坡。一声炮响，玄德自引军将冲将来，接应交战。夏侯惇笑谓韩浩曰：『此即埋伏之兵也！吾今晚不到新野，誓不罢兵！』乃催军前进。玄德、赵云退后便走。

时天色已晚，浓云密布，又无月色；昼风既起，夜风愈大。夏侯惇只顾催军赶杀。于禁、李典赶到窄狭处，两边都是芦苇。典谓禁曰：『欺敌者必败。南道路狭，山川相逼，树木丛杂，倘彼用火攻，奈何？』禁曰：『君言是也。吾当往前为都督言之；君可止住后军。』李典便勒回马，大叫：『后军慢行！』人马走发，那里拦当得住？于禁骤马大叫：『前军都督且住！』夏侯惇正走之间，见于禁从后军奔来，便问何故。禁曰：『南道路狭，山川相逼，树木丛杂，可防火攻。』夏侯惇猛省，即回马令军马勿进。言未已，只听背后喊声震起，早望见一派火光烧着，随后两边芦苇亦着。一霎时，四面八方，尽皆是火；又值风大，火势愈猛。曹家人马，自相践踏，死者不计其数。赵云回军赶杀，夏侯惇冒烟突火而走。

且说李典见势头不好，急奔回博望城时，火光中一军拦住。当先大将，乃关云长也。李典纵马混战，夺路而走。于禁见粮草车辆，都被火烧，便投小路奔逃去了。夏侯兰、韩浩来救粮草，正遇张飞。战不数合，张飞一枪刺夏侯兰于马下。韩浩夺路走脱。直杀到天明，却才收军。杀得尸横遍野，血流成河。后人有诗曰：

博望相持用火攻，指挥如意笑谈中。直须惊破曹公胆，初出茅庐第一功！

夏侯惇收拾残军，自回许昌。



却说孔明收军。关、张二人相谓曰：『孔明真英杰也！』行不数里，见糜竺、糜芳引军簇拥着一辆小车，车中端坐一人，乃孔明也。关、张下马拜伏于车前。须臾，玄德、赵云、刘封、关平等皆至，收聚众军，把所获粮草辎重，分赏将士，班师回新野。新野百姓望尘遮道而拜，曰：『吾属生全，皆使君得贤人之力也！』孔明回至县中，谓玄德曰：『夏侯惇虽败去，曹操必自引大军来。』玄德曰：『似此如之奈何？』孔明曰：『亮有一计，可敌曹军。』正是：破敌未堪息战马，避兵又必赖良谋。未知其计若何，且看下回分解。

弟便为荆州之主也。」玄德曰：「兄何出此言！量备安敢当此重任。」孔明以目视玄德。玄德曰：「容徐思良策。」遂辞出，回至馆驿。孔明曰：「景升欲以荆州付主公，奈何却之？」玄德曰：「景升待我，恩礼交至，安忍乘其危而夺之？」孔明叹曰：「真仁慈之主也！」

正商论间，忽报公子刘琦来见。玄德接入。琦泣拜曰：「继母不能相容，性命只在旦夕，望叔父怜而救之。」玄德曰：「此贤侄家事耳，奈何问我？」孔明微笑。玄德求计于孔明，孔明曰：「此家事，亮不敢与闻。」少时，玄德送琦出，附耳低言曰：「来日我使孔明回拜贤侄，可如此如此，彼定有妙计相告。」琦谢而去。次日，玄德只推腹痛，乃挽孔明代往拜刘琦。孔明允诺，来至公子宅前下马，入见公子。公子邀入后堂。茶罢，琦曰：「琦不见容于继母，幸先生一言相救。」孔明曰：「亮客寄于此，岂敢与人骨肉之事？倘有漏泄，为害不浅。」说罢，起身告辞。琦曰：「既承光顾，安敢慢别。」乃挽留孔明入密室共饮。饮酒之间，琦又曰：「继母不见容，乞先生一言救我。」孔明曰：「此非亮所敢谋也。」言讫，又欲辞去。琦曰：「先生不言则已，何便欲去？」孔明乃复坐。琦曰：「琦有一古书，请先生一观。」乃引孔明登一小楼。孔明曰：「书在何处？」琦泣拜曰：「继母不见容，琦命在旦夕，先生忍无一言相救乎？」孔明作色而起，便欲下楼，只见楼梯已撤去。琦告曰：「琦欲求教良策，先生恐有泄漏，不肯出言；今日上不至天，下不至地，出君之口，入琦之耳：可以赐教矣。」孔明曰：「『疏不间亲』，亮何能为公子谋？」琦曰：「先生终不幸教琦乎！琦命固不保矣，请即死于先生之前。」乃掣剑欲自刎。孔明止之曰：「已有良策。」琦拜曰：「愿即赐教。」孔明曰：「公子岂不闻申生、重耳之事乎？申生在内而亡，重耳在外而安。今黄祖新亡，江夏乏人守御，公子何不上言，乞屯兵守江夏，则可以避祸矣。」琦再拜谢教，乃命人取梯送孔明下楼。孔明辞别，回见玄德，具言其事。玄德大喜。

次日，刘琦上言，欲守江夏。刘表犹豫未决，请玄德共议。玄德曰：「江夏重地，固非他人可守，正须公子自往。东南之事，兄父子当之；西北之事，备愿当之。」表曰：「近闻曹操于邺郡作玄武池以练水军，必有南征之意，不可不防。」玄德曰：「备已知之，兄勿忧虑。」遂拜辞回新野。刘表令刘琦引兵三千往江夏镇守。

却说曹操罢三公之职，自以丞相兼之。以毛玠为东曹掾，崔琰为西曹掾，司马懿为文学掾。懿字仲达，河内温人也：颍川太守司马隽之孙，京兆尹司马防之子，主簿司马朗之弟也。自是文官大备，乃聚武将商议南征。夏侯惇进曰：「近闻刘备在新野，每日教演士卒，必为后患，可早图之。」操即命夏侯惇为都督，于禁、李典、夏侯兰、韩浩为副将，领兵十万，直抵博望城，以窥新野。荀彧谏曰：「刘备英雄，今更兼诸葛亮为军师，不可轻敌。」惇曰：「刘备鼠辈耳，吾必擒之。」徐庶曰：「将军勿轻视刘玄德。今玄德得诸葛亮为辅，如虎生翼矣。」操曰：「诸葛亮何人也？」庶曰：「亮字孔明，道号卧龙先生。有经天纬地之才，出鬼入神之计，真当世之奇才，非可小觑。」操曰：「比公若何？」庶曰：「庶安敢比亮？庶如萤火之光，亮乃皓月之明也。」夏侯惇曰：「元直之言谬矣。吾看诸葛亮如草芥耳，何足惧哉！吾若不一

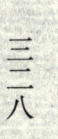

宜速回。』刘琦立于门外，大哭一场，上马仍回江夏。刘表病势危笃，望刘琦不来；至八月戊申日，大叫数声而死。后人有诗叹刘表曰：

昔闻袁氏居河朔，又见刘君霸汉阳。总为牝晨致家累，可怜不久尽销亡！

刘表既死，蔡夫人与蔡瑁、张允商议，假写遗嘱，令次子刘琮为荆州之主，然后举哀报丧。时刘琮年方十四岁，颇聪明，乃聚众言曰：『吾父弃世，吾兄现在江夏，更有叔父玄德在新野。汝等立我为主，倘兄与叔兴兵问罪，如何解释？』众官未及对，幕官李珪答曰：『公子之言甚善。今可急发哀书至江夏，请大公子为荆州之主，就命玄德一同理事：北可以敌曹操，南可以拒孙权。此万全之策也。』蔡瑁叱曰：『汝何人，敢乱言以逆主公遗命！』李珪大骂曰：『汝内外朋谋，假称遗命，废长立幼，眼见荆襄九郡，送于蔡氏之手！故主有灵，必当殛(jí)汝！』蔡瑁大怒，喝令左右推出斩之。李珪至死大骂不绝。于是蔡瑁遂立刘琮为主。蔡氏宗族分领荆州之兵；命治中邓义、别驾刘先守荆州；蔡夫人自与刘琮前赴襄阳驻扎，以防刘琦、刘备。就葬刘表之柩于襄阳城东汉阳之原，竟不讣告刘琦与玄德。

刘琮至襄阳，方才歇马，忽报曹操引大军径望襄阳而来。琮大惊，遂请蒯越、蔡瑁等商议。东曹掾傅巽进言曰：『不特曹操兵来为可忧；今大公子在江夏，玄德在新野，我皆未往报丧，若彼兴兵问罪，荆襄危矣。巽有一计，可使荆襄之民，安如泰山，又可保全主公名爵。』琮曰：『计将安出？』巽曰：『不如将荆襄九郡，献与曹操，操必重待主公也。』琮叱曰：『是何言也！孤受先君之基业，坐尚未稳，岂可便弃之他人？』蒯越曰：『傅公悌之言是也。夫逆顺有大体，强弱有定势。今曹操南征北讨，以朝廷为名，主公拒之，其名不顺。且主公新立，外患未宁，内忧将作。荆襄之民，闻曹兵至，未战而胆先寒，安能与之敌哉？』琮曰：『诸公善言，非我不从；但以先君之业，一旦弃与他人，恐贻笑于天下耳。』

言未已，一人昂然而进曰：『傅公悌、蒯异度之言甚善，何不从之？』众视之，乃山阳高平人，姓王，名粲，字仲宣。粲容貌瘦弱，身材短小；幼时往见中郎蔡邕，时邕高朋满座，闻粲至，倒履迎之。宾客皆惊曰：『蔡中郎何独敬此小子耶？』邕曰：『此子有异才，吾不如也。』粲博闻强记，人皆不及：尝观道旁碑文一过，便能记诵；观人弈棋，棋局乱，粲复为摆出，不差一子。又善算术。其文词妙绝一时。年十七，辟为黄门侍郎，不就。后因避乱至荆襄，刘表以为上宾。当日谓刘琮曰：『将军自料比曹公何如？』琮曰：『不如也。』粲曰：『曹公兵强将勇，足智多谋；擒吕布于下邳，摧袁绍于官渡，逐刘备于陇右，破乌桓于白狼：枭除荡定者，不可胜计。今以大军南下荆襄，势难抵敌。傅、蒯二君之谋，乃长策也。将军不可迟疑，致生后悔。』琮曰：『先生见教极是。但须禀告母亲知道。』只见蔡夫人从屏后转出，谓琮曰：『既是仲宣、公悌、异度三人所见相同，何必告我。』于是刘琮意决，便写降书，令宋忠潜地往曹操军前投献。宋忠领命，直至宛城，接着曹操，献上降书。操大喜，重赏宋忠，分付教刘琮出城迎接，便着他永为荆州之主。

宋忠拜辞曹操，取路回荆襄。将欲渡江，忽见一枝人马到来，视之，乃关云长也。宋忠回避不迭，被云长唤住，细问荆州之事。忠初时隐讳；后被云长盘问不过，只得将前后事情，一一实告。云长大惊，随

捉宋忠至新野见玄德，备言其事。玄德闻之大哭。张飞曰：『事已如此，可先斩宋忠，随起兵渡江，夺了襄阳，杀了蔡氏、刘琮，然后与曹操交战。』玄德曰：『你且缄口。我自有斟酌。』乃叱宋忠曰：『你知众人作事，何不早来报我？今虽斩汝，无益于事。可速去。』忠拜谢，抱头鼠窜而去。

玄德正忧闷间，忽报公子刘琦差伊籍到来。玄德感伊籍昔日相救之恩，降阶迎之，再三称谢。籍曰：『大公子在江夏，闻荆州已故，蔡夫人与蔡瑁等商议，不来报丧，竟立刘琮为主。公子差人往襄阳探听，回说是实，恐使君不知，特差某赍哀书呈报，并求使君尽起麾下精兵，同往襄阳问罪。』玄德看书毕，谓伊籍曰：『机伯只知刘琮僭立，更不知刘琮已将荆襄九郡献与曹操矣！』籍大惊曰：『使君从何知之？』玄德具言拿获宋忠之事。籍曰：『若如此，使君不如以吊丧为名，前赴襄阳，诱刘琮出迎，就便擒下，诛其党类，则荆州属使君矣。』孔明曰：『机伯之言是也。主公可从之。』玄德垂泪曰：『吾兄临危托孤于我，今若执其子而夺其地，异日死于九泉之下，何面目复见吾兄乎？』孔明曰：『如不行此事，今曹兵已至宛城，何以拒敌？』玄德曰：『不如走樊城以避之。』

正商议间，探马飞报曹兵已到博望了。玄德慌忙发付伊籍回江夏整顿军马，一面与孔明商议拒敌之计。孔明曰：『主公且宽心。前番一把火，烧了夏侯惇大半人马；今番曹军又来，必教他中这条计。我等在新野住不得了，不如早到樊城去。』便差人四门张榜，晓谕居民：『无问老幼男女，愿从者，即于今日皆跟我往樊城暂避，不可自误。』差孙乾往河边调拨船只，救济百姓；差糜竺护送各官家眷到樊城。一面聚诸将听令，先教云长：『引一千军去白河上流头埋伏。各带布袋，多装沙土，遏住白河之水，至来日三更后，只听下流头人喊马嘶，急取起布袋，放水淹之，却顺水杀将下来接应。』又唤张飞：『引一千军去博陵渡口埋伏。此处水势最慢，曹军被淹，必从此逃难，可便乘势杀来接应。』又唤赵云：『引军三千，分为四队，自领一队伏于东门外，其三队分伏西、南、北三门，却先于城内人家屋上，多藏硫黄焰硝引火之物。曹军入城，必安歇民房。来日黄昏后，必有大风，但看风起，便令西、南、北三门伏军尽将火箭射入城去；待城中火势大作，却于城外呐喊助威，只留东门放他出走。汝却于东门外从后击之。天明会合关、张二将，收军回樊城。』再令糜芳、刘封二人：『带二千军，一半红旗，一半青旗，去新野城外三十里鹊尾坡前屯住。一见曹军到，红旗军走在左，青旗军走在右。他心疑必不敢追。汝二人却去分头埋伏。只望城中火起，便可追杀败兵，然后却来白河上流头接应。』孔明分拨已定，乃与玄德登高望，只候捷音。

却说曹仁、曹洪引军十万为前队，前面已有许褚引三千铁甲军开路，浩浩荡荡，杀奔新野来。是日午牌时分，来到鹊尾坡，望见坡前一簇人马，尽打青、红旗号。许褚催军向前。刘封、糜芳分为四队，青、红旗各归左右。许褚勒马，教且休进：『前面必有伏兵。我兵只在此处住下。』许褚一骑马飞报前队曹仁。曹仁曰：『此是疑兵，必无埋伏。可速进兵。我当催军继至。』许褚复回坡前，提兵杀入。至林下追寻时，不见一人。时日已坠西。许褚方欲前进，只听得山上大吹大擂。抬头看时，只见山顶上一簇旗，旗从中两把伞盖：左玄德，右孔明，二人对坐饮酒。许褚大怒，引军寻路上山。山上擂木炮石打将下来，不能前进。

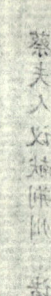

又闻山后喊声大震。欲寻路厮杀，天色已晚。

曹仁领兵到，教且夺新野城歇马。军士至城下时，只见四门大开。曹兵突入，并无阻当，城中亦不见一人，竟是一座空城了。曹洪曰：『此是势孤计穷，故尽带百姓逃窜去了。我军权且在城安歇，来日平明进兵。』此时各军走乏，都已饥饿，皆去夺房造饭。曹仁、曹洪就在衙内安歇。初更已后，狂风大作。守门军士飞报火起。曹仁曰：『此必军士造饭不小心，遗漏之火，不可自惊。』说犹未了，接连几次飞报，西、南、北三门皆火起。曹仁急令众将上马时，满县火起，上下通红。是夜之火，更胜前日博望烧屯之火。后人有诗叹曰：

奸雄曹操守中原，九月南征到汉川。风伯怒临新野县，祝融飞下焰摩天。

曹仁引众将突烟冒火，寻路奔走，闻说东门无火，急急奔出东门。军士自相践踏，死者无数。曹仁等方才脱得火厄，背后一声喊起，赵云引军赶来混战，败军各逃性命，谁肯回身厮杀。正奔走间，糜芳引一军至，又冲杀一阵。曹仁大败，夺路而走，刘封又引一军截杀一阵。到四更时分，人困马乏，军士大半焦头烂额，奔到白河边，喜得河水不甚深，人马都下河吃水：人相喧嚷，马尽嘶鸣。

却说云长在上流用布袋遏住河水，黄昏时分，望见新野火起；至四更，忽听得下流头人喊马嘶，急令军士一齐掣起布袋，水势滔天，望下流冲去，曹军人马俱溺于水中，死者极多。曹仁引众将望水势慢处夺路而走。行到博陵渡口，只听喊声大起，一军拦路，当先大将，乃张飞也，大叫：『曹贼快来纳命！』曹军大惊。正是：城内才看红焰吐，水边又遇黑风来。未知曹仁性命如何，且看下文分解。

## 第四十一回　刘玄德携民渡江　赵子龙单骑救主





却说张飞因关公放了上流水，遂引军从下流杀将来，截住曹仁混杀。忽遇许褚，便与交锋；许褚不敢恋战，夺路走脱。张飞赶来，接着玄德、孔明，一同沿河到上流。刘封、糜芳已安排船只等候，遂一齐渡河，尽望樊城而去。孔明教将船筏放火烧毁。

却说曹仁收拾残军，就新野屯住，使曹洪去见曹操，具言失利之事。操大怒曰：『诸葛村夫，安敢如此！』催动三军，漫山塞野，尽至新野下寨。传令军士一面搜山，一面填塞白河。令大军分作八路，一齐去取樊城。刘晔曰：『丞相初至襄阳，必须先买民心。今刘备尽迁新野百姓入樊城，若我兵径进，二县为齑粉矣；不如先使人招降刘备。备即不降，亦可见我爱民之心；若其来降，则荆州之地，可不战而定也。』操从其言，便问：『谁可为使？』刘晔曰：『徐庶与刘备至厚，今现在军中，何不命他一往？』操曰：『他去恐不复来。』晔曰：『他若不来，贻笑于人矣。丞相勿疑。』操乃召徐庶至，谓曰：『我本欲踏平樊城，奈怜众百姓之命。公可往说刘备：如肯来降，免罪赐爵；若更执迷，军民共戮，玉石俱焚。吾知公忠义，故特使公往。愿勿相负。』徐庶受命而行。至樊城，玄德、孔明接见，共诉旧日之情。庶曰：『曹操使庶来招降使君，乃假买民心也。今彼分兵八路，填白河而进，樊城恐不可守，宜速作行计。』玄德欲留徐庶。庶谢曰：『某若不还，恐惹人笑。今老母已丧，抱恨终天。身虽在彼，誓不为设一谋。公有卧龙辅佐，何

愁大业不成。庶请辞。』玄德不敢强留。

徐庶辞回，见了曹操，言玄德并无降意。操大怒，即日进兵。玄德问计于孔明。孔明曰：『可速弃樊城，取襄阳暂歇。』玄德曰：『奈百姓相随许久，安忍弃之？』孔明曰：『可令人遍告百姓：有愿随者同去，不愿者留下。』先使云长往江岸整顿船只，令孙乾、简雍在城中声扬曰：『今曹兵将至，孤城不可久守，百姓愿随者，便同过江。』两县之民，齐声大呼曰：『我等虽死，亦愿随使君！』即日号泣而行。扶老携幼，将男带女，滚滚渡河，两岸哭声不绝。玄德于船上望见，大恸曰：『为吾一人而使百姓遭此大难，吾何生哉！』欲投江而死，左右急救止。闻者莫不痛哭。船到南岸，回顾百姓，有未渡者，望南而哭。玄德急令云长催船渡之，方才上马。

行至襄阳东门，只见城上遍插旌旗，壕边密布鹿角。玄德勒马大叫曰：『刘琮贤侄，吾但欲救百姓，并无他念。可快开门。』刘琮闻玄德至，惧而不出。蔡瑁、张允径来敌楼上，叱军士乱箭射下。城外百姓，皆望敌楼而哭。城中忽有一将，引数百人径上城楼，大喝：『蔡瑁、张允卖国之贼！刘使君乃仁德之人，今为救民而来投，何得相拒！』众视其人，身长八尺，面如重枣；乃义阳人也，姓魏，名延，字文长。当下魏延轮刀砍死守门将士，开了城门，放下吊桥，大叫：『刘皇叔快领兵入城，共杀卖国之贼！』张飞便跃马欲入，玄德急止之曰：『休惊百姓！』魏延只管招呼玄德军马入城。只见城内一将飞马引军而出，大喝：『魏延无名小卒，安敢造乱！认得我大将文聘么！』魏延大怒，挺枪跃马，便来交战。两下军兵在城边混杀，喊声大震。玄德曰：『本欲保民，反害民也！吾不愿入襄阳！』孔明曰：『江陵乃荆州要地，不如先取江陵为家。』玄德曰：『正合吾心。』于是引着百姓，尽离襄阳大路，望江陵而走。襄阳城中百姓，多有乘乱逃出城来，跟玄德而去。魏延与文聘交战，从巳至未，手下兵卒皆已折尽。延乃拨马而逃，却寻不见玄德，自投长沙太守韩玄去了。

却说玄德同行军民十余万，大小车数千辆，挑担背包者不计其数。路过刘表之墓，玄德率众将拜于墓前，哭告曰：『辱弟备无德无才，负兄寄托之重，罪在备一身，与百姓无干。望兄英灵，垂救荆襄之民！』言甚悲切，军民无不下泪。忽哨马报说：『曹操大军已屯樊城，使人收拾船筏，即日渡江赶来也。』众将皆曰：『江陵要地，足可拒守。今拥民众数万，日行十余里，似此几时得至江陵？倘曹兵到，如何迎敌？不如暂弃百姓，先行为上。』玄德泣曰：『举大事者必以人为本。今人归我，奈何弃之？』百姓闻玄德此言，莫不伤感。后人有诗赞之曰：

临难仁心存百姓，登舟挥泪动三军。至今凭吊襄江口，父老犹然忆使君。

却说玄德拥着百姓，缓缓而行。孔明曰：『追兵不久即至，可遣云长往江夏求救于公子刘琦，教他速起兵乘船会于江陵。』玄德从之，即修书令云长同孙乾领五百军往江夏求救；令张飞断后；赵云保护老小；其余俱管顾百姓而行。每日只走十余里便歇。

却说曹操在樊城，使人渡江至襄阳，召刘琮相见。琮惧怕不敢往见。蔡瑁、张允请行。王威密告琮曰：

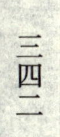

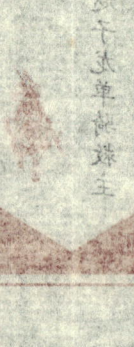

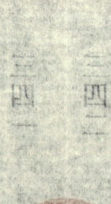

『将军既降，玄德又走，曹操必懈弛无备。愿将军奋整奇兵，设于险处击之，操可获矣。获操则威震天下，中原虽广，可传檄而定。此难遇之机，不可失也。』琮以其言告蔡瑁。瑁叱王威曰：『汝不知天命，安敢妄言！』威怒骂曰：『卖国之徒，吾恨不生啖汝肉！』瑁欲杀之，蒯越劝止。瑁遂与张允同至樊城，拜见曹操。瑁等辞色甚是谄佞。操问：『荆州军马钱粮，今有多少？』瑁曰：『马军五万，步军十五万，水军八万：共二十八万。钱粮大半在江陵，其余各处，亦足供给一载。』操曰：『战船多少？原是何人管领？』瑁曰：『大小战船，共七千余只，原是瑁等二人掌管。』操遂加瑁为镇南侯、水军大都督，张允为助顺侯、水军副都督。二人大喜拜谢。操又曰：『刘景升既死，其子降顺，吾当表奏天子，使永为荆州之主。』二人大喜而退。荀攸曰：『蔡瑁、张允乃谄佞之徒，主公何遂加以如此显爵，更教都督水军乎？』操笑曰：『吾岂不识人！止因吾所领北地之众，不习水战，故且权用此二人；待成事之后，别有理会。』

却说蔡瑁、张允归见刘琮，具言：『曹操许保奏将军永镇荆襄。』琮大喜。次日，与母蔡夫人赍捧印绶兵符，亲自渡江拜迎曹操。操抚慰毕，即引随征军将，进屯襄阳城外。蔡瑁、张允令襄阳百姓焚香拜接。曹操俱用好言抚谕。入城至府中坐定，即召蒯越近前，抚慰曰：『吾不喜得荆州，喜得异度也。』遂封蒯越为江陵太守、樊城侯，傅巽、王粲等皆为关内侯，而以刘琮为青州刺史，便教起程。琮闻命大惊，辞曰：『琮不愿为官，愿守父母乡土。』操曰：『青州近帝都，教你随朝为官，免在荆襄被人图害。』琮再三推辞，曹操不准。琮只得与母蔡夫人同赴青州。只有故将王威相随，其余官员俱送至江口而回。操唤于禁嘱咐曰：『你可引轻骑追刘琮母子杀之，以绝后患。』于禁得令，领众赶上，大喝曰：『我奉丞相令，教来杀汝母子！可早纳下首级！』蔡夫人抱刘琮而大哭。于禁喝令军士下手。王威忿怒，奋力相斗，竟被众军所杀。军士杀死刘琮及蔡夫人。于禁回报曹操，操重赏于禁。便使人往隆中搜寻孔明妻小，却不知去向。原来孔明先已令人搬送至三江内隐避矣。操深恨之。

襄阳既定，荀攸进言曰：『江陵乃荆襄重地，钱粮极广。刘备若据此地，急难动摇。』操曰：『孤岂忘之！』随命于襄阳诸将中，选一员引军开道。诸将中独不见文聘。操使人寻问，方才来见。操曰：『汝来何迟？』对曰：『为人臣而不能使其主保全境土，心实悲惭，无颜早见耳。』言讫，欷歔流涕。操曰：『真忠臣也！』除江夏太守，赐爵关内侯，便教引军开道。探马报说：『刘备带领百姓，日行止十数里，计程只有三百余里。』操教各部下精选五千铁骑，星夜前进，限一日一夜，赶上刘备。大军陆续随后而进。

却说玄德引十数万百姓、三千余军马，一程程挨着往江陵进发。赵云保护老小，张飞断后。孔明曰：『云长往江夏去了，绝无回音，不知若何？』玄德曰：『敢烦军师亲自走一遭。刘琦感公昔日之教，今若见公亲至，事必谐矣。』孔明允诺，便同刘封引五百军先往江夏求救去了。当日玄德自与简雍、糜竺、糜芳同行。正行间，忽然一阵狂风就马前刮起，尘土冲天，平遮红日。玄德惊曰：『此何兆也？』简雍颇明阴阳，袖占一课，失惊曰：『此大凶之兆也。应在今夜。主公可速弃百姓而走。』玄德曰：『百姓从新野相随至此，吾安忍弃之？』雍曰：『主公若恋而不弃，祸不远矣。』玄德问：『前面是何处？』左右答曰：

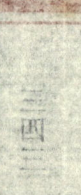

『前面是当阳县。有座山名为景山。』玄德便教就此山扎住。时秋末冬初，凉风透骨，黄昏将近，哭声遍野。至四更时分，只听得西北喊声震地而来。玄德大惊，急上马引本部精兵二千余人迎敌。曹兵掩至，势不可当。玄德死战。正在危迫之际，幸得张飞引军至，杀开一条血路，救玄德望东而走。文聘当先拦住，玄德骂曰：『背主之贼，尚有何面目见人！』文聘羞惭满面，引兵自投东北去了。张飞保着玄德，且战且走。奔至天明，闻喊声渐渐远去，玄德方才歇马。看手下随行人，止有百余骑；百姓、老小并糜竺、糜芳、简雍、赵云等一干人，皆不知下落。玄德大哭曰：『十数万生灵，皆因恋我，遭此大难；诸将及老小，皆不知存亡：虽土木之人，宁不悲乎！』

正凄惶时，忽见糜芳面带数箭，踉跄而来，口言：『赵子龙反投曹操去了也！』玄德叱曰：『子龙是我故交，安肯反乎？』张飞曰：『他今见我等势穷力尽，或者反投曹操，以图富贵耳！』玄德曰：『子龙从我于患难，心如铁石，非富贵所能动摇也。』糜芳曰：『我亲见他投西北去了。』张飞曰：『待我亲自寻他去。若撞见时，一枪刺死！』玄德曰：『休错疑了。岂不见你二兄诛颜良、文丑之事乎？子龙此去，必有事故。吾料子龙必不弃我也。』张飞那里肯听，引二十余骑，至长坂桥。见桥东有一带树木，飞生一计：教所从二十余骑，都砍下树枝，拴在马尾上，在树林内往来驰骋，冲起尘土，以为疑兵。飞却亲自横矛立马于桥上，向西而望。

却说赵云自四更时分，与曹军厮杀，往来冲突，杀至天明，寻不见玄德，又失了玄德老小。云自思曰：『主公将甘、糜二夫人与小主人阿斗，托付在我身上；今日军中失散，有何面目去见主人？不如去决一死战，好歹要寻主母与小主人下落！』回顾左右，只有三四十骑相随。云拍马在乱军中寻觅，二县百姓号哭之声，震天动地；中箭着枪、抛男弃女而走者，不计其数。赵云正走之间，见一人卧在草中，视之，乃简雍也。云急问曰：『曾见两位主母否？』雍曰：『二主母弃了车仗，抱阿斗而走。我飞马赶去，转过山坡，被一将刺了一枪，跌下马来，马被夺了去。我争斗不得，故卧在此。』云乃将从骑所骑之马，借一匹与简雍骑坐；又着二卒扶护简雍先去报与主人：『我上天入地，好歹寻主母与小主人来。如寻不见，死在沙场上也！』说罢，拍马望长坂坡而去。忽一人大叫：『赵将军那里去？』云勒马问曰：『你是何人？』答曰：『我乃刘使君帐下护送车仗的军士，被箭射倒在此。』赵云便问二夫人消息。军士曰：『恰才见甘夫人披头跣足，相随一伙百姓妇女，投南而走。』云见说，也不顾军士，急纵马望南赶去。只见一伙百姓，男女数百人，相携而走。云大叫曰：『内中有甘夫人否？』夫人在后面望见赵云，放声大哭。云下马插枪而泣曰：『使主母失散，云之罪也！糜夫人与小主人安在？』甘夫人曰：『我与糜夫人被逐，弃了车仗，杂于百姓内步行，又撞见一枝军马冲散。糜夫人与阿斗不知何往。我独自逃生至此。』正言间，百姓发喊，又撞出一枝军来。赵云拔枪上马看时，面前马上绑着一人，乃糜竺也。背后一将，手提大刀，引着千余军，乃曹仁部将淳于导，拿住糜竺，正要解去献功。赵云大喝一声，挺枪纵马，直取淳于导。导抵敌不住，被云一枪刺落马下，向前救了糜竺，夺得马二匹。云请甘夫人上马，杀开条大路，直送至长坂坡。只见张飞横矛立马于桥上，

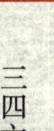

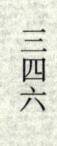

大叫：『子龙！你如何反我哥哥？』云曰：『我寻不见主母与小主人，因此落后，何言反耶？』飞曰：『若非简雍先来报信，我今见你，怎肯干休也！』云曰：『主公在何处？』飞曰：『只在前面不远。』云谓糜竺曰：『糜子仲保甘夫人先行，待我仍往寻糜夫人与小主人去。』言罢，引数骑再回旧路。

正走之间，见一将手提铁枪，背着一口剑，引十数骑跃马而来。赵云更不打话，直取那将。交马只一合，把那将一枪刺倒，从骑皆走。原来那将乃曹操随身背剑之将夏侯恩也。曹操有宝剑二口：一名『倚天』，一名『青釭(gāng)』；倚天剑自佩之，青釭剑令夏侯恩佩之。那青釭剑砍铁如泥，锋利无比。当时夏侯恩自恃勇力，背着曹操，只顾引人抢夺掳掠。不想撞着赵云，被他一枪刺死，夺了那口剑，看靶上有金嵌『青釭』二字，方知是宝剑也。云插剑提枪，复杀入重围；回顾手下从骑，已没一人，只剩得孤身。云并无半点退心，只顾往来寻觅；但逢百姓，便问糜夫人消息。忽一人指曰：『夫人抱着孩儿，左腿上着了枪，行走不得，只在前面墙缺内坐地。』

赵云听了，连忙追寻。只见一个人家，被火烧坏土墙，糜夫人抱着阿斗，

坐于墙下枯井之傍啼哭。云急下马伏地而拜。夫人曰：『妾得见将军，阿斗有命矣。望将军可怜他父亲飘荡半世，只有这点骨血。将军可护持此子，教他得见父面，妾死无恨！』云曰：『夫人受难，云之罪也。不必多言，请夫人上马。云自步行死战，保夫人透出重围。』糜夫人曰：『不可！将军岂可无马！此子全赖将军保护。妾已重伤，死何足惜！望将军速抱此子前去，勿以妾为累也。』云曰：『喊声将近，追兵已至，请夫人速速上马。』糜夫人曰：『妾身委实难去，休得两误。』乃将阿斗递与赵云曰：『此子性命全在将军身上！』赵云三回五次请夫人上马，夫人只不肯上马。四边喊声又起。云厉声曰：『夫人不听吾言，追军若至，为之奈何？』糜夫人乃弃阿斗于地，翻身投入枯井中而死。后人有诗赞之曰：

战将全凭马力多，步行怎把幼君扶？拚将一死存刘嗣，勇决还亏女丈夫。

赵云见夫人已死，恐曹军盗尸，便将土墙推倒，掩盖枯井。掩讫，解开勒甲绦，放下掩心镜，将阿斗抱护在怀，绰枪上马。早有一将，引一队步军至，乃曹洪部将晏明也，持三尖两刃刀来战赵云。不三合，被赵云一枪刺倒，杀散众军，冲开一条路。正走间，前面又一枝军马拦路。当先一员大将，旗号分明，大书『河间张郃』。云更不答话，挺枪便战。约十余合，云不敢恋战，夺路而走。背后张郃赶来，云加鞭而行，不想趷(kē)跶一声，连马和人，颠入土坑之内。张郃挺枪来刺，忽然一道红光，从土坑中滚起，那匹马平空一跃，跳出坑外。后人有诗曰：

红光罩体困龙飞，征马冲开长坂围。四十二年真命主，将军因得显神威。

张郃见了，大惊而退。赵云纵马正走，背后忽有二将大叫：『赵云休走！』前面又有二将，使两般军器，截住去路：后面赶的是马延、张𫖮，前面阻的是焦触、张南，都是袁绍手下降将。赵云力战四将，曹军一齐拥至。云乃拔青釭剑乱砍，手起处，衣甲平过，血如涌泉。杀退众军将，直透重围。

却说曹操在景山顶上，望见一将，所到之处，威不可当，急问左右是谁。曹洪飞马下山大叫曰：『军中战将可留姓名！』云应声曰：『吾乃常山赵子龙也！』曹洪回报曹操。操曰：『真虎将也！吾当生致之。』遂令飞马传报各处：『如赵云到，不许放冷箭，只要捉活的。』因此赵云得脱此难；此亦阿斗之福所致也。这一场杀：赵云怀抱后主，直透重围，砍倒大旗两面，夺槊三条；前后枪刺剑砍，杀死曹营名将五十余员。后人有诗曰：

血染征袍透甲红，当阳谁敢与争锋！古来冲阵扶危主，只有常山赵子龙。

赵云当下杀透重围，已离大阵，血满征袍。正行间，山坡下又撞出两枝军，乃夏侯惇部将钟缙、钟绅兄弟二人，一个使大斧，一个使画戟，大喝：『赵云快下马受缚！』正是：才离虎窟逃生去，又遇龙潭鼓浪来。毕竟子龙怎地脱身，且听下回分解。

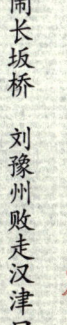

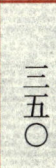

## 第四十二回　张翼德大闹长坂桥　刘豫州败走汉津口

却说钟缙、钟绅二人拦住赵云厮杀。赵云挺枪便刺，钟缙当先挥大斧来迎。两马相交，战不三合，被云一枪刺落马下，夺路便走。背后钟绅持戟赶来，马尾相衔，那枝戟只在赵云后心内弄影。云急拨转马头，恰好两胸相拍。云左手持枪隔过画戟，右手拔出青釭宝剑砍去，带盔连脑，砍去一半，绅落马而死，余众奔散。赵云得脱，望长坂桥而走。只闻后面喊声大震，原来文聘引军赶来。赵云得到桥边，人困马乏。见张飞挺矛立马于桥上，云大呼曰：『翼德援我！』飞曰：『子龙速行，追兵我自当之。』

云纵马过桥，行二十余里，见玄德与众人憩于树下。云下马伏地而泣。玄德亦泣。云喘息而言曰：『赵云之罪，万死犹轻！糜夫人身带重伤，不肯上马，投井而死，云只得推土墙掩之。怀抱公子，身突重围；赖主公洪福，幸而得脱。适来公子尚在怀中啼哭，此一会不见动静，多是不能保也。』遂解视之，原来阿斗正睡着未醒。云喜曰：『幸得公子无恙！』双手递与玄德。玄德接过，掷之于地曰：『为汝这孺子，几损我一员大将！』赵云忙向地下抱起阿斗，泣拜曰：『云虽肝脑涂地，不能报也！』后人有诗曰：

曹操军中飞虎出，赵云怀内小龙眠。无由抚慰忠臣意，故把亲儿掷马前。

却说文聘引军追赵云至长坂桥，只见张飞倒竖虎须，圆睁环眼，手绰蛇矛，立马桥上；又见桥东树林之后，尘头大起，疑有伏兵，便勒住马，不敢近前。俄而，曹仁、李典、夏侯惇、夏侯渊、乐进、张辽、张郃、

许褚等都至。见飞怒目横矛，立马于桥上，又恐是诸葛孔明之计，都不敢近前。扎住阵脚，一字儿摆在桥西，使人飞报曹操。操闻知，急上马，从阵后来。张飞睁圆环眼，隐隐见后军青罗伞盖、旄钺旌旗来到，料得是曹操心疑，亲自来看。飞乃厉声大喝曰：『我乃燕人张翼德也！谁敢与我决一死战？』声如巨雷。曹军闻之，尽皆股栗。曹操急令去其伞盖，回顾左右曰：『我向曾闻云长之言：翼德于百万军中，取上将之首，如探囊取物。今日相逢，不可轻敌。』言未已，张飞睁目又喝曰：『燕人张翼德在此！谁敢来决死战？』曹操见张飞如此气概，颇有退心。飞望见曹操后军阵脚移动，乃挺矛又喝曰：『战又不战，退又不退，却是何故！』喊声未绝，曹操身边夏侯杰惊得肝胆碎裂，倒撞于马下。操便回马而走。于是诸军众将一齐望西奔走。正是：黄口孺子，怎闻霹雳之声；病体樵夫，难听虎豹之吼。一时弃枪落盔者，不计其数，人如潮涌，马似山崩，自相践踏。后人有诗赞曰：

长坂桥头杀气生，横枪立马眼圆睁。一声好似轰雷震，独退曹家百万兵。

却说曹操惧张飞之威，骤马望西而走，冠簪尽落，披发奔逃。张辽、许褚赶上，扯住辔环。曹操仓皇失措。张辽曰：『丞相休惊。料张飞一人，何足深惧！今急回军杀去，刘备可擒也。』曹操神色方才稍定，乃令张辽、许褚再至长坂桥探听消息。

且说张飞见曹军一拥而退，不敢追赶；速唤回原随二十余骑，解去马尾树枝，令将桥梁拆断，然后回马来见玄德，具言断桥一事。玄德曰：『吾弟勇则勇矣，惜失于计较。』飞问其故。玄德曰：『曹操多谋。——汝不合拆断桥梁，彼必追至矣。』飞曰：『他被我一喝，倒退数里，何敢再追？』玄德曰：『若不断桥，彼恐有埋伏，不敢进兵；今拆断了桥，彼料我无军而怯，必来追赶。彼有百万之众，虽涉江汉，可填而过，岂惧一桥之断耶？』于是即刻起身，从小路斜投汉津，望沔阳路而走。

却说曹操使张辽、许褚探长坂桥消息，回报曰：『张飞已拆断桥梁而去矣。』操曰：『彼断桥而去，乃心怯也。』遂传令差一万军，速搭三座浮桥，只今夜就要过。李典曰：『此恐是诸葛亮之诈谋，不可轻进。』操曰：『张飞一勇之夫，岂有诈谋！』遂传下号令，火速进兵。

却说玄德行近汉津，忽见后面尘头大起，鼓声连天，喊声震地。玄德曰：『前有大江，后有追兵，如之奈何？』急命赵云准备抵敌。曹操下令军中曰：『今刘备釜中之鱼，阱中之虎；若不就此时擒捉，如放鱼入海，纵虎归山矣。众将可努力向前。』众将领命，一个个奋威追赶。忽山坡后鼓声响处，一队军马飞出，大叫曰：『我在此等候多时了！』当头那员大将，手执青龙刀，坐下赤兔马——原来是关云长，去江夏借得军马一万，探知当阳长坂大战，特地从此路截出。曹操一见云长，即勒住马回顾众将曰：『又中诸葛亮

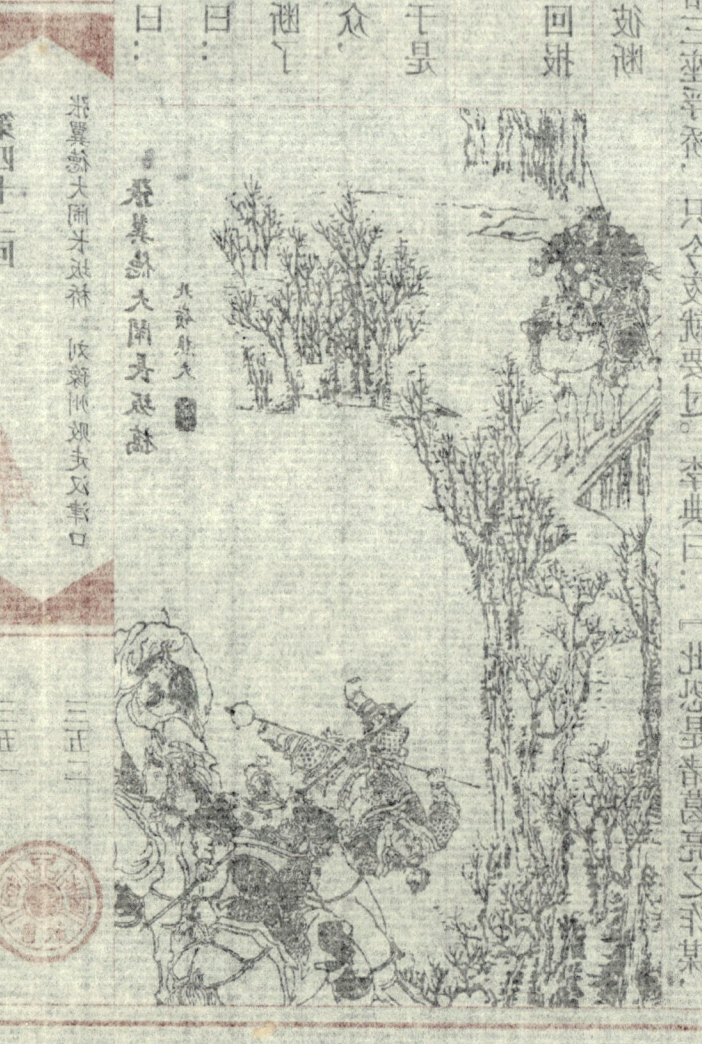

之计也！」传令大军速退。

云长追赶十数里，即回军保护玄德等到汉津，已有船只伺候；云长请玄德并甘夫人、阿斗至船中坐定。云长问曰：「二嫂嫂如何不见？」玄德诉说当阳之事。云长叹曰：「曩(nǎng)日猎于许田时，若从吾意，可无今日之患。」玄德曰：「我于此时亦「投鼠忌器」耳。」正说之间，忽见江南岸战鼓大鸣，舟船如蚁，顺风扬帆而来。玄德大惊。船来至近，只见一人白袍银铠，立于船头上大呼曰：「叔父别来无恙！小侄得罪！」玄德视之，乃刘琦也。琦过船哭拜曰：「闻叔父困于曹操，小侄特来接应。」玄德大喜，遂合兵一处，放舟而行。在船中正诉情由，江西南上战船一字儿摆开，乘风唿哨而至。刘琦惊曰：「江夏之兵，小侄已尽起至此矣。今有战船拦路，非曹操之军，即江东之军也，如之奈何？」玄德出船头视之，见一人纶巾道服，坐在船头上，乃孔明也，背后立着孙乾。玄德慌请过船，问其何故却在此。孔明曰：「亮自至江夏，先令云长于汉津登陆地而接。我料曹操必来追赶，主公必不从江陵来，必斜取汉津矣；故特请公子先来接应，我竟往夏口，尽起军前来相助。」玄德大悦，合为一处，商议破曹之策。孔明曰：「夏口城险，颇有钱粮，可以久守。请主公且到夏口屯住。公子自回江夏，整顿战船，收拾军器，为掎角之势，可以抵当曹操。若共归江夏，则势反孤矣。」刘琦曰：「军师之言甚善。但愚意欲请叔父暂至江夏，整顿军马停当，再回夏口不迟。」玄德曰：「贤侄之言亦是。」遂留下云长，引五千军守夏口。玄德、孔明、刘琦共投江夏。

却说曹操见云长在旱路引军截出，疑有伏兵，不敢来追；又恐水路先被玄德夺了江陵，便星夜提兵赴







江陵来。荆州治中邓义、别驾刘先，已备知襄阳之事，料不能抵敌曹操，遂引荆州军民出郭投降。曹操入城，安民已定，释韩嵩之囚，加为大鸿胪。其余众官，各有封赏。曹操与众将议曰：「今刘备已投江夏，恐结连东吴，是滋蔓也。当用何计破之？」荀攸曰：「我今大振兵威，遣使驰檄江东，请孙权会猎于江夏，共擒刘备，分荆州之地，永结盟好。孙权必惊疑而来降，则吾事济矣。」操从其计，一面发檄遣使赴东吴；一面计点马步水军共八十三万，诈称一百万，水陆并进，船骑双行，沿江而来，西连荆、峡，东接蕲、黄，寨栅联络三百余里。

话分两头。却说江东孙权，屯兵柴桑郡，闻曹操大军至襄阳，刘琮已降，今又星夜兼道取江陵，乃集众谋士商议御守之策。鲁肃曰：「荆州与国邻接，江山险固，士民殷富。吾若据而有之，此帝王之资。今刘表新亡，刘备新败，肃请奉命往江夏吊丧，因说刘备使抚刘表众将，同心一意，共破曹操；备若喜而从命，则大事可定矣。」权喜从其言，即遣鲁肃赍礼往江夏吊丧。

却说玄德至江夏，与孔明、刘琦共议良策。孔明曰：「曹操势大，急难抵敌，不如往投东吴孙权，以为应援。使南北相持，吾等于中取利，有何不可？」玄德曰：「江东人物极多，必有远谋，安肯相容耶？」孔明笑曰：「今操引百万之众，虎踞江汉，江东安得不使人来探听虚实？若有人到此，亮借一帆风，直至江东，凭三寸不烂之舌，说南北两军互相吞并。若南军胜，共诛曹操以取荆州之地；若北军胜，则我乘势以取江南可也。」玄德曰：「此论甚高。但如何得江东人到？」

正说间，人报江东孙权差鲁肃来吊丧，船已傍岸。孔明笑曰：『大事济矣！』遂问刘琦曰：『往日孙策亡时，襄阳曾遣人去吊丧否？』琦曰：『江东与我家有杀父之仇，安得通庆吊之礼！』孔明曰：『然则鲁肃之来，非为吊丧，乃来探听军情也。』遂谓玄德曰：『鲁肃至，若问曹操动静，主公只推不知。再三问时，主公只说可问诸葛亮。』计会已定，使人迎接鲁肃。肃入城吊丧；收过礼物，刘琦请肃与玄德相见。礼毕，邀入后堂饮酒。肃曰：『久闻皇叔大名，无缘拜会；今幸得见，实为欣慰。近闻皇叔与曹操会战，必知彼虚实：敢问操军约有几何？』玄德曰：『备兵微将寡，一闻操至即走，竟不知彼虚实。』鲁肃曰：『闻皇叔用诸葛孔明之谋，两场火烧得曹操魂亡胆落，何言不知耶？』玄德曰：『除非问孔明，便知其详。』

肃曰：『孔明安在？愿求一见。』玄德教请孔明出来相见。肃见孔明礼毕，问曰：『向慕先生才德，未得拜晤；今幸相遇，愿闻目今安危之事。』孔明曰：『曹操奸计，亮已尽知；但恨力未及，故且避之。』肃曰：『皇叔今将止于此乎？』孔明曰：『使君与苍梧太守吴臣有旧，将往投之。』肃曰：『吴臣粮少兵微，自不能保，焉能容人？』孔明曰：『吴臣处虽不足久居，今且暂依之，别有良图。』



肃曰：『孙将军虎踞六郡，兵精粮足，又极敬贤礼士，江表英雄，多归附之。——今为君计，莫若遣心腹往结东吴，以共图大事。』孔明曰：『刘使君与孙将军自来无旧，恐虚费词说。且别无心腹之人可使。』肃曰：『先生之兄，现为江东参谋，日望与先生相见。肃不才，愿与公同见孙将军，共议大事。』玄德曰：『孔明是吾之师，顷刻不可相离，安可去也？』肃坚请孔明同去。玄德佯不许。孔明曰：『事急矣，请奉命一行。』玄德方才许诺。鲁肃遂别了玄德、刘琦，与孔明登舟，望柴桑郡来。正是：只因诸葛扁舟去，致使曹兵一旦休。不知孔明此去毕竟如何，且看下文分解。

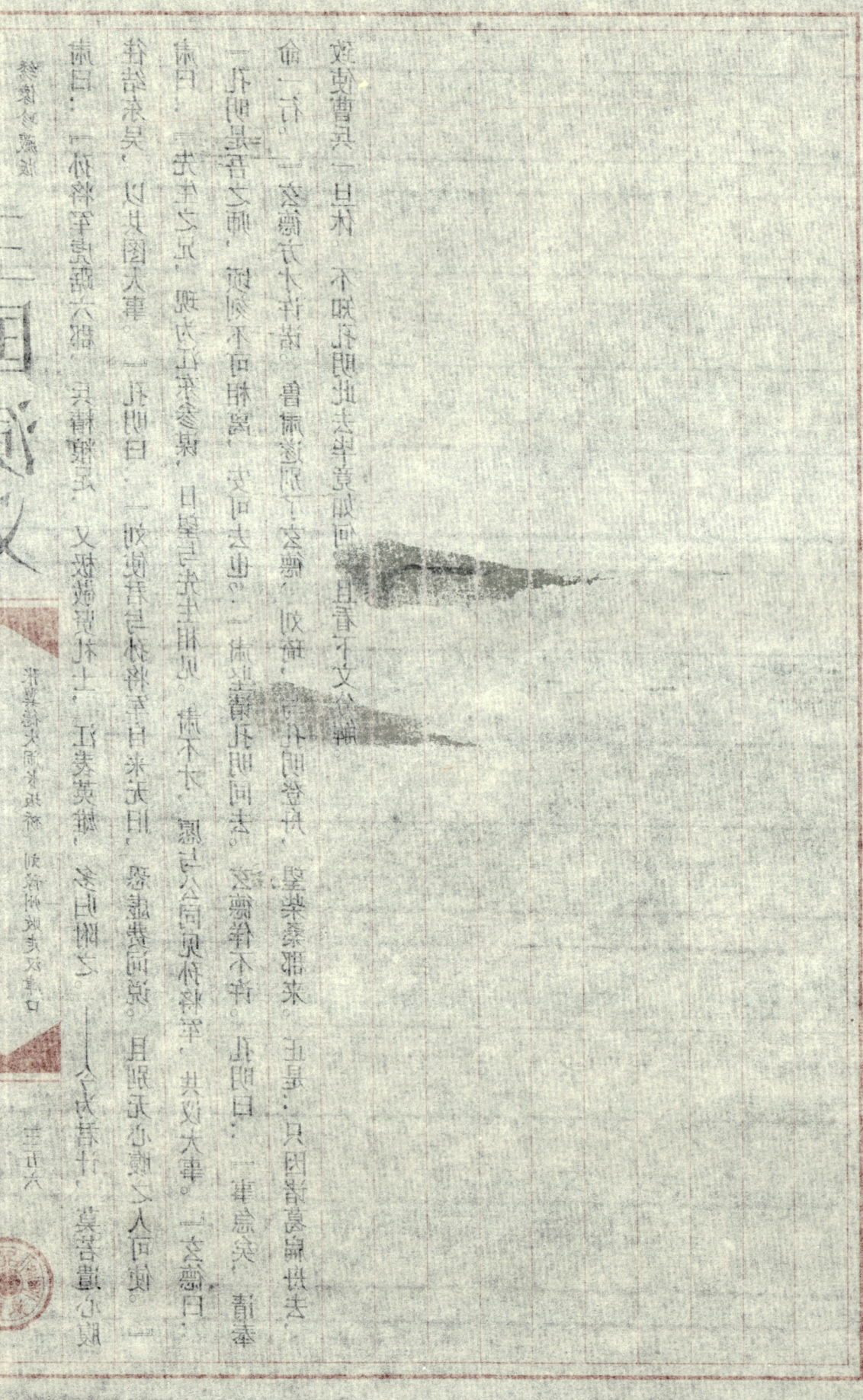

# 第四十三回　诸葛亮舌战群儒　鲁子敬力排众议

却说鲁肃、孔明辞了玄德、刘琦，登舟望柴桑郡来。二人在舟中共议。鲁肃谓孔明曰：「先生见孙将军，切不可实言曹操兵多将广。」孔明曰：「不须子敬叮咛，亮自有对答之语。」及船到岸，肃请孔明于馆驿中暂歇，先自往见孙权。权正聚文武于堂上议事，闻鲁肃回，急召入问曰：「子敬往江夏，体探虚实若何？」肃曰：「已知其略，尚容徐禀。」权将曹操檄文示肃曰：「操昨遣使赍文至此，孤先发遣来使，现今会众商议未定。」肃接檄文观看。其略曰：

孤近承帝命，奉词伐罪。旄麾南指，刘琮束手；荆襄之民，望风归顺。今统雄兵百万，上将千员，欲与将军会猎于江夏，共伐刘备，同分土地，永结盟好。幸勿观望，速赐回音。

鲁肃看毕曰：「主公尊意若何？」权曰：「未有定论。」张昭曰：「曹操拥百万之众，借天子之名，以征四方，拒之不顺。且主公大势可以拒操者，长江也。今操既得荆州，长江之险，已与我共之矣，势不可敌。以愚之计，不如纳降，为万安之策。」众谋士皆曰：「子布之言，正合天意。」孙权沉吟不语。张昭又曰：「主公不必多疑。如降操，则东吴民安，江南六郡可保矣。」孙权低头不语。须臾，权起更衣，鲁肃随于权后。权知肃意，乃执肃手而言曰：「卿欲如何？」肃曰：「恰才众人所言，深误将军。众人皆可降曹操，惟将军不可降曹操。」权曰：「何以言之？」肃曰：「如肃等降操，当以肃还乡党，累官故不失州郡也；将军降操，欲安所归乎？位不过封侯，车不过一乘，骑不过一匹，从不过数人，岂得南面称孤哉！众人之意，各自为己，不可听也。将军宜早定大计。」权叹曰：「诸人议论，大失孤望。子敬开说大计，正与吾见相同。此天以子敬赐我也！但操新得袁绍之众，近又得荆州之兵，恐势大难以抵敌。」肃曰：「肃至江夏，引诸葛瑾之弟诸葛亮在此，主公可问之，便知虚实。」权曰：「卧龙先生在此乎？」肃曰：「现在馆驿中安歇。」权曰：「今日天晚，且未相见。来日聚文武于帐下，先教见我江东英俊，然后升堂议事。」肃领命而去。次日至馆驿中见孔明，又嘱曰：「今见我主，切不可言曹操兵多。」孔明笑曰：「亮自见机而变，决不有误。」

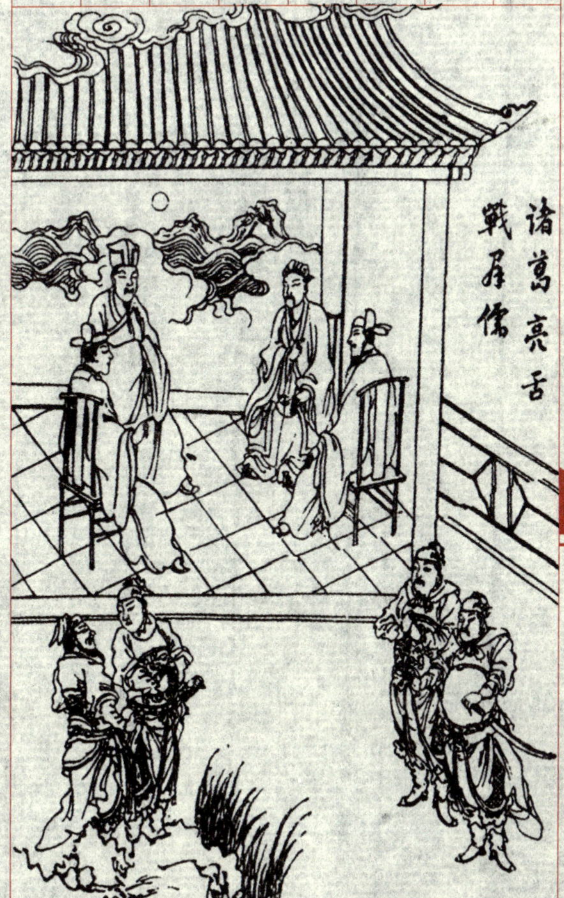


肃乃引孔明至幕下。早见张昭、顾雍等一班文武二十余人，峨冠博带，整衣端坐。孔明逐一相见，各问姓名。施礼已毕，坐于客位。张昭等见孔明丰神飘洒，器宇轩昂，料道此人必来游说。张昭先以言挑之曰：「昭乃江东微末之士，久闻先生高卧隆中，自比管、乐。此语果有之乎？」孔明曰：「此亮平生小可之比也。」昭曰：「近闻刘豫州三顾先生于草庐之中，幸得先生，以为『如鱼得水』，思欲席卷荆襄。今一旦

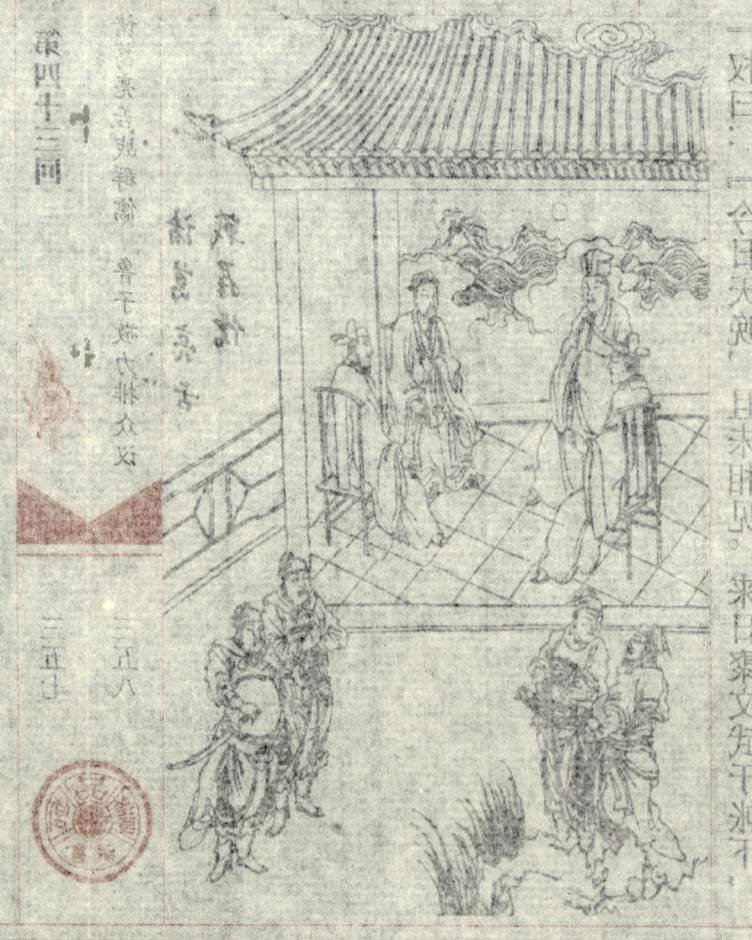

以属曹操，未审是何主见？』孔明自思张昭乃孙权手下第一个谋士，若不先难倒他，如何说得孙权，遂答曰：『吾观取汉上之地，易如反掌。我主刘豫州躬行仁义，不忍夺同宗之基业，故力辞之。刘琮孺子，听信佞言，暗自投降，致使曹操得以猖獗。今我主屯兵江夏，别有良图，非等闲可知也。』昭曰：『若此，是先生言行相违也。先生自比管、乐——管仲相桓公，霸诸侯，一匡天下；乐毅扶持微弱之燕，下齐七十余城：此二人者，真济世之才也。先生在草庐之中，但笑傲风月，抱膝危坐。今既从事刘豫州，当为生灵兴利除害，剿灭乱贼。且刘豫州未得先生之前，尚且纵横寰宇，割据城池；今得先生，人皆仰望。虽三尺童蒙，亦谓彪虎生翼，将见汉室复兴，曹氏即灭矣。朝廷旧臣，山林隐士，无不拭目而待：以为指高天之云翳，仰日月之光辉，拯民于水火之中，措天下于衽(rèn)席之上，在此时也。何先生自归豫州，曹兵一出，弃甲抛戈，望风而窜；上不能报刘表以安庶民，下不能辅孤子而据疆土；乃弃新野，走樊城，败当阳，奔夏口，无容身之地：是豫州既得先生之后，反不如其初也。管仲、乐毅，果如是乎？愚直之言，幸勿见怪！』孔明听罢，哑然而笑曰：『鹏飞万里，其志岂群鸟能识哉？譬如人染沉疴，当先用糜粥以饮之，和药以服之；待其腑脏调和，形体渐安，然后用肉食以补之，猛药以治之：则病根尽去，人得全生也。若不待气脉和缓，便投以猛药厚味，欲求安保，诚为难矣。吾主刘豫州，向日军败于汝南，寄迹刘表，兵不满千，将止关、张、赵云而已：此正如病势尪(wāng)羸已极之时也。新野山僻小县，人民稀少，粮食鲜薄，豫州不过暂借以容身，岂真将坐守于此耶？夫以甲兵不完，城郭不固，军不经练，粮不继日，然而博望烧屯，白河用水，使夏侯惇、曹仁辈心惊胆裂：窃谓管仲、乐毅之用兵，未必过此。至于刘琮降操，豫州实出不知；且又不忍乘乱夺同宗之基业，此真大仁大义也。当阳之败，豫州见有数十万赴义之民，扶老携幼相随，不忍弃之，日行十里，不思进取江陵，甘与同败，此亦大仁大义也。寡不敌众，胜负乃其常事。昔高皇数败于项羽，而垓下一战成功，此非韩信之良谋乎？夫信久事高皇，未尝累胜。盖国家大计，社稷安危，是有主谋。非比夸辩之徒，虚誉欺人：坐议立谈，无人可及；临机应变，百无一能。诚为天下笑耳！』这一篇言语，说得张昭并无一言回答。

座上忽一人抗声问曰：『今曹公兵屯百万，将列千员，龙骧虎视，平吞江夏，公以为何如？』孔明视之，乃虞翻也。孔明曰：『曹操收袁绍蚁聚之兵，劫刘表乌合之众，虽数百万不足惧也。』虞翻冷笑曰：『军败于当阳，计穷于夏口，区区求救于人，而犹言「不惧」，此真大言欺人也！』孔明曰：『刘豫州以数千仁义之师，安能敌百万残暴之众？退守夏口，所以待时也。今江东兵精粮足，且有长江之险，犹欲使其主屈膝降贼，不顾天下耻笑。由此论之，刘豫州真不惧操贼者矣！』虞翻不能对。

座间又一人问曰：『孔明欲效仪、秦之舌，游说东吴耶？』孔明视之，乃步骘（zhì）也。孔明曰：『步子山以苏秦、张仪为辩士，不知苏秦、张仪亦豪杰也：苏秦佩六国相印，张仪两次相秦，皆有匡扶人国之谋，非比畏强凌弱，惧刀避剑之人也。君等闻曹操虚发诈伪之词，便畏惧请降，敢笑苏秦、张仪乎？』步骘默然无语。

忽一人问曰：『孔明以曹操何如人也？』孔明视其人，乃薛综也。孔明答曰：『曹操乃汉贼也，又何必问？』综曰：『公言差矣。汉传世至今，天数将终。今曹公已有天下三分之二，人皆归心。刘豫州不识天时，强欲与争，正如以卵击石，安得不败乎？』孔明厉声曰：『薛敬文安得出此无父无君之言乎！夫人生天地间，以忠孝为立身之本。公既为汉臣，则见有不臣之人，当誓共戮之：臣之道也。今曹操祖宗叨食汉禄，不思报效，反怀篡逆之心，天下之所共愤；公乃以天数归之，真无父无君之人也！不足与语！请勿复言！』薛综满面羞惭，不能对答。

座上又一人应声问曰：『曹操虽挟天子以令诸侯，犹是相国曹参之后。刘豫州虽云中山靖王苗裔，却无可稽考，眼见只是织席贩屦之夫耳，何足与曹操抗衡哉！』孔明视之，乃陆绩也。孔明笑曰：『公非袁术座间怀桔之陆郎乎？请安坐，听吾一言：曹操既为曹相国之后，则世为汉臣矣；今乃专权肆横，欺凌君父，是不惟无君，亦且蔑祖，不惟汉室之乱臣，亦曹氏之贼子也。刘豫州堂堂帝胄，当今皇帝，按谱赐爵，何云「无可稽考」？且高祖起身亭长，而终有天下；织席贩屦，又何足为辱乎？公小儿之见，不足与高士共语！』陆绩语塞。

座上一人忽曰：『孔明所言，皆强词夺理，均非正论，不必再言。且请问孔明治何经典？』孔明视之，乃严畯也。孔明曰：『寻章摘句，世之腐儒也，何能兴邦立事？且古耕莘伊尹，钓渭子牙，张良、陈平之流，邓禹、耿弇（yǎn）之辈，皆有匡扶宇宙之才，未审其生平治何经典。——岂亦效书生，区区于笔砚之间，数黑论黄，舞文弄墨而已乎？』严畯低头丧气而不能对。

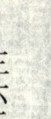

忽又一人大声曰：『公好为大言，未必真有实学，恐适为儒者所笑耳。』孔明视其人，乃汝阳程德枢也。孔明答曰：『儒有君子小人之别。君子之儒，忠君爱国，守正恶邪，务使泽及当时，名留后世。——若夫小人之儒，惟务雕虫，专工翰墨，青春作赋，皓首穷经；笔下虽有千言，胸中实无一策。且如杨雄以文章名世，而屈身事莽，不免投阁而死，此所谓小人之儒也；虽日赋万言，亦何取哉！』程德枢不能对。众人见孔明对答如流，尽皆失色。

时座上张温、骆统二人，又欲问难。忽一人自外而入，厉声言曰：『孔明乃当世奇才，君等以唇舌相难，非敬客之礼也。曹操大军临境，不思退敌之策，乃徒斗口耶！』众视其人，乃零陵人，姓黄，名盖，字公覆，现为东吴粮官。当时黄盖谓孔明曰：『愚闻多言获利，不如默而无言。何不将金石之论为我主言之，乃与众人辩论也？』孔明曰：『诸君不知世务，互相问难，不容不答耳。』于是黄盖与鲁肃引孔明入。至中门，正遇诸葛瑾，孔明施礼。瑾曰：『贤弟既到江东，如何不来见我？』孔明曰：『弟既事刘豫州，理宜先公

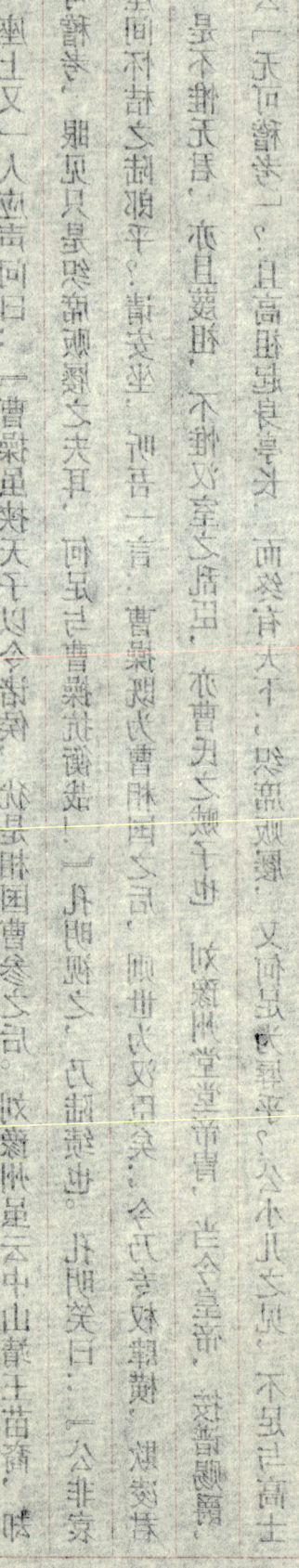

而后私。公事未毕，不敢及私。望兄见谅。」谨曰：「贤弟见过吴侯，却来叙话。」说罢自去。

鲁肃曰：「适间所嘱，不可有误。」孔明点头应诺。引至堂上，孙权降阶而迎，优礼相待。施礼毕，赐孔明坐。众文武分两行而立。鲁肃立于孔明之侧，只看他讲话。孔明致玄德之意毕，偷眼看孙权：碧眼紫髯，堂堂一表。孔明暗思：「此人相貌非常，只可激，不可说。等他问时，用言激之便了。」献茶已毕，孙权曰：「多闻鲁子敬谈足下之才，今幸得相见，敢求教益。」孔明曰：「不才无学，有辱明问。」权曰：「足下近在新野，佐刘豫州与曹操决战，必深知彼军虚实。」孔明曰：「刘豫州兵微将寡，更兼新野城小无粮，安能与曹操相持。」权曰：「曹兵共有多少？」孔明曰：「马步水军，约有一百余万。」权曰：「莫非诈乎？」孔明曰：「非诈也。曹操就兖州已有青州军二十万；平了袁绍，又得五六十万；中原新招之兵三四十万；今又得荆州之军二三十万：以此计之，不下一百五十万。亮以百万言之，恐惊江东之士也。」鲁肃在旁，闻言失色，以目视孔明；孔明只做不见。权曰：「曹操部下战将，还有多少？」孔明曰：「足智多谋之士，能征惯战之将，何止一二千人。」权曰：「今曹操平了荆、楚，复有远图乎？」孔明曰：「即今沿江下寨，准备战船，不欲图江东，待取何地？」权曰：「若彼有吞并之意，战与不战，请足下为我一决。」孔明曰：「亮有一言，但恐将军不肯听从。」权曰：「愿闻高论。」孔明曰：「向者宇内大乱，故将军起江东，刘豫州收众汉南，与曹操并争天下。今操芟(shōw)除大难，略已平矣，近又新破荆州，威震海内；纵有英雄，无用武之地：故豫州遁逃至此。愿将军量力而处之：若能以吴、越之众，与中国抗衡，不如早与之绝；若其不能，何不从众谋士之论，按兵束甲，北面而事之？」权未及答。孔明又曰：「将军外托服从之名，内怀疑贰之见，事急而不断，祸至无日矣！」权曰：「诚如君言，刘豫州何不降操？」孔明曰：「昔田横，齐之壮士耳，犹守义不辱。况刘豫州王室之胄，英才盖世，众士仰慕。事之不济，此乃天也，又安能屈处人下乎！」

孙权听了孔明此言，不觉勃然变色，拂衣而起，退入后堂。众皆哂笑而散。鲁肃责孔明曰：「先生何故出此言？幸是吾主宽洪大度，不即面责。先生之言，藐视吾主甚矣。」孔明仰面笑曰：「何如此不能容物耶！我自有破曹之计，彼不问我，我故不言。」肃曰：「果有良策，肃当请主公求教。」孔明曰：「吾视曹操百万之众，如群蚁耳！但我一举手，则皆为齑粉矣！」肃闻言，便入后堂见孙权。权怒气未息，顾谓肃曰：「孔明欺吾太甚！」肃曰：「臣亦以此责孔明，孔明反笑主公不能容物。破曹之策，孔明不肯轻言，主公何不求之？」权回嗔作喜曰：「原来孔明有良谋，故以言词激我。我一时浅见，几误大事。」便同鲁肃重复出堂，再请孔明叙话。权见孔明，谢曰：「适来冒渎威严，幸勿见罪。」孔明亦谢曰：「亮言语冒犯，望乞恕罪。」权邀孔明入后堂，置酒相待。

数巡之后，权曰：「曹操平生所恶者：吕布、刘表、袁绍、袁术、豫州与孤耳。今数雄已灭，独豫州与孤尚存。孤不能以全吴之地，受制于人。吾计决矣。非刘豫州莫与当曹操者；然豫州新败之后，安能抗此难乎？」孔明曰：「豫州虽新败，然关云长犹率精兵万人；刘琦领江夏战士，亦不下万人。曹操之众，远来疲惫；近追豫州，轻骑一日夜行三百里，此所谓『强弩之末，势不能穿鲁缟』者也。且北方之人，不习水战。

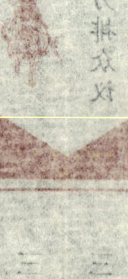

荆州士民附操者，迫于势耳，非本心也。今将军诚能与豫州协力同心，破曹军必矣。操军破，必北还，则荆、吴之势强，而鼎足之形成矣。成败之机，在于今日。惟将军裁之。」权大悦曰：「先生之言，顿开茅塞。吾意已决，更无他疑。即日商议起兵，共灭曹操！」遂令鲁肃将此意传谕文武官员，就送孔明于馆驿安歇。

张昭知孙权欲兴兵，遂与众议曰：「中了孔明之计也！」急入见权曰：「昭等闻主公将兴兵与曹操争锋。主公自思比袁绍若何？曹操向日兵微将寡，尚能一鼓克袁绍，何况今日拥百万之众南征，岂可轻敌？若听诸葛亮之言，妄动甲兵，此所谓负薪救火也。」孙权只低头不语。顾雍曰：「刘备因为曹操所败，故欲借我江东之兵以拒之，主公奈何为其所用乎？愿听子布之言。」孙权沉吟未决。张昭等出，鲁肃入见曰：「适张子布等，又劝主公休动兵，力主降议，此皆全躯保妻子之臣，为自谋之计耳。愿主公勿听也。」孙权尚在沉吟。肃曰：「主公若迟疑，必为众人误矣。」权曰：「卿且暂退，容我三思。」肃乃退出。时武将或有要战的，文官都是要降的，议论纷纷不一。

且说孙权退入内宅，寝食不安，犹豫不决。吴国太见权如此，问曰：「何事在心，寝食俱废？」权曰：「今曹操屯兵于江汉，有下江南之意。问诸文武，或欲降者，或欲战者。欲待战来，恐寡不敌众；欲待降来，又恐曹操不容。因此犹豫不决。」吴国太曰：「汝何不记吾姐临终之语乎？」孙权如醉方醒，似梦初觉，想出这句话来。正是：追思国母临终语，引得周郎立战功。毕竟说着甚的，且看下文分解。

## 第四十四回 孔明用智激周瑜 孙权决计破曹操

却说吴国太见孙权疑惑不决，乃谓之曰：「先姊遗言云：『伯符临终有言：内事不决问张昭，外事不决问周瑜。』今何不请公瑾问之？」权大喜，即遣使往鄱阳请周瑜议事。原来周瑜在鄱阳湖训练水师，闻曹操大军至汉上，便星夜回柴桑郡议军机事。使者未发，周瑜已先到。鲁肃与瑜最厚，先来接着，将前项事细述一番。周瑜曰：「子敬休忧，瑜自有主张。今可速请孔明来相见。」鲁肃上马去了。周瑜方才歇息。忽报张昭、顾雍、张纮、步骘四人来相探。瑜接入堂中坐定，叙寒温毕。张昭曰：「都督知江东之利害否？」瑜曰：「未知也。」昭曰：「曹操拥众百万，屯于汉上，昨传檄文至此，欲请主公会猎于江夏。虽有相吞之意，尚未露其形。昭等劝主公且降之，庶免江东之祸。不想鲁子敬从江夏带刘备军师诸葛亮至此，彼因自欲雪愤，特下说词以激主公。子敬却执迷不悟。正欲待都督一决。」瑜曰：「公等之见皆同否？」顾雍等曰：「所议皆同。」瑜曰：「吾亦欲降久矣。公等请回。明早见主公，自有定议。」昭等辞去。少顷，又报程普、黄盖、韩当等一班战将来见。瑜迎入，各问慰讫。程普曰：「都督知江东早晚属他人否？」瑜曰：「未知也。」普曰：「吾等自随孙将军开基创业，大小数百战，方才战得六郡城池。今主公听谋士之言，欲降曹操，此真可耻可惜之事！吾等宁死不辱。望都督劝主公决计兴兵，吾等愿效死战。」瑜曰：「将军等所见皆同否？」黄盖忿然而起，以手拍额曰：「吾头可断，誓不降曹！」众人皆曰：「吾等都不愿降！」

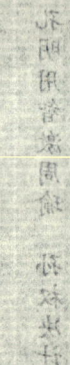

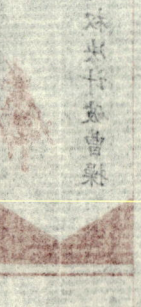

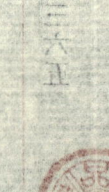

瑜曰：『吾正欲与曹操决战，安肯投降！将军等请回。瑜见主公，自有定议。』程普等别去。又末几，诸葛瑾、吕范等一班儿文官相候。瑜迎入，讲礼方毕，诸葛瑾曰：『舍弟诸葛亮自汉上来，言刘豫州欲结东吴，共伐曹操，文武商议未定。因舍弟为使，瑾不敢多言，专候都督来决此事。』瑜曰：『以公论之若何？』瑾曰：『降者易安，战者难保。』周瑜笑曰：『瑜自有主张。来日同至府下定议。』瑾等辞退。忽又报吕蒙、甘宁等一班儿来见。瑜请入，亦叙谈此事。有要战者，有要降者，互相争论。瑜曰：『不必多言，来日都到府下公议。』众乃辞去。周瑜冷笑不止。

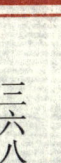

至晚，人报鲁子敬引孔明来拜。瑜出中门迎入。叙礼毕，分宾主而坐。肃先问瑜曰：『今曹操驱众南侵，和与战二策，主公不能决，一听于将军。将军之意若何？』瑜曰：『曹操以天子为名，其师不可拒。且其势大，未可轻敌。战则必败，降则易安。吾意已决。来日见主公，便当遣使纳降。』鲁肃愕然曰：『君言差矣！江东基业，已历三世，岂可一旦弃于他人？伯符遗言，外事付托将军。今正欲仗将军保全国家，为泰山之靠，奈何从懦夫之议耶？』瑜曰：『江东六郡，生灵无限，若罹(lí)兵革之祸，必有归怨于我，故决计请降耳。』肃曰：『不然。以将军之英雄，东吴之险固，操未必便能得志也。』二人互相争辩，孔明只袖手冷笑。瑜曰：『先生何故哂笑？』孔明曰：『亮不笑别人，笑子敬不识时务耳。』肃曰：『先生如何反笑我不识时务？』孔明曰：『公瑾主意欲降操，甚为合理。』瑜曰：『孔明乃识时务之士，必与吾有同心。』肃曰：『孔明，你也如何说此？』孔明曰：『操极善用兵，天下莫敢当。向只有吕布、袁绍、袁术、刘表敢与对敌。今数人皆被操灭，天下无人矣。独有刘豫州不识时务，强与争衡；今孤身江夏，存亡未保。将军决计降曹，可以保妻子，可以全富贵。国祚迁移，付之天命，何足惜哉！』鲁肃大怒曰：『汝教吾主屈膝受辱于国贼乎！』

孔明曰：『愚有一计：并不劳牵羊担酒，纳土献印；亦不须亲自渡江；只须遣一介之使，扁舟送两个人到江上。操一得此两人，百万之众，皆卸甲卷旗而退矣。』瑜曰：『用何二人，可退操兵？』孔明曰：『江东去此两人，如大木飘一叶，太仓减一粟耳；而操得之，必大喜而去。』瑜又问：『果用何二人？』孔明曰：『亮居隆中时，即闻操于漳河新造一台，名曰铜雀，极其壮丽；广选天下美女以实其中。操本好色之徒，久闻江东乔公有二女，长曰大乔，次曰小乔，有沉鱼落雁之容，闭月羞花之貌。操曾发誓曰：「吾一愿扫平四海，以成帝业；一愿得江东二乔，置之铜雀台，以乐晚年，虽死无恨矣。」今虽引百万之众，虎视江南，其实为此二女也。将军何不去寻乔公，以千金买此二女，差人送与曹操，操得二女，称心满意，必班师矣。此范蠡献西施之计，何不速为之？』瑜曰：『操欲得二乔，有何证验？』孔明曰：『曹操幼子曹植，字子建，下笔成文。操尝命作一赋，名曰《铜雀台赋》。赋中之意，单道他家合为天子，誓取二乔。』瑜曰：『此赋公能记否？』孔明曰：『吾爱其文华美，尝窃记之。』瑜曰：『试请一诵。』孔明即时诵《铜雀台赋》云：

『从明后以嬉游兮，登层台以娱情。见太府之广开兮，观圣德之所营。建高门之嵯峨兮，浮双阙乎太清。立中天之华观兮，连飞阁乎西城。临漳水之长流兮，望园果之滋荣。立双台于左右兮，有玉龙与金凤。揽「二乔」于东南兮，乐朝夕之与共。俯皇都之宏丽兮，瞰云霞之浮动。欣群才之来萃兮，协飞熊之吉梦。仰春风之和

穆兮，听百鸟之悲鸣。天云垣其既立兮，家愿得乎获逞。扬仁化于宇宙兮，尽肃恭于上京。惟桓文之为盛兮，岂足方乎圣明？

休矣！美矣！惠泽远扬。翼佐我皇家兮，宁彼四方。同天地之规量兮，齐日月之辉光。永贵尊而无极兮，等年寿于东皇。御龙以遨游兮，回鸾驾而周章。恩化及乎四海兮，嘉物阜而民康。愿斯台之永固兮，乐终古而未央！』

周瑜听罢，勃然大怒，离座指北而骂曰：『老贼欺吾太甚！』孔明急起止曰：『昔单于屡侵疆界，汉天子许以公主和亲，今何惜民间二女乎？』瑜曰：『公有所不知：大乔是孙伯符将军主妇，小乔乃瑜之妻也。』孔明佯作惶恐之状，曰：『亮实不知。失口乱言，死罪！死罪！』瑜曰：『吾与老贼誓不两立！』孔明曰：『事须三思，免致后悔。』瑜曰：『吾承伯符寄托，安有屈身降操之理？适来所言，故相试耳。吾自离鄱阳湖，便有北伐之心，虽刀斧加头，不易其志也！望孔明助一臂之力，同破曹贼。』孔明曰：『若蒙不弃，愿效犬马之劳，早晚拱听驱策。』瑜曰：『来日入见主公，便议起兵。』孔明与鲁肃辞出，相别而去。

次日清晨，孙权升堂。左边文官张昭、顾雍等三十余人；右边武官程普、黄盖等三十余人：衣冠济济，剑佩锵锵，分班侍立。少顷，周瑜入见。礼毕，孙权问慰罢，瑜曰：『近闻曹操引兵屯汉上，驰书至此，主公尊意若何？』权即取檄文与周瑜看。瑜看毕，笑曰：『老贼以我江东无人，敢如此相侮耶！』权曰：『君之意若何？』瑜曰：『主公曾与众文武商议否？』权曰：『连日议此事：有劝我降者，有劝我战者。吾意未定，故请公瑾一决。』瑜曰：『谁劝主公降？』权曰：『张子布等皆主其意。』瑜即问张昭曰：『愿闻先生所以主降之意。』昭曰：『曹操挟天子而征四方，动以朝廷为名；近又得荆州，威势愈大。吾江东可以拒操者，长江耳。今操艨艟战舰，何止千百？水陆并进，何可当之？不如且降，更图后计。』瑜曰：『此迂儒之论也！江东自开国以来，今历三世，安忍一旦废弃！』权曰：『若此，计将安出？』瑜曰：『操虽托名汉相，实为汉贼。将军以神武雄才，仗父兄余业，据有江东，兵精粮足，正当横行天下，为国家除残去暴，奈何降贼耶？且操今此来，多犯兵家之忌：北土未平，马腾、韩遂为其后患，而操久于南征，一忌也；北军不熟水战，操舍鞍马，仗舟楫，与东吴争衡，二忌也；又时值隆冬盛寒，马无藁(gǎo)草，三忌也；驱中国士卒，远涉江湖，不服水土，多生疾病，四忌也。操兵犯此数忌，虽多必败。将军擒操，正在今日。瑜请得精兵数万人，进屯夏口，为将军破之！』权矍(jué)然起曰：『老贼欲废汉自立久矣，所惧二袁、吕布、刘表与孤耳。今数雄已死，惟孤尚存。孤与老贼，誓不两立！卿言当伐，甚合孤意。此天以卿授我也。』瑜曰：『臣为将军决一血战，万死不辞。只恐将军狐疑不定。』权拔佩剑砍面前奏案一角曰：『诸官将有再言降操者，与此案同！』言罢，便将此剑赐周瑜，即封瑜为大都督，程普为副都督，鲁肃为赞军校尉。如文武官将有不听号令者，即以此剑诛之。瑜受了剑，对众言曰：『吾奉主公之命，率众破曹。诸将官吏来日俱于江畔行营听令。如迟误者，依七禁令五十四斩施行。』言罢，辞了孙权，起身出府。众文武各无言而散。

周瑜回到下处，便请孔明议事。孔明至。瑜曰：『今日府下公议已定，愿求破曹良策。』孔明曰：『孙

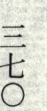

将军心尚未稳，不可以决策也。」瑜曰：「何谓心不稳？」孔明曰：「心怯曹兵之多，怀寡不敌众之意。将军能以军数开解，使其了然无疑，然后大事可成。」瑜曰：「先生之论甚善。」乃复入见孙权。权曰：「公瑾夜至，必有事故。」瑜曰：「来日调拨军马，主公心有疑否？」权曰：「但忧曹操兵多，寡不敌众耳。他无所疑。」瑜笑曰：「瑜特为此来开解主公。主公因见操檄文，言水陆大军百万，故怀疑惧，不复料其虚实。今以实较之：彼将中国之兵，不过十五六万，且已久疲；所得袁氏之众，亦止七八万耳，尚多怀疑未服。夫以久疲之卒，御狐疑之众，其数虽多，不足畏也。瑜得五万兵，自足破之。愿主公勿以为虑。」权抚瑜背曰：「公瑾此言，足释吾疑。子布无谋，深失孤望；独卿及子敬，与孤同心耳。卿可与子敬、程普即日选军前进。孤当续发人马，多载资粮，为卿后应。卿前军倘不如意，便还就孤。孤当亲与操贼决战，更无他疑。」周瑜谢出，暗忖曰：「孔明早已料着吴侯之心。其计画又高我一头。久必为江东之患，不如杀之。」乃令人连夜请鲁肃入帐，言欲杀孔明之事。肃曰：「不可。今操贼未破，先杀贤士，是自去其助也。」瑜曰：「此人助刘备，必为江东之患。」肃曰：「诸葛瑾乃其亲兄，可令招此人同事东吴，岂不妙哉？」瑜善其言。

次日平明，瑜赴行营，升中军帐高坐。左右立刀斧手，聚集文官武将听令。原来程普年长于瑜，今瑜爵居其上，心中不乐；是日乃托病不出，令长子程咨自代。瑜令众将曰：「王法无亲，诸君各守乃职。方今曹操弄权，甚于董卓：囚天子于许昌，屯暴兵于境上。吾今奉命讨之，诸君幸皆努力向前。大军到处，不得扰民。赏劳罚罪，并不徇纵。」令毕，即差韩当、黄盖为前部先锋，领本部战船，即日起行，前至三







江口下寨，别听将令；蒋钦、周泰为第二队；凌统、潘璋为第三队；太史慈、吕蒙为第四队；陆逊、董袭为第五队；吕范、朱治为四方巡警使，催督六郡官军，水陆并进，克期取齐。调拨已毕，诸将各自收拾船只军器起行。程咨回见父程普，说周瑜调兵，动止有法。普大惊曰：「吾素欺周郎懦弱，不足为将；今能如此，真将才也！我如何不服！」遂亲诣行营谢罪。瑜亦逊谢。

次日，瑜请诸葛瑾，谓曰：「令弟孔明有王佐之才，如何屈身事刘备？今幸至江东，欲烦先生不惜齿牙馀论，使令弟弃刘备而事东吴，则主公既得良辅，而先生兄弟又得相见，岂不美哉？先生幸即一行。」瑾曰：「瑾自至江东，愧无寸功。今都督有命，敢不效力。」即时上马，径投驿亭来见孔明。孔明接入，哭拜，各诉阔情。瑾泣曰：「弟知伯夷、叔齐乎？」孔明暗思：「此必周郎教来说我也。」遂答曰：「夷、齐古之圣贤也。」瑾曰：「夷、齐虽至饿死首阳山下，兄弟二人亦在一处。我今与你同胞共乳，乃各事其主，不能旦暮相聚，视夷、齐之为人，能无愧乎？」孔明曰：「兄所言者，情也；弟所守者，义也。弟与兄皆汉人。今刘皇叔乃汉室之胄，兄若能去东吴，而与弟同事刘皇叔，则上不愧为汉臣，而骨肉又得相聚，此情义两全之策也。不识兄意以为何如？」瑾思曰：「我来说他，反被他说了我也。」遂无言回答，起身辞去。回见周瑜，细述孔明之言。瑜曰：「公意若何？」瑾曰：「吾受孙将军厚恩，安肯相背！」瑜曰：「公既忠心事主，不必多言。吾自有伏孔明之计。」正是：智与智逢宜必合，才和才角又难容。毕竟周瑜定何计伏孔明，且看下回分解。

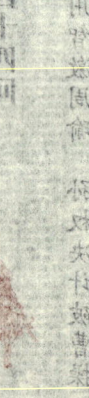

# 第四十五回　三江口曹操折兵　群英会蒋干中计

却说周瑜闻诸葛瑾之言，转恨孔明，存心欲谋杀之。次日，点齐军将，入辞孙权。权曰：『卿先行，孤即起兵继后。』瑜辞出，与程普、鲁肃领兵起行，便邀孔明同往。孔明欣然从之。一同登舟，驾起帆樯，迤逦望夏口而进。离三江口五六十里，船依次第歇定。周瑜在中央下寨，岸上依西山结营，周围屯住。孔明只在一叶小舟内安身。

周瑜分拨已定，使人请孔明议事。孔明至中军帐，叙礼毕，瑜曰：『昔曹操兵少，袁绍兵多，而操反胜绍者，因用许攸之谋，先断乌巢之粮也。今操兵八十三万，我兵只五六万，安能拒之？亦必须先断操之粮，然后可破。我已探知操军粮草，俱屯于聚铁山。先生久居汉上，熟知地理。敢烦先生与关、张、子龙辈——吾亦助兵千人——星夜往聚铁山断操粮道。彼此各为主人之事，幸勿推调。』孔明暗思：『此因说我不动，设计害我。我若推调，必为所笑。不如应之，别有计议。』乃欣然领诺。瑜大喜。孔明辞出。鲁肃密谓瑜曰：『公使孔明劫粮，是何意见？』瑜曰：『吾欲杀孔明，恐惹人笑，故借曹操之手杀之，以绝后患耳。』肃闻言，乃往见孔明，看他知也不知。只见孔明略无难色，整点军马要行。肃不忍，以言挑之曰：『先生此去可成功否？』孔明笑曰：『吾水战、步战、马战、车战，各尽其妙，何愁功绩不成，非比江东公与周郎辈止一能也。』肃曰：『吾与公瑾何谓一能？』孔明曰：『吾闻江南小儿谣言云：「伏路把关饶子敬，临江水战有周郎。」公等于陆地但能伏路把关；周公瑾但堪水战，不能陆战耳。』

肃乃以此言告知周瑜。瑜怒曰：『何欺我不能陆战耶！不用他去！我自引一万马军，往聚铁山断操粮道。』肃又将此言告孔明。孔明笑曰：『公瑾令吾断粮者，实欲使曹操杀吾耳。吾故以片言戏之，公瑾便容纳不下。目今用人之际，只愿吴侯与刘使君同心，则功可成；如各相谋害，大事休矣。操贼多谋，他平生惯断人粮道，今如何不以重兵提备？公瑾若去，必为所擒。今只当先决水战，挫动北军锐气，别寻妙计破之。望子敬善言以告公瑾为幸。』鲁肃遂连夜回见周瑜，备述孔明之言。瑜摇首顿足曰：『此人见识胜吾十倍，今不除之，后必为我国之祸！』肃曰：『今用人之际，望以国家为重。且待破曹之后，图之未晚。』瑜然其说。

却说玄德分付刘琦守江夏，自领众将引兵往夏口。遥望江南岸旗幡隐隐，戈戟重重，料是东吴已动兵矣，乃尽移江夏之兵，至樊口屯扎。玄德聚众曰：『孔明一去东吴，杳无音信，不知事体如何。谁人可去探听虚实回报？』糜竺曰：『竺愿往。』玄德乃备羊酒礼物，令糜竺至东吴，以犒军为名，探听虚实。竺领命，驾小舟顺流而下，径至周瑜大寨前。军士入报周瑜，瑜召入。竺再拜，致玄德相敬之意，献上酒礼。瑜受讫，设宴款待糜竺。竺曰：『孔明在此已久，今愿与同回。』瑜曰：『孔明方与我同谋破曹，岂可便去？吾亦欲见刘豫州，共议良策；奈身统大军，不可暂离。若豫州肯枉驾来临，深慰所望。』竺应诺，拜辞而回。肃问瑜曰：『公欲见玄德，有何计议？』瑜曰：『玄德世之枭雄，不可不除。吾今乘机诱至杀之，

实为国家除一后患。』鲁肃再三劝谏，瑜只不听，遂传密令：『如玄德至，先埋伏刀斧手五十人于壁衣中，看吾掷杯为号，便出下手。』

却说糜竺回见玄德，具言周瑜欲请主公到彼面会，别有商议。玄德便教收拾快船一只，只今便行。云长谏曰：『周瑜多谋之士，又无孔明书信，恐其中有诈，不可轻去。』玄德曰：『我今结东吴以共破曹操，周郎欲见我，我若不往，非同盟之意。两相猜忌，事不谐矣。』云长曰：『兄长若坚意要去，弟愿同往。』张飞曰：『我也跟去。』玄德曰：『只云长随我去。翼德与子龙守寨。简雍固守鄂县。我去便回。』分付毕，即与云长乘小舟，并从者二十余人，飞棹赴江东。玄德观看江东艨艟战舰、旌旗甲兵，左右分布整齐，心

中甚喜。军士飞报周瑜：『刘豫州来了。』瑜问：『带多少船只来？』军士答曰：『只有一船，二十余从人。』瑜笑曰：『此人命合休矣！』乃命刀斧手先埋伏定，然后出寨迎接。玄德引云长等二十余人，直到中军帐，叙礼毕，瑜请玄德上坐。玄德曰：『将军名传天下，备不才，何烦将军重礼？』乃分宾主而坐。周瑜设宴相待。

且说孔明偶来江边，闻说玄德来此与都督相会，吃了一惊，急入中军帐窃看动静。只见周瑜面有杀气，两边壁衣中密排刀斧手。孔明大惊曰：『似此如之奈何？』回视玄德，谈笑自若，却见玄德背后一人，按剑而立，乃云长也。孔明喜曰：『吾主无危矣。』遂不复入，仍回身至江边等候。

周瑜与玄德饮宴，酒行数巡，瑜起身把盏，猛见云长按剑立于玄德背后，忙问何人。玄德曰：『吾弟关云长也。』瑜惊曰：『非向日斩颜良、文丑者乎？』玄德曰：『然也。』瑜大惊，汗流满背，便斟酒与云长把盏。少顷，鲁肃入。玄德曰：『孔明何在？烦子敬请来一会。』瑜曰：『且待破了曹操，与孔明相会未迟。』玄德不敢再言。云长以目视玄德。玄德会意，即起身辞瑜曰：『备暂告别。即日破敌收功之后，专当叩贺。』瑜亦不留，送出辕门。玄德别了周瑜，与云长等来至江边，只见孔明已在舟中。玄德大喜。孔明曰：『主公知今日之危乎？』玄德愕然曰：『不知也。』孔明曰：『若无云长，主公几为周郎所害矣。』玄德方才省悟，便请孔明同回樊口。孔明曰：『亮虽居虎口，安如泰山。今主公但收拾船只军马候用。以十一月二十甲子日后为期，可令子龙驾小舟来南岸边等候。切勿有误。』玄德问其意。孔明曰：『但看东南风起，亮必还矣。』玄德再欲问时，孔明催促玄德作速开船。言讫自回。玄德与云长及从人开船，行不数里，忽见上流头放下五六十只船来。船头上一员大将，横矛而立，乃张飞也。因恐玄德有失，云长独力难支，特来接应。于是三人一同回寨，不在话下。

却说周瑜送了玄德，回至寨中，鲁肃入问曰：『公既诱玄德至此，为何又不下手？』瑜曰：『关云长，

世之虎将也，与玄德行坐相随，吾若下手，他必来害我。』肃愕然。忽报曹操遣使送书至。瑜唤入。使者呈上书看时，封面上判云：『汉大丞相付周都督开拆』。瑜大怒，更不开看，将书扯碎，掷于地下，喝斩来使。肃曰：『两国相争，不斩来使。』瑜曰：『斩使以示威！』遂斩使者，将首级付从人持回。随令甘宁为先锋，韩当为左翼，蒋钦为右翼。瑜自部领诸将接应。来日四更造饭，五更开船，鸣鼓呐喊而进。

却说曹操知周瑜毁书斩使，大怒，便唤蔡瑁、张允等一班荆州降将为前部，操自为后军，催督战船，到三江口。早见东吴船只，蔽江而来。为首一员大将，坐在船头上大呼曰：『吾乃甘宁也！谁敢来与我决战？』蔡瑁令弟蔡壎(xūn)前进。两船将近，甘宁拈弓搭箭，望蔡壎射来，应弦而倒。宁驱船大进，万弩齐发。曹军不能抵当。右边蒋钦，左边韩当，直冲入曹军队中。曹军大半是青、徐之兵，素不习水战，大江面上，战船一摆，早立脚不住。甘宁等三路战船，纵横水面。周瑜又催船助战。曹军中箭着炮者，不计其数。从巳时直杀到未时。周瑜虽得利，只恐寡不敌众，遂下令鸣金，收住船只。曹军败回。操登旱寨，再整军士，唤蔡瑁、张允责之曰：『东吴兵少，反为所败，是汝等不用心耳！』蔡瑁曰：

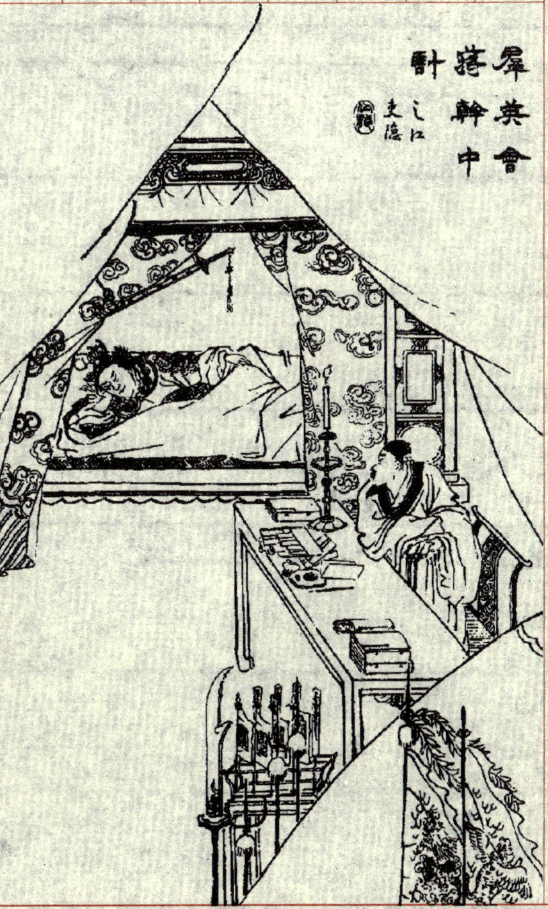


『荆州水军，久不操练；青、徐之军，又素不习水战，故尔致败。今当先立水寨，令青、徐军在中，荆州军在外，每日教习精熟，方可用之。』操曰：『汝既为水军都督，可以便宜从事，何必禀我！』于是张、蔡二人，自去训练水军。沿江一带分二十四座水门，以大船居于外为城郭，小船居于内，可通往来。至晚点上灯火，照得天心水面通红。旱寨三百余里，烟火不绝。

却说周瑜得胜回寨，犒赏三军，一面差人到吴侯处报捷。当夜瑜登高观望，只见西边火光接天。左右告曰：『此皆北军灯火之光也。』瑜亦心惊。次日，瑜欲亲往探看曹军水寨，乃命收拾楼船一只，带着鼓乐，随行健将数员，各带强弓硬弩，一齐上船迤逦前进。至操寨边，瑜命下了矴(dìng)石，楼船上鼓乐齐奏。瑜暗窥他水寨，大惊曰：『此深得水军之妙也！』问：『水军都督是谁？』左右曰：『蔡瑁、张允。』瑜思曰：『二人久居江东，谙习水战，吾必设计先除此二人，然后可以破曹。』正窥看间，早有曹军飞报曹操，说：『周瑜偷看吾寨。』操命纵船擒捉。瑜见水寨中旗号动，急教收起矴石，两边四下一齐轮转橹棹，望江面上如飞而去。比及曹寨中船出时，周瑜的楼船已离了十数里远，追之不及，回报曹操。

操问众将曰：『昨日输了一阵，挫动锐气；今又被他深窥吾寨。吾当作何计破之？』言未毕，忽帐下一人出曰：『某自幼与周郎同窗交契，愿凭三寸不烂之舌，往江东说此人来降。』曹操大喜，视之，乃九江人，姓蒋，名干，字子翼，现为帐下幕宾。操问曰：『子翼与周公瑾相厚乎？』干曰：『丞相放心。干到江左，必要成功。』操问：『要将何物去？』干曰：『只消一童随往，二仆驾舟，其余不用。』操甚喜，

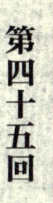

置酒与蒋干送行。干葛巾布袍，驾一只小舟，径到周瑜寨中，命传报：「故人蒋干相访。」周瑜正在帐中议事，闻干至，笑谓诸将曰：「说客至矣！」遂与众将附耳低言，如此如此。众皆应命而去。

瑜整衣冠，引从者数百，皆锦衣花帽，前后簇拥而出。蒋干引一青衣小童，昂然而来。瑜拜迎之。干曰：「公瑾别来无恙！」瑜曰：「子翼良苦：远涉江湖，为曹氏作说客耶？」干愕然曰：「吾久别足下，特来叙旧，奈何疑我作说客也？」瑜笑曰：「吾虽不及师旷之聪，闻弦歌而知雅意。」干曰：「足下待故人如此，便请告退。」瑜笑而挽其臂曰：「吾但恐兄为曹氏作说客耳。既无此心，何速去也？」遂同入帐。叙礼毕，坐定，即传令悉召江左英杰与子翼相见。

须臾，文官武将，各穿锦衣；帐下偏裨将校，都披银铠：分两行而入。瑜都教相见毕，就列于两傍而坐。大张筵席，奏军中得胜之乐，轮换行酒。瑜告众官曰：「此吾同窗契友也。虽从江北到此，却不是曹家说客。——公等勿疑。」遂解佩剑付太史慈曰：「公可佩我剑作监酒：今日宴饮，但叙朋友交情；如有提起曹操与东吴军旅之事者，即斩之！」太史慈应诺，按剑坐于席上。蒋干惊愕，不敢多言。周瑜曰：「吾自领军以来，滴酒不饮；今日见了故人，又无疑忌，当饮一醉。」说罢，大笑畅饮。座上觥筹交错。饮至半酣，瑜携干手，同步出帐外。左右军士，皆全装惯带，持戈执戟而立。瑜曰：「吾之军士，颇雄壮否？」干曰：「真熊虎之士也。」瑜又引干到帐后一望，粮草堆如山积。瑜曰：「吾之粮草，颇足备否？」干曰：「兵精粮足，名不虚传。」瑜佯醉大笑曰：「想周瑜与子翼同学业时，不曾望有今日。」干曰：「以吾兄高才，实不为过。」瑜执干手曰：「大丈夫处世，遇知己之主，外托君臣之义，内结骨肉之恩，言必行，计必从，祸福共之。假使苏秦、张仪、陆贾、郦生复出，口似悬河，舌如利刃，安能动我心哉！」言罢大笑。蒋干面如土色。瑜复携干入帐，会诸将再饮；因指诸将曰：「此皆江东之英杰。今日此会，可名『群英会』。」饮至天晚，点上灯烛，瑜自起舞剑作歌。歌曰：

丈夫处世兮立功名；立功名兮慰平生。慰平生兮吾将醉；吾将醉兮发狂吟！

歌罢，满座欢笑。至夜深，干辞曰：「不胜酒力矣。」瑜命撤席，诸将辞出。瑜曰：「久不与子翼同榻，今宵抵足而眠。」于是佯作大醉之状，携干入帐共寝。瑜和衣卧倒，呕吐狼藉。蒋干如何睡得着？伏枕听时，军中鼓打二更，起视残灯尚明。看周瑜时，鼻息如雷。干见帐内桌上，堆着一卷文书，乃起床偷视之，却都是往来书信。内有一封，上写「蔡瑁张允谨封」。干大惊，暗读之。书略曰：

某等降曹，非图仕禄，迫于势耳。今已赚北军困于寨中，但得其便，即将操贼之首，献于麾下。早晚人到，便有关报。幸勿见疑。先此敬覆。

干思曰：「原来蔡瑁、张允结连东吴！」遂将书暗藏于衣内。再欲检看他书时，床上周瑜翻身，干急灭灯就寝。瑜口内含糊曰：「子翼，我数日之内，教你看操贼之首！」干勉强应之。瑜又曰：「子翼，且住！……教你看操贼之首！……」及干问之，瑜又睡着。干伏于床上，将近四更，只听得有人入帐唤曰：「都督醒否？」周瑜梦中做忽觉之状，故问那人曰：「床上睡着何人？」答曰：「都督请子翼同寝，何故忘却？」

瑜懊悔曰：『吾平日未尝饮醉；昨日醉后失事，不知可曾说甚言语？』那人曰：『江北有人到此。』瑜喝：『低声！』便唤：『子翼。』蒋干只妆睡着。瑜潜出帐。干窃听之，只闻有人在外曰：『张、蔡二都督道，「急切不得下手……」』后面言语颇低，听不真实。少顷，瑜入帐，又唤：『子翼。』蒋干只是不应，蒙头假睡。瑜亦解衣就寝。干寻思：『周瑜是个精细人，天明寻书不见，必然害我。』睡至五更，干起唤周瑜；瑜却睡着。干戴上巾帻，潜步出帐，唤了小童，径出辕门。军士问：『先生那里去？』干曰：『吾在此恐误都督事，权且告别。』军士亦不阻当。

干下船，飞棹回见曹操。操问：『子翼干事若何？』干曰：『周瑜雅量高致，非言词所能动也。』操怒曰：『事又不济，反为所笑！』干曰：『虽不能说周瑜，却与丞相打听得一件事。乞退左右。』干取出书信，将上项事逐一说与曹操。操大怒曰：『二贼如此无礼耶！』即便唤蔡瑁、张允到帐下。操曰：『我欲使汝二人进兵。』瑁曰：『军尚未曾练熟，不可轻进。』操怒曰：『军若练熟，吾首级献于周郎矣！』蔡、张二人不知其意，惊慌不能回答。操喝武士推出斩之。须臾，献头帐下，操方省悟曰：『吾中计矣！』后人有诗叹曰：

曹操奸雄不可当，一时诡计中周郎。蔡张卖主求生计，谁料今朝剑下亡。

众将见杀了张、蔡二人，入问其故。操虽心知中计，却不肯认错，乃谓众将曰：『二人怠慢军法，吾故斩之。』众皆嗟呀不已。操于众将内选毛玠、于禁为水军都督，以代蔡、张二人之职。



细作探知，报过江东。周瑜大喜曰：『吾所患者，此二人耳。今既剿除，吾无忧矣。』肃曰：『都督用兵如此，何愁曹贼不破乎！』瑜曰：『吾料诸将不知此计，独有诸葛亮识见胜我，想此谋亦不能瞒也。子敬试以言挑之，看他知也不知，便当回报。』正是：还将反间成功事，去试从旁冷眼人。未知肃去问孔明还是如何，且看下文分解。

却说鲁肃领了周瑜言语，径来舟中相探孔明。孔明接入小舟对坐。肃曰：『连日措办军务，有失听教。』孔明曰：『便是亮亦未与都督贺喜。』肃曰：『何喜？』孔明曰：『公瑾使先生来探亮知也不知，便是这件事可贺喜耳。』諕得鲁肃失色问曰：『先生何由知之？』孔明曰：『这条计只好弄蒋干。曹操虽被一时瞒过，必然便省悟，只是不肯认错耳。今蔡、张两人既死，江东无患矣，如何不贺喜！吾闻曹操换毛玠、于禁为水军都督，则这两个手里，好歹送了水军性命。』鲁肃听了，开口不得，把些言语支吾了半晌，别孔明而回。孔明嘱曰：『望子敬在公瑾面前勿言亮先知此事。恐公瑾心怀妒忌，又要寻事害亮。』鲁肃应诺而去，回见周瑜，把上项事只得实说了。瑜大惊曰：『此人决不可留！吾决意斩之！』肃劝曰：『若杀孔明，却被曹操笑也。』瑜曰：『吾自有公道斩之，教他死而无怨。』肃曰：『何以公道斩之？』瑜曰：『子敬休问，来日便见。』

次日，聚众将于帐下，教请孔明议事。孔明欣然而至。坐定，瑜问孔明曰：『即日将与曹军交战，水路交兵，当以何兵器为先？』孔明曰：『大江之上，以弓箭为先。』瑜曰：『先生之言，甚合愚意。但今军中正缺箭用，敢烦先生监造十万枝箭，以为应敌之具。此系公事，先生幸勿推却。』孔明曰：『都督见委，自当效劳。敢问十万枝箭，何时要用？』瑜曰：『十日之内，可完办否？』孔明曰：『操军即日将至，若候十





日，必误大事。』瑜曰：『先生料几日可完办？』孔明曰：『只消三日，便可拜纳十万枝箭。』瑜曰：『军中无戏言。』孔明曰：『怎敢戏都督！愿纳军令状：三日不办，甘当重罚。』瑜大喜，唤军政司当面取了文书，置酒相待曰：『待军事毕后，自有酬劳。』孔明曰：『今日已不及，来日造起。至第三日，可差五百小军到江边搬箭。』饮了数杯，辞去。鲁肃曰：『此人莫非诈乎？』瑜曰：『他自送死，非我逼他。今明白对众要了文书，他便两胁生翅，也飞不去。我只分付军匠人等，教他故意迟延，凡应用物件，都不与齐备。如此，必然误了日期。那时定罪，有何理说？今公可去探他虚实，却来回报。』

肃领命来见孔明。孔明曰：『吾曾告子敬，休对公瑾说，他必要害我。不想子敬不肯为我隐讳，今日果然又弄出事来。三日内如何造得十万箭？子敬只得救我！』肃曰：『公自取其祸，我如何救得你？』孔明曰：『望子敬借我二十只船，每船要军士三十人，船上皆用青布为幔，各束草千余个，分布两边。吾别有妙用。第三日包管有十万枝箭。只不可又教公瑾得知。——若彼知之，吾计败矣。』肃允诺，却不解其意。回报周瑜，果然不提起借船之事，只言：『孔明并不用箭竹、翎毛、胶漆等物，自有道理。』瑜大疑曰：『且

看他三日后如何回覆我！」

却说鲁肃私自拨轻快船二十只，各船三十余人，并布幔束草等物，尽皆齐备，候孔明调用。第一日却不见孔明动静；第二日亦只不动。至第三日四更时分，孔明密请鲁肃到船中。肃问曰：「公召我来何意？」孔明曰：「特请子敬同往取箭。」肃曰：「何处去取？」孔明曰：「子敬休问，前去便见。」遂命将二十只船，用长索相连，径望北岸进发。是夜大雾漫天，长江之中，雾气更甚，对面不相见。孔明促舟前进，果然是好大雾！前人有篇《大雾垂江赋》曰：

大哉长江！西接岷、峨，南控三吴，北带九河。汇百川而入海，历万古以扬波。至若龙伯、海若，江妃、水母，长鲸千丈，天蜈九首，鬼怪异类，咸集而有。盖夫鬼神之所凭依，英雄之所战守也。

时也阴阳既乱，昧爽不分。讶长空之一色，忽大雾之四屯，虽舆薪而莫睹，惟金鼓之可闻。初若溟濛，才隐南山之豹；渐而充塞，欲迷北海之鲲。然后上接高天，下垂厚地；渺乎苍茫，浩乎无际。鲸鲵出水而腾波，蛟龙潜渊而吐气。又如梅霖收溽，春阴酿寒；溟溟漠漠，浩浩漫漫。



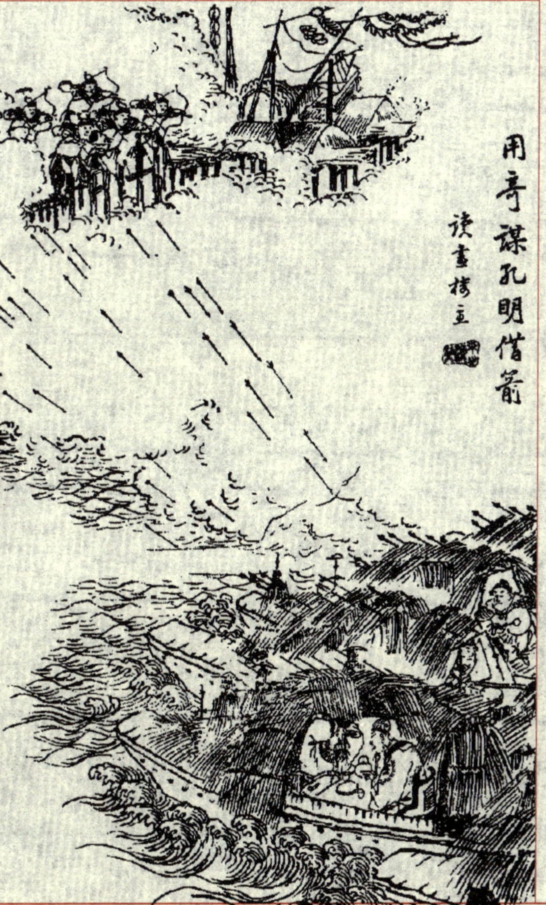


东失柴桑之岸，南无夏口之山。战船千艘，俱沉沦于岩壑；渔舟一叶，惊出没于波澜。甚则穹昊无光，朝阳失色；返白昼为昏黄，变丹山为水碧。虽大禹之智，不能测其浅深；离娄之明，焉能辨乎咫尺？

于是冯夷息浪，屏翳收功；鱼鳖遁迹，鸟兽潜踪。隔断蓬莱之岛，暗围阊阖之宫。恍惚奔腾，如骤雨之将至；纷纭杂沓，若寒云之欲同。乃能中隐毒蛇，因之而为瘴疠；内藏妖魅，凭之而为祸害。降疾厄于人间，起风尘于塞外。小民遇之夭伤，大人观之感慨。盖将返元气于洪荒，混天地为大块。

当夜五更时候，船已近曹操水寨。孔明教把船只头西尾东，一带摆开，就船上擂鼓呐喊。鲁肃惊曰：「倘曹兵齐出，如之奈何？」孔明笑曰：「吾料曹操于重雾中必不敢出。吾等只顾酌酒取乐，待雾散便回。」

却说曹寨中，听得擂鼓呐喊，毛玠、于禁二人慌忙飞报曹操。操传令曰：「重雾迷江，彼军忽至，必有埋伏，切不可轻动。可拨水军弓弩手乱箭射之。」又差人往旱寨内唤张辽、徐晃各带弓弩军三千，火速到江边助射。比及号令到来，毛玠、于禁怕南军抢入水寨，已差弓弩手在寨前放箭；少顷，旱寨内弓弩手亦到，约一万余人，尽皆向江中放箭：箭如雨发。孔明教把船吊回，头东尾西，逼近水寨受箭，一面擂鼓呐喊。待至日高雾散，孔明令收船急回。二十只船两边束草上，排满箭枝。孔明令各船上军士齐声叫曰：「谢丞相箭！」比及曹军寨内报知曹操时，这里船轻水急，已放回二十余里，追之不及。曹操懊悔不已。

却说孔明回船谓鲁肃曰：「每船上箭约五六千矣。不费江东半分之力，已得十万余箭。明日即将来射曹军，却不甚便！」肃曰：「先生真神人也！何以知今日如此大雾？」孔明曰：「为将而不通天文，不识

地利，不知奇门，不晓阴阳，不看阵图，不明兵势，是庸才也。亮于三日前已算定今日有大雾，因此敢任三日之限。公瑾教我十日完办，工匠料物，都不应手，将这一件风流罪过，明白要杀我。——我命系于天，公瑾焉能害我哉！」鲁肃拜服。

船到岸时，周瑜已差五百军在江边等候搬箭。孔明教于船上取之，可得十余万枝，都搬入中军帐交纳。鲁肃入见周瑜，备说孔明取箭之事。瑜大惊，慨然叹曰：「孔明神机妙算，吾不如也！」后人有诗赞曰：

一天浓雾满长江，远近难分水渺茫。骤雨飞蝗来战舰，孔明今日伏周郎。

少顷，孔明入寨见周瑜。瑜下帐迎之，称羡曰：「先生神算，使人敬服。」孔明曰：「诡谲小计，何足为奇。」瑜邀孔明入帐共饮。瑜曰：「昨吾主遣使来催督进军，瑜未有奇计，愿先生教我。」孔明曰：「亮乃碌碌庸才，安有妙计？」瑜曰：「某昨观曹操水寨，极是严整有法，非等闲可攻。思得一计，不知可否。先生幸为我一决之。」孔明曰：「都督且休言。各自写于手内，看同也不同。」瑜大喜，教取笔砚来，先自暗写了，却送与孔明；孔明亦暗写了。两个移近坐榻，各出掌中之字，互相观看，皆大笑。原来周瑜掌中字，乃一「火」字；孔明掌中，亦一「火」字。瑜曰：「既我两人所见相同，更无疑矣。幸勿漏泄。」孔明曰：「两家公事，岂有漏泄之理。吾料曹操虽两番经我这条计，然必不为备。今都督尽行之可也。」饮罢分散，诸将皆不知其事。

却说曹操平白折了十五六万箭，心中气闷。荀攸进计曰：「江东有周瑜、诸葛亮二人用计，急切难破。



可差人去东吴诈降，为奸细内应，以通消息，方可图也。」操曰：「此言正合吾意。汝料军中谁可行此计？」攸曰：「蔡瑁被诛，蔡氏宗族，皆在军中。瑁之族弟蔡中、蔡和现为副将。丞相可以恩结之，差往诈降东吴，必不见疑。」操从之，当夜密唤二人入帐嘱付曰：「汝二人可引些少军士，去东吴诈降。但有动静，使人密报。事成之后，重加封赏。休怀二心！」二人曰：「吾等妻子俱在荆州，安敢怀二心，丞相勿疑。某二人必取周瑜、诸葛亮之首，献于麾下。」操厚赏之。次日，二人带五百军士，驾船数只，顺风望着南岸来。

且说周瑜正理会进兵之事，忽报江北有船来到江口，称是蔡瑁之弟蔡和、蔡中，特来投降。瑜唤入。二人哭拜曰：「吾兄无罪，被操贼所杀。吾二人欲报兄仇，特来投降。望赐收录，愿为前部。」瑜大喜，重赏二人，即命与甘宁引军为前部。二人拜谢，以为中计。瑜密唤甘宁分付曰：「此二人不带家小，非真投降，乃曹操使来为奸细者。吾今欲将计就计，教他通报消息。汝可殷勤相待，就里提防。至出兵之日，先要杀他两个祭旗。汝切须小心，不可有误。」甘宁领命而去。鲁肃入见周瑜曰：「蔡中、蔡和之降，多应是诈，不可收用。」瑜叱曰：「彼因曹操杀其兄，欲报仇而来降，何诈之有！你若如此多疑，安能容天下之士乎！」肃默然而退，乃往告孔明。孔明笑而不言。肃曰：「孔明何故哂笑？」孔明曰：「吾笑子敬不识公瑾用计耳。大江隔远，细作极难往来。操使蔡中、蔡和诈降，刺探我军中事，公瑾将计就计，正要他通报消息。『兵不厌诈』，公瑾之谋是也。」肃方才省悟。

却说周瑜夜坐帐中，忽见黄盖潜入中军来见周瑜。瑜问曰：「公覆夜至，必有良谋见教？」盖曰：「彼

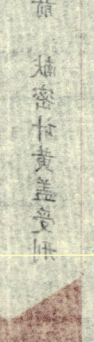

众我寡，不宜久持，何不用火攻之？』瑜曰：『谁教公献此计？』盖曰：『某出自己意，非他人之所教也。』瑜曰：『吾正欲如此，故留蔡中、蔡和诈降之人，以通消息；但恨无一人为我行诈降计耳。』盖曰：『某愿行此计。』瑜曰：『不受些苦，彼如何肯信？』盖曰：『某受孙氏厚恩，虽肝脑涂地，亦无怨悔。』瑜拜而谢之曰：『君若肯行此苦肉计，则江东之万幸也。』盖曰：『某死亦无怨。』遂谢而出。

次日，周瑜鸣鼓大会诸将于帐下。孔明亦在座。周瑜曰：『操引百万之众，连络三百余里，非一日可破。今令诸将各领三个月粮草，准备御敌。』言未讫，黄盖进曰：『莫说三个月，便支三十个月粮草，也不济事！若是这个月破的，便破；若是这个月破不的，只可依张子布之言，弃甲倒戈，北面而降之耳！』周瑜勃然变色，大怒曰：『吾奉主公之命，督兵破曹，敢有再言降者必斩。今两军相敌之际，汝敢出此言，慢我军心，不斩汝首，难以服众！』喝左右将黄盖斩讫报来。黄盖亦怒曰：『吾自随破虏将军，纵横东南，已历三世，那有你来？』瑜大怒，喝令速斩。甘宁进前告曰：『公覆乃东吴旧臣，望宽恕之。』瑜喝曰：『汝何敢多言，乱吾法度！』先叱左右将甘宁乱棒打出。众官皆跪告曰：『黄盖罪固当诛，但于军不利。望都督宽恕，权且记罪。破曹之后，斩亦未迟。』瑜怒未息。众官苦苦告求。瑜曰：『若不看众官面皮，决须斩首！今且免死！』命左右：『拖翻打一百脊杖，以正其罪！』众官又告免。瑜推翻案桌，叱退众官，喝教行杖。将黄盖剥了衣服，拖翻在地，打了五十脊杖。众官又复苦苦求免。瑜跃起指盖曰：『汝敢小觑我耶！且寄下五十棍！再有怠慢，二罪俱罚！』恨声不绝而入帐中。

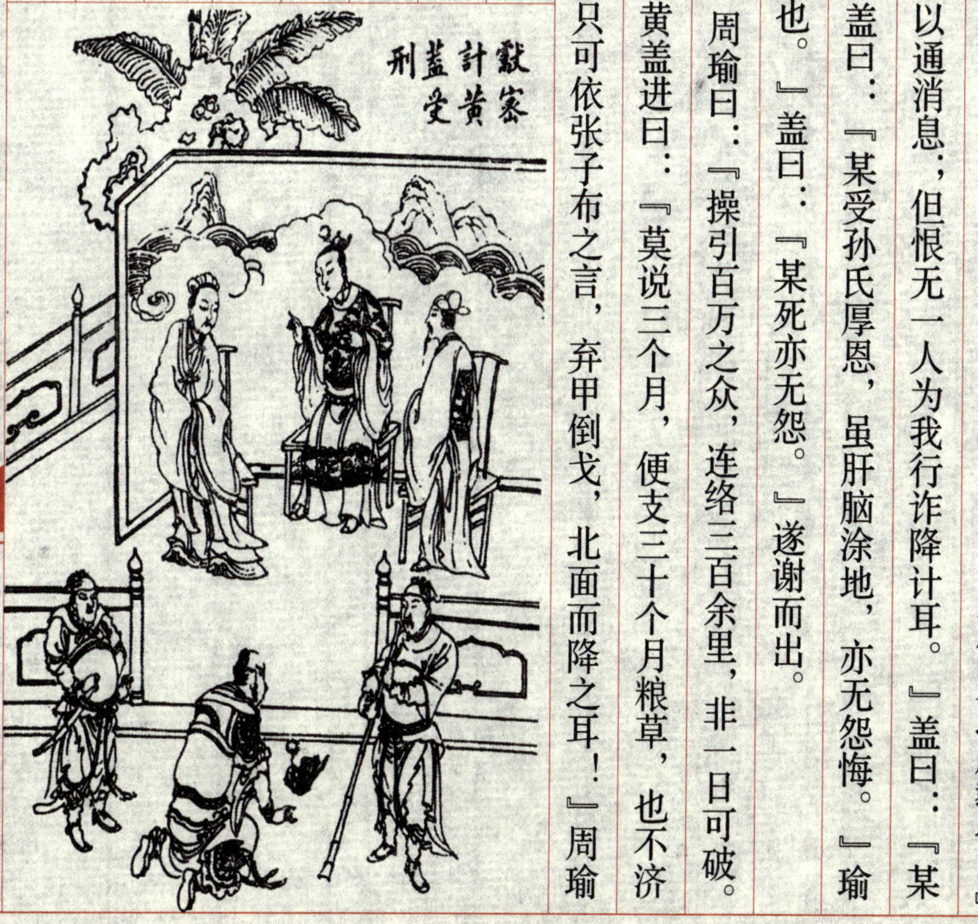


众官扶起黄盖，打得皮开肉绽，鲜血迸流，扶归本寨，昏绝几次。动问之人，无不下泪。鲁肃也往看问了，来至孔明船中，谓孔明曰：『今日公瑾怒责公覆，我等皆是他部下，不敢犯颜苦谏；先生是客，何故袖手旁观，不发一语？』孔明笑曰：『子敬欺我。』肃曰：『肃与先生渡江以来，未尝一事相欺。今何出此言？』孔明曰：『子敬岂不知公瑾今日毒打黄公覆，乃其计耶？如何要我劝他？』肃方悟。孔明曰：『不用苦肉计，何能瞒过曹操？今必令黄公覆去诈降，却教蔡中、蔡和报知其事矣。子敬见公瑾时，切勿言亮先知其事，只说亮也埋怨都督便了。』肃辞去，入帐见周瑜。瑜邀入帐后。肃曰：『今日何故痛责黄公覆？』瑜曰：『诸将怨否？』肃曰：『多有心中不安者。』瑜曰：『孔明之意若何？』肃曰：『他也埋怨都督忒情薄。』瑜笑曰：『今番须瞒过他也。』肃曰：『何谓也？』瑜曰：『今日痛打黄盖，乃计也。吾欲令他诈降，先须用苦肉计瞒过曹操，就中用火攻之，可以取胜。』肃乃暗思孔明之高见，却不敢明言。

且说黄盖卧于帐中，诸将皆来动问。盖不言语，但长吁而已。忽报参谋阚泽来问。盖令请入卧内，叱退左右。阚泽曰：『将军莫非与都督有仇？』盖曰：『非也。』泽曰：『然则公之受责，莫非苦肉计乎？』

盖曰：『何以知之？』泽曰：『某观公瑾举动，已料着八九分。』盖曰：『某受吴侯三世厚恩，无以为报，故献此计，以破曹操。吾虽受苦，亦无所恨。吾遍观军中，无一人可为心腹者。惟公素有忠义之心，敢以心腹相告。』泽曰：『公之告我，无非要我献诈降书耳。』盖曰：『实有此意。未知肯否？』阚泽欣然领诺。

正是：勇将轻身思报主，谋臣为国有同心。未知阚泽所言若何，且看下文分解。

## 第四十七回　阚泽密献诈降书　庞统巧授连环计

却说阚泽字德润，会稽山阴人也；家贫好学，与人佣工，尝借人书来看，看过一遍，更不遗忘；口才辨给，少有胆气。孙权召为参谋，与黄盖最相善。盖知其能言有胆，故欲使献诈降书。泽欣然应诺曰：『大丈夫处世，不能立功建业，不几与草木同腐乎！公既捐躯报主，泽又何惜微生！』黄盖滚下床来，拜而谢之。泽曰：『事不可缓，即今便行。』盖曰：『书已修下了。』

泽领了书，只就当夜扮作渔翁，驾小舟，望北岸而行。是夜寒星满天。三更时候，早到曹军水寨。巡江军士拿住，连夜报知曹操。操曰：『莫非是奸细么？』军士曰：『只一渔翁，自称是东吴参谋阚泽，有机密事来见。』操便教引将入来。军士引阚泽至，只见帐上灯烛辉煌，曹操凭几危坐，问曰：『汝既是东吴参谋，来此何干？』泽曰：『人言曹丞相求贤若渴，今观此问，甚不相合。——黄公覆，汝又错寻思了也！』操曰：『吾与东吴旦夕交兵，汝私行到此，如何不问？』泽曰：『黄公覆乃东吴三世旧臣，今被周瑜于众将之前，无端毒打，不胜忿恨。因欲投降丞相，为报仇之计，特谋之于我。我与公覆，情同骨肉，径来为献密书。未知丞相肯容纳否？』操曰：『书在何处？』阚泽取书呈上。操拆书，就灯下观看。书略曰：

盖受孙氏厚恩，本不当怀二心。然以今日事势论之：用江东六郡之卒，当中国百万之师，众寡不敌，海内所共见也。东吴将吏，无有智愚，皆知其不可。周瑜小子，偏怀浅戆，自负其能，辄欲以卵敌石；兼之擅

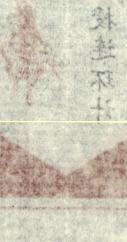

作威福，无罪受刑，有功不赏。盖系旧臣，无端为所摧辱，心实恨之！伏闻丞相诚心待物，虚怀纳士，盖愿率众归降，以图建功雪耻。粮草军仗，随船献纳。泣血拜白，万勿见疑。

曹操于几案上翻覆将书看了十余次，忽然拍案张目大怒曰：『黄盖用苦肉计，令汝下诈降书，就中取事，却敢来戏侮我耶！』便教左右推出斩之。左右将阚泽簇下。泽面不改容，仰天大笑。操教牵回，叱曰：『吾已识破奸计，汝何故哂笑？』泽曰：『吾不笑你。吾笑黄公覆不识人耳。』操曰：『何不识人？』泽曰：『杀便杀，何必多问！』操曰：『吾自幼熟读兵书，深知奸伪之道。汝这条计，只好瞒别人，如何瞒得我！』泽曰：『你且说书中那件事是奸计？』操曰：『我说出你那破绽，教你死而无怨：你既是真心献书投降，如何不

明约几时？你今有何理说？』阚泽听罢，大笑曰：『亏汝不惶恐，敢自夸熟读兵书！还不及早收兵回去！倘若交战，必被周瑜擒矣！无学之辈！可惜吾屈死汝手！』操曰：『何谓我无学？』泽曰：『汝不识机谋，不明道理，岂非无学？』操曰：『你且说我那几般不是处？』泽曰：『汝无待贤之礼，吾何必言！但有死而已。』操曰：『汝若说得有理，我自然敬服。』泽曰：『岂不闻「背主作窃，不可定期」？倘今约定日期，急切下不得手，这里反来接应，事必泄漏。但可觑便而行，岂可预期相订乎？汝不明此理，欲屈杀好人，真无学之辈也！』操闻言，改容下席而谢曰：『某见事不明，误犯尊威，幸勿挂怀。』泽曰：『吾与黄公覆，倾心投降，如婴儿之望父母，岂有诈乎！』操大喜曰：『若二人能建大功，他日受爵，必在诸人之上。』泽曰：『某等非为爵禄而来，实应天顺人耳。』操取酒待之。

少顷，有人入帐，于操耳边私语。操曰：『将书来看。』其人以密书呈上。操观之，颜色颇喜。阚泽暗思：『此必蔡中、蔡和来报黄盖受刑消息，操故喜我投降之事为真实也。』操曰：『烦先生再回江东，与黄公覆约定，先通消息过江，吾以兵接应。』泽曰：『某已离江东，不可复还。望丞相别遣机密人去。』操曰：『若他人去，事恐泄漏。』泽再三推辞；良久，乃曰：『若去则不敢久停，便当行矣。』

操赐以金帛，泽不受。辞别出营，再驾扁舟，重回江东，来见黄盖，细说前事。盖曰：『非公能辩，则盖徒受苦矣。』泽曰：『吾今去甘宁寨中，探蔡中、蔡和消息。』盖曰：『甚善。』泽至宁寨，宁接入。泽曰：『将军昨为救黄公覆，被周公瑾所辱，吾甚不平。』宁笑而不答。正话间，蔡和、蔡中至。泽以目送甘宁，宁会意，乃曰：『周公瑾只自恃其能，全不以我等为念。我今被辱，羞见江左诸人！』说罢，咬牙切齿，拍案大叫。泽乃虚与宁耳边低语。宁低头不言，长叹数声。蔡和、蔡中见宁、泽皆有反意，以言挑之曰：『将军何故烦恼？先生有何不平？』泽曰：『吾等腹中之苦，汝岂知耶！』蔡和曰：『莫非欲背吴投曹耶？』阚泽失色，甘宁拔剑而起曰：『吾事已为窥破，不可不杀之以灭口。』蔡和、蔡中慌曰：『二

公勿忧。吾亦当以心腹之事相告。」宁曰：「可速言之！」蔡和曰：「吾二人乃曹公使来诈降者。二公若有归顺之心，吾当引进。」宁曰：「汝言果真？」二人齐声曰：「安敢相欺！」宁佯喜曰：「若如此，是天赐其便也！」二蔡曰：「黄公覆与将军被辱之事，吾已报知丞相矣。」泽曰：「吾已为黄公覆献书丞相，今特来见兴霸，相约同降耳。」宁曰：「大丈夫既遇明主，自当倾心相投。」于是四人共饮，同论心事。二蔡即时写书，密报曹操，说「甘宁与某同为内应」。阚泽另自修书，遣人密报曹操，书中具言：黄盖欲来，未得其便；但看船头插青牙旗而来者，即是也。

却说曹操连得二书，心中疑惑不定，聚众谋士商议曰：「江左甘宁，被周瑜所辱，愿为内应；黄盖受责，令阚泽来纳降：俱未可深信。谁敢直入周瑜寨中，探听实信？」蒋干进曰：「某前日空往东吴，未得成功，深怀惭愧。今愿舍身再往，务得实信，回报丞相。」操大喜，即时令蒋干上船。干驾小舟，径到江南水寨边，便使人传报。周瑜听得干又到，大喜曰：「吾之成功，只在此人身上！」遂嘱付鲁肃：「请庞士元来，为我如此如此。」原来襄阳庞统，字士元，因避乱寓居江东，鲁肃曾荐之

## 第四十七回 阚泽密献诈降书 庞统巧授连环计



于周瑜，统未及往见。瑜先使肃问计于统曰：「破曹当用何策？」统密谓肃曰：「欲破曹兵，须用火攻；但大江面上，一船着火，余船四散；除非献「连环计」，教他钉作一处，然后功可成也。」肃以告瑜，瑜深服其论，因谓肃曰：「为我行此计者，非庞士元不可。」肃曰：「只怕曹操奸猾，如何去得？」

周瑜沉吟未决。正寻思没个机会，忽报蒋干又来。瑜大喜，一面分付庞统用计；一面坐于帐上，使人请干。干见不来接，心中疑虑，教把船于僻静岸口缆系，乃入寨见周瑜。瑜作色曰：「子翼何故欺吾太甚？」蒋干笑曰：「吾想与你乃旧日弟兄，特来吐心腹事，何言相欺也？」瑜曰：「汝要说我降，除非海枯石烂！前番吾念旧日交情，请你痛饮一醉，留你共榻；你却盗吾私书，不辞而去，归报曹操，杀了蔡瑁、张允，致使吾事不成。今日无故又来，必不怀好意！吾不看旧日之情，一刀两段！本待送你过去，争奈吾一二日间，便要破曹操；待留你在军中，又必有泄漏。」便教左右：「送子翼往西山庵中歇息。待吾破了曹操，那时渡你过江未迟。」

蒋干再欲开言，周瑜已入帐后去了。左右取马与蒋干乘坐，送到西山背后小庵歇息，拨两个军人伏侍。干在庵内，心中忧闷，寝食不安。是夜星露满天，独步出庵后，只听得读书之声。信步寻去，见山岩畔有草屋数椽，内射灯光。干往窥之，只见一人挂剑灯前，诵孙、吴兵书。干思：「此必异人也。」叩户请见。其人开门出迎，仪表非俗。干问姓名，答曰：「姓庞，名统，字士元。」干曰：「莫非凤雏先生否？」统曰：「然也。」干喜曰：「久闻大名，今何僻居于此？」答曰：「周瑜自恃才高，不能容物，吾故隐居于此。

公乃何人？」干曰：「吾蒋干也。」统乃邀入草庵，共坐谈心。干曰：「以公之才，何往不利？如肯归曹，干当引进。」统曰：「吾亦欲离江东久矣。公既有引进之心，即今便当一行。如迟则周瑜闻之，必将见害。」

于是与干连夜下山，至江边寻着原来船只，飞棹投江北。既至操寨，干先入见，备述前事。操闻凤雏先生来，亲自出帐迎入，分宾主坐定，问曰：「周瑜年幼，恃才欺众，不用良谋。操久闻先生大名，今得惠顾，乞不吝教诲。」统曰：「某素闻丞相用兵有法，今愿一睹军容。」操教备马，先邀统同观旱寨。统与操并马登高而望。统曰：「傍山依林，前后顾盼，出入有门，进退曲折，虽孙、吴再生，穰(ráng)苴(jū)复出，亦不过此矣。」操曰：「先生勿得过誉，尚望指教。」于是又与同观水寨。见向南分二十四座门，皆有艨艟战舰，列为城郭，中藏小船，往来有巷，起伏有序，统笑曰：「丞相用兵如此，名不虚传！」因指江南而言曰：「周郎，周郎！克期必亡！」

操大喜。回寨，请入帐中，置酒共饮，同说兵机。统高谈雄辩，应答如流。操深敬服，殷勤相待。统佯醉曰：「敢问军中有良医否？」操问何用。统曰：「水军多疾，须用良医治之。」时操军因不服水土，俱生呕吐之疾，多有死者，操正虑此事；忽闻统言，如何不问？统曰：「丞相教练水军之法甚妙，但可惜不全。」操再三请问。统曰：「某有一策，使大小水军，并无疾病，安稳成功。」操大喜，请问妙策。统曰：「大江之中，潮生潮落，风浪不息；北兵不惯乘舟，受此颠播，便生疾病。若以大船小船各皆配搭，或三十为一排，或五十为一排，首尾用铁环连锁，上铺阔板，休言人可渡，马亦可走矣；乘此而行，任他风浪潮水上下，复何惧哉？」曹操下席而谢曰：「非先生良谋，安能破东吴耶！」统曰：「愚浅之见，丞相自裁之。」操即时传令，唤军中铁匠，连夜打造连环大钉，锁住船只。诸军闻之，俱各喜悦。后人有诗曰：

赤壁鏖兵用火攻，运筹决策尽皆同。若非庞统连环计，公瑾安能立大功？

庞统又谓操曰：「某观江左豪杰，多有怨周瑜者；某凭三寸舌，为丞相说之，使皆来降。周瑜孤立无援，必为丞相所擒。瑜既破，则刘备无所用矣。」操曰：「先生果能成大功，操请奏闻天子，封为三公之列。」统曰：「某非为富贵，但欲救万民耳。丞相渡江，慎勿杀害。」操曰：「吾替天行道，安忍杀戮人民！」统拜求榜文，以安宗族。操曰：「先生家属，现居何处？」统曰：「只在江边。若得此榜，可保全矣。」操命写榜佥押付统。统拜谢曰：「别后可速进兵，休待周郎知觉。」操然之。

统拜别，至江边，正欲下船，忽见岸上一人，道袍竹冠，一把扯住统曰：「你好大胆！黄盖用苦肉计，阚泽下诈降书，你又来献连环计：只恐烧不尽绝！你们把出这等毒手来，只好瞒曹操，也须瞒我不得！」唬得庞统魂飞魄散。正是：莫道东南能制胜，谁云西北独无人？毕竟此人是谁，且看下文分解。

# 第四十八回　宴长江曹操赋诗　锁战船北军用武

却说庞统闻言，吃了一惊，急回视其人，原来却是徐庶。统见是故人，心下方定。回顾左右无人，乃曰：『你若说破我计，可惜江南八十一州百姓，皆是你送了也！』庶笑曰：『此间八十三万人马，性命如何？』统曰：『元直真欲破我计耶？』庶曰：『吾感刘皇叔厚恩，未尝忘报。曹操送死吾母，吾已说过终身不设一谋，今安肯破兄良策？只是我亦随军在此，兵败之后，玉石不分，岂能免难？君当教我脱身之术，我即缄口远避矣。』统笑曰：『元直如此高见远识，谅此有何难哉！』庶曰：『愿先生赐教。』统去徐庶耳边略说数句。庶大喜，拜谢。庞统别却徐庶，下船自回江东。

且说徐庶当晚密使近人去各寨中暗布谣言。次日，寨中三三五五，交头接耳而说。早有探事人报知曹操，说：『军中传言西凉州韩遂、马腾谋反，杀奔许都来。』操大惊，急聚众谋士商议曰：『吾引兵南征，心中所忧者，韩遂、马腾耳。军中谣言，虽未辨虚实，然不可不防。』言未毕，徐庶进曰：『庶蒙丞相收录，恨无寸功报效。请得三千人马，星夜往散关把住隘口；如有紧急，再行告报。』操喜曰：『若得元直去，吾无忧矣！散关之上，亦有军兵，公统领之。目下拨三千马步军，命臧霸为先锋，星夜前去，不可稽迟。』徐庶辞了曹操，与臧霸便行。——此便是庞统救徐庶之计。后人有诗曰：

曹操征南日日忧，马腾韩遂起戈矛。凤雏一语教徐庶，正似游鱼脱钓钩。

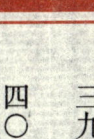

曹操自遣徐庶去后，心中稍安，遂上马先看沿江旱寨，次看水寨。乘大船一只于中央，上建『帅』字旗号，两傍皆列水寨，船上埋伏弓弩千张。操居于上。时建安十三年冬十一月十五日，天气晴明，平风静浪。操令：『置酒设乐于大船之上，吾今夕欲会诸将。』天色向晚，东山月上，皎皎如同白日。长江一带，如横素练。操坐大船之上，左右侍御者数百人，皆锦衣绣袄，荷戈执戟。文武众官，各依次而坐。操见南屏山色如画，东视柴桑之境，西观夏口之江，南望樊山，北觑乌林，四顾空阔，心中欢喜，谓众官曰：『吾自起义兵以来，与国家除凶去害，誓愿扫清四海，削平天下；所未得者江南也。今吾有百万雄师，更赖诸公用命，何患不成功耶！收服江南之后，天下无事，与诸公共享富贵，以乐太平。』文武皆起谢曰：『愿得早奏凯歌！我等终身皆赖丞相福荫。』操大喜，命左右行酒。饮至半夜，操酒酣，遥指南岸曰：『周瑜、鲁肃，不识天时！今幸有投降之人，为彼心腹之患，此天助吾也。』荀攸曰：『丞相勿言，恐有泄漏。』操大笑曰：『座上诸公，与近侍左右，皆吾心腹之人也，言之何碍！』又指夏口曰：『刘备、诸葛亮，汝不料蝼蚁之力，欲撼泰山，何其愚耶！』顾谓诸将曰：『吾今年五十四岁矣，如得江南，窃有所喜。昔日乔公与吾至契，吾知其二女皆有国色。后不料为孙策、周瑜所娶。吾今新构铜雀台于漳水之上，如得江南，当娶二乔，置之台上，以娱暮年，吾愿足矣！』言罢大笑。唐人杜牧之有诗曰：

折戟沉沙铁未消，自将磨洗认前朝。东风不与周郎便，铜雀春深锁二乔。

曹操正笑谈间，忽闻鸦声望南飞鸣而去。操问曰：『此鸦缘何夜鸣？』左右答曰：『鸦见月明，疑是

天晓，故离树而鸣也。』操又大笑。时操已醉，乃取槊立于船头上，以酒奠于江中，满饮三爵，横槊谓诸将曰：『我持此槊，破黄巾、擒吕布、灭袁术、收袁绍，深入塞北，直抵辽东，纵横天下：颇不负大丈夫之志也。今对此景，甚有慷慨。吾当作歌，汝等和之。』歌曰：

对酒当歌，人生几何：譬如朝露，去日苦多。慨当以慷，忧思难忘，何以解忧，惟有杜康。

青青子衿，悠悠我心：但为君故，沉吟至今。呦呦鹿鸣，食野之苹：我有嘉宾，鼓瑟吹笙。

皎皎如月，何时可辍？忧从中来，不可断绝！越陌度阡，枉用相存：契阔谈宴，心念旧恩。

月明星稀，乌鹊南飞：绕树三匝，无枝可依。山不厌高，水不厌深：周公吐哺，天下归心。

歌罢，众和之，共皆欢笑。忽座间一人进曰：『大军相当之际，将士用命之时，丞相何故出此不吉之言？』操视之，乃扬州刺史，沛国相人，姓刘，名馥，字元颖。馥起自合肥，创立州治，聚逃散之民，立学校，广屯田，兴治教，久事曹操，多立功绩。当下操横槊问曰：『吾言有何不吉？』馥曰：『「月明星稀，乌鹊南飞；绕树三匝，无枝可依。」此不吉之言也。』操大怒曰：『汝安敢败吾兴！』手起一槊，刺死刘馥。众皆惊骇。遂罢宴。次日，操酒醒，懊恨不已。馥子刘熙，告请父尸归葬。操泣曰：『吾昨因醉误伤汝父，悔之无及。可以三公厚礼葬之。』又拨军士护送灵柩，即日回葬。

曹孟德横槊赋诗

次日，水军都督毛玠、于禁诣帐下，请曰：『大小船只，俱已配搭连锁停当。旌旗战具，一一齐备。请丞相调遣，克日进兵。』操至水军中央大战船上坐定，唤集诸将，各各听令。水旱二军，俱分五色旗号：水军中央黄旗毛玠、于禁，前军红旗张郃，后军皂旗李典，左军青旗乐进，右军白旗夏侯渊。水陆路都接应使：夏侯惇、曹洪；护卫往来监战使：许褚、张辽。其余骁将，各依队伍。令毕，水军寨中发擂三通，各队伍战船，分门而出。是日西北风骤起，各船拽起风帆，冲波激浪，稳如平地。北军在船上，踊跃施勇，刺枪使刀。前后左右各军，旗幡不杂。又有小船五十余只，往来巡警催督。操立于将台之上，观看调练，心中大喜，以为必胜之法；教且收住帆幔，各依次序回寨。操升帐谓众谋士曰：『若非天命助吾，安得凤雏妙计？铁索连舟，果然渡江如履平地。』程昱曰：『船皆连锁，固是平稳；但彼若用火攻，难以回避。不可不防。』操大笑曰：『程仲德虽有远虑，却还有见不到处。』荀攸曰：『仲德之言甚是。丞相何故笑之？』操曰：『凡用火攻，必藉风力。方今隆冬之际，但有西风北风，安有东风南风耶？吾居于西北之上，彼兵皆在南岸，彼若用火，是烧自己之兵也，吾何惧哉？若是十月小春之时，吾早已提备矣。』诸将皆拜伏曰：『丞相高见，众人不及。』操顾诸将曰：『青、徐、燕、代之众，不惯乘舟。今非此计，安能涉大江之险！』

只见班部中二将挺身出曰："小将虽幽、燕之人，也能乘舟。今愿借巡船二十只，直至江口，夺旗鼓而还，以显北军亦能乘舟也。"操曰："汝二人皆生长北方，恐乘舟不便。江南之兵，往来水上，习练精熟，汝勿轻以性命为儿戏也。"焦触、张南大叫曰："如其不胜，甘受军法！"操曰："战船尽已连锁，惟有小舟。每舟可容二十人，只恐未便接战。"触曰："若用大船，何足为奇？乞小舟二十余只，某与张南各引一半，只今日直抵江南水寨，须要夺旗斩将而还。"操曰："吾与汝二十只船，差拨精锐军五百人，皆长枪硬弩。到来日天明，将大寨船出到江面上，远为之势。更差文聘亦领三十只巡船接应汝回。"焦触、张南欣喜而退。次日，四更造饭，五更结束已定，早听得水寨中擂鼓鸣金。船皆出寨，分布水面，长江一带，青红旗号交杂。焦触、张南领哨船二十只，穿寨而出，望江南进发。

却说南岸隔夜听得鼓声喧震，遥望曹操调练水军，探事人报知周瑜。瑜往山顶观之，操军已收回。次日，忽又闻鼓声震天，军士急登高观望，见有小船冲波而来，飞报中军。周瑜问帐下："谁

第四十八回 宴长江曹操赋诗 锁战船北军用武





敢先出？"韩当、周泰二人齐出曰："某当权为先锋破敌。"瑜喜，传令各寨严加守御，不可轻动。韩当、周泰各引哨船五只，分左右而出。

却说焦触、张南凭一勇之气，飞棹小船而来。韩当独披掩心，手执长枪，立于船头。焦触船先到，便命军士乱箭望韩当船上射来。当用牌遮隔。焦触捻长枪与韩当交锋。当手起一枪，刺死焦触。张南随后大叫赶来。隔斜里周泰船出。张南挺枪立于船头，两边弓矢乱射。周泰一臂挽牌，一手提刀，两船相离七八尺，泰即飞身一跃，直跃过张南船上，手起刀落，砍张南于水中，乱杀驾舟军士。众船飞棹急回。韩当、周泰催船追赶，到半江中，恰与文聘船相迎。两边便摆定船厮杀。

却说周瑜引众将立于山顶，遥望江北水面艨艟战船，排合江上，旗帜号带，皆有次序。回看文聘与韩当、周泰相持。韩当、周泰奋力攻击，文聘抵敌不住，回船而走。韩、周二人，急催船追赶。周瑜恐二人深入重地，便将白旗招飐(zhǎn)，令众鸣金。二人乃挥棹而回。周瑜于山顶看隔江战船，尽入水寨。瑜顾谓众将曰："江北战船如芦苇之密，操又多谋，当用何计以破之？"众未及对，忽见曹军寨中，被风吹折中央黄旗，飘入江中。瑜大笑曰："此不祥之兆也！"正观之际，忽狂风大作，江中波涛拍岸。一阵风过，刮起旗角，于周瑜脸上拂过。瑜猛然想起一事在心，大叫一声，往后便倒，口吐鲜血。诸将急救起时，却早不省人事。

正是：一时忽笑又忽叫，难使南军敌北军。毕竟周瑜性命如何，且看下文分解。

## 第四十九回　七星坛诸葛祭风　三江口周瑜纵火

却说周瑜立于山顶，观望良久，忽然望后而倒，口吐鲜血，不省人事。左右救回帐中。诸将皆来动问，尽皆愕然相顾曰：『江北百万之众，虎踞鲸吞。不争都督如此，倘曹兵一至，如之奈何？』慌忙差人申报吴侯，一面求医调治。

却说鲁肃见周瑜卧病，心中忧闷，来见孔明，言周瑜卒病之事。孔明曰：『公以为何如？』肃曰：『此乃曹操之福，江东之祸也。』孔明笑曰：『公瑾之病，亮亦能医。』肃曰：『诚如此，则国家万幸！』即请孔明同去看病。肃先入见周瑜。瑜以被蒙头而卧。肃曰：『都督病势若何？』周瑜曰：『心腹搅痛，时复昏迷。』肃曰：『曾服何药饵？』瑜曰：『心中呕逆，药不能下。』肃曰：『适来去望孔明，言能医都督之病。现在帐外，烦来医治，何如？』瑜命请入，教左右扶起，坐于床上。孔明曰：『连日不晤君颜，何期贵体不安！』瑜曰：『「人有旦夕祸福」，岂能自保？』孔明笑曰：『「天有不测风云」，人又岂能料乎？』瑜闻失色，乃作呻吟之声。孔明曰：『都督心中似觉烦积否？』瑜曰：『然。』孔明曰：『必须用凉药以解之。』瑜曰：『已服凉药，全然无效。』孔明曰：『须先理其气；气若顺，则呼吸之间，自然痊可。』瑜料孔明必知其意，乃以言挑之曰：『欲得顺气，当服何药？』孔明笑曰：『亮有一方，便教都督气顺。』瑜曰：『愿先生赐教。』孔明索纸笔，屏退左右，密书十六字曰：

欲破曹公，宜用火攻；万事俱备，只欠东风。

写毕，递与周瑜曰：『此都督病源也。』瑜见了大惊，暗思：『孔明真神人也，早已知我心事！只索以实情告之。』乃笑曰：『先生已知我病源，将用何药治之？事在危急，望即赐教。』孔明曰：『亮虽不才，曾遇异人，传授奇门遁甲天书，可以呼风唤雨。都督若要东南风时，可于南屏山建一台，名曰「七星坛」：高九尺，作三层，用一百二十人，手执旗幡围绕。亮于台上作法，借三日三夜东南大风，助都督用兵，何如？』瑜曰：『休道三日三夜，只一夜大风，大事可成矣。只是事在目前，不可迟缓。』孔明曰：『十一月二十日甲子祭风，至二十二日丙寅风息，如何？』瑜闻言大喜，矍然而起。便传令差五百精壮军士，往南屏山筑坛；拨一百二十人，执旗守坛，听候使令。

孔明辞别出帐，与鲁肃上马，来南屏山相度地势，令军士取东南方赤土筑坛。方圆二十四丈，每一层高三尺，共是九尺。下一层插二十八宿旗：东方七面青旗，按角、亢、氐、房、心、尾、箕，布苍龙之形；北方七面皂旗，按斗、牛、女、虚、危、室、壁，作玄武之势；西方七面白旗，按奎、娄、胃、昴、毕、觜(zī)、参，踞白虎之威；南方七面红旗，按井、鬼、柳、星、张、翼、轸，成朱雀之状。第二层周围黄旗六十四面，按六十四卦，分八位而立。上一层用四人，各人戴束发冠，穿皂罗袍，凤衣博带，朱履方裾。前左立一人，手执长竿，竿尖上用鸡羽为葆，以招风信；前右立一人，手执长竿，竿上系七星号带，以表风色；后左立一人，捧宝剑；后右立一人，捧香炉。坛下二十四人，各持旌旗、宝盖、大戟、长戈、黄钺、

白旄、朱旛、皂纛(dào)，环绕四面。孔明于十一月二十日甲子吉辰，沐浴斋戒，身披道衣，跣足散发，来到坛前。分付鲁肃曰：『子敬自往军中相助公瑾调兵。倘亮所祈无应，不可有怪。』鲁肃别去。孔明嘱付守坛将士：『不许擅离方位。不许交头接耳。不许失口乱言。不许失惊打怪。如违令者斩！』众皆领命。孔明缓步登坛，观瞻方位已定，焚香于炉，注水于盂，仰天暗祝。下坛入帐中少歇，令军士更替吃饭。孔明一日上坛三次，下坛三次。却并不见有东南风。

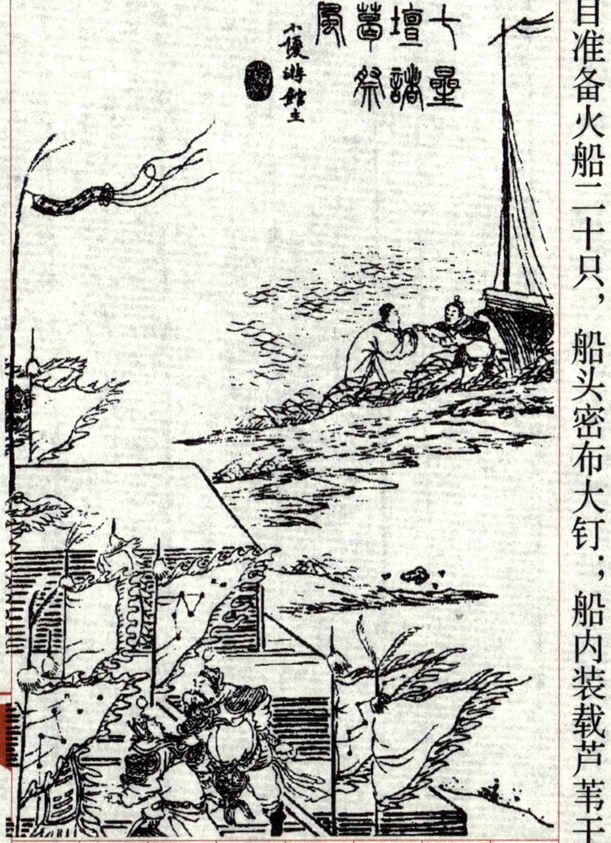


且说周瑜请程普、鲁肃一班军官，在帐中伺候，只等东南风起，便调兵出；一面关报孙权接应。黄盖已自准备火船二十只，船头密布大钉，船内装载芦苇干柴，灌以鱼油，上铺硫黄、焰硝引火之物，各用青布油单遮盖；船头上插青龙牙旗，船尾各系走舸：在帐下听候，只等周瑜号令。甘宁、阚泽窝盘蔡和、蔡中在水寨中，每日饮酒，不放一卒登岸；周围尽是东吴军马，把得水泄不通：只等帐上号令下来。周瑜正在帐中坐议，探子来报：『吴侯船只离寨八十五里停泊，只等都督好音。』瑜即差鲁肃遍告各部下官兵将士：『俱各收拾船只、军器、帆橹等物。号令一出，时刻休违。倘有违误，即按军法。』众兵将得令，一个个磨拳擦掌，准备厮杀。是日，看看近夜，天色清明，微风不动。瑜谓鲁肃曰：『孔明之言谬矣。隆冬之时，怎得东南风乎？』肃曰：『吾料孔明必不谬谈。』将近三更时分，忽听风声响，旗旛转动。瑜出帐看时，旗脚竟飘西北，霎时间东南风大起。





瑜骇然曰：『此人有夺天地造化之法、鬼神不测之术！若留此人，乃东吴祸根也。及早杀却，免生他日之忧。』急唤帐前护军校尉丁奉、徐盛二将：『各带一百人。徐盛从江内去，丁奉从旱路去，都到南屏山七星坛前，休问长短，拿住诸葛亮便行斩首，将首级来请功。』二将领命。徐盛下船，一百刀斧手荡开棹桨；丁奉上马，一百弓弩手各跨征驹：往南屏山来。于路正迎着东南风起。后人有诗曰：

七星坛上卧龙登，一夜东风江水腾。不是孔明施妙计，周郎安得逞才能？

丁奉马军先到，见坛上执旗将士，当风而立。丁奉下马提剑上坛，不见孔明，慌问守坛将士。答曰：『恰才下坛去了。』丁奉忙下坛寻时，徐盛船已到。二人聚于江边。小卒报曰：『昨晚一只快船停在前面滩口。适间却见孔明披发下船，那船望上水去了。』丁奉、徐盛便分水陆两路追袭。徐盛教拽起满帆，抢风而使。遥望前船不远，徐盛在船头上高声大叫：『军师休去！都督有请！』只见孔明立于船尾大笑曰：『上覆都督：好好用兵；诸葛亮暂回夏口，异日再容相见。』徐盛曰：『请暂少住，有紧话说。』孔明曰：『吾已料定都督不能容我，必来加害，预先教赵子龙来相接。将军不必追赶。』徐盛见前船无篷，只顾赶去。看看至近，赵云拈弓搭箭，立于船尾大叫曰：『吾乃常山赵子龙也！奉令特来接军师。你如何来追赶？本待一箭射死

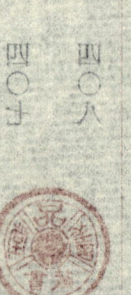

你来，显得两家失了和气。教你知我手段！」言讫，箭到处，射断徐盛船上篷索。那篷堕落下水，其船便横。赵云却教自己船上拽起满帆，乘顺风而去。其船如飞，追之不及。岸上丁奉唤徐盛船近岸，言曰：「诸葛亮神机妙算，人不可及。更兼赵云有万夫不当之勇，汝知他当阳长坂时否？吾等只索回报便了。」于是二人回见周瑜，言孔明预先约赵云迎接去了。周瑜大惊曰：「此人如此多谋，使我晓夜不安矣！」鲁肃曰：「且待破曹之后，却再图之。」

瑜从其言，唤集诸将听令。先教甘宁：「带了蔡中并降卒沿南岸而走，只打北军旗号，直取乌林地面，正当曹操屯粮之所，深入军中，举火为号。只留下蔡和一人在帐下，我有用处。」第二唤太史慈分付：「你可领三千兵，直奔黄州地界，断曹操合淝接应之兵，就逼曹兵，放火为号；只看红旗，便是吴侯接应兵到。」这两队兵最远，先发。第三唤吕蒙领三千兵去乌林接应甘宁，焚烧曹操寨栅。第四唤凌统领三千兵，直截彝陵界首，只看乌林火起，以兵应之。第五唤董袭领三千兵，直取汉阳，从汉川杀奔曹操寨中，看白旗接应。第六唤潘璋领三千兵，尽打白旗，往汉阳接应董袭。六队船只各自分路去了。却令黄盖安排火船，使小卒驰书约曹操，今夜来降。一面拨战船四只，随于黄盖船后接应。第一队领兵军官韩当，第二队领兵军官周泰，第三队领兵军官蒋钦，第四队领兵军官陈武：四队各引战船三百只，前面各摆列火船二十只。周瑜自与程普在大艨艟上督战，徐盛、丁奉为左右护卫，只留鲁肃共阚泽及众谋士守寨。程普见周瑜调军有法，甚相敬服。





却说孙权差使命持兵符至，说已差陆逊为先锋，直抵蕲、黄地面进兵，吴侯自为后应。瑜又差人西山放火炮，南屏山举号旗。各各准备停当，只等黄昏举动。

话分两头。且说刘玄德在夏口专候孔明回来，忽见一队船到，乃是公子刘琦自来探听消息。玄德请上敌楼坐定，说：「东南风起多时，子龙去接孔明，至今不见到，吾心甚忧。」小校遥指樊口港上：「一帆风送扁舟来到，必军师也。」玄德与刘琦下楼迎接。须臾船到，孔明、子龙登岸。玄德大喜。问候毕，孔明曰：「且无暇告诉别事。前者所约军马战船，皆已办否？」玄德曰：「收拾久矣，只候军师调用。」孔明便与玄德、刘琦升帐坐定，谓赵云曰：「子龙可带三千军马，渡江径取乌林小路，拣树木芦苇密处埋伏。今夜四更已后，曹操必然从那条路奔走。等他军马过，就半中间放起火来。虽然不杀他尽绝，也杀一半。」云曰：「乌林有两条路：一条通南郡，一条取荆州。不知向那条路来？」孔明曰：「南郡势迫，曹操不敢往；必来荆州，然后大军投许昌而去。」云领计去了。又唤张飞曰：「翼德可领三千兵渡江，截断彝陵这条路，去葫芦谷口埋伏。曹操不敢走南彝陵，必望北彝陵去。来日雨过，必然来埋锅造饭。只看烟起，便就山边放起火来。虽然不捉得曹操，翼德这场功料也不小。」飞领计去了。又唤糜竺、糜芳、刘封三人各驾船只，绕江剿擒败军，夺取器械。三人领计去了。孔明起身，谓公子刘琦曰：「武昌一望之地，最为紧要。公子便请回，率领所部之兵，陈于岸口。操一败必有逃来者，就而擒之，却不可轻离城郭。」刘琦便辞玄德、孔明去了。孔明谓玄德曰：「主公可于樊口屯兵，凭高而望，坐看今夜周郎成大功也。」

时云长在侧，孔明全然不睬。云长忍耐不住，乃高声曰：『关某自随兄长征战，许多年来，未尝落后。今日逢大敌，军师却不委用，此是何意？』孔明笑曰：『云长勿怪！某本欲烦足下把一个最紧要的隘口，怎奈有些违碍，不敢教去。』云长曰：『有何违碍？愿即见谕。』孔明曰：『昔日曹操待足下甚厚，足下当有以报之。今日操兵败，必走华容道；若令足下去时，必然放他过去。因此不敢教去。』云长曰：『军师好心多！当日曹操果是重待某，某已斩颜良，诛文丑，解白马之围，报过他了。今日撞见，岂肯放过！』孔明曰：『倘若放了时，却如何？』云长曰：『愿依军法！』孔明曰：『如此，立下文书。』云长便与了军令状。云长曰：『若曹操不从那路上来，如何？』孔明曰：『我亦与你军令状。』云长大喜。孔明曰：『云长可于华容小路高山之处，堆积柴草，放起一把火烟，引曹操来。』云长曰：『曹操望见烟，知有埋伏，如何肯来？』孔明笑曰：『岂不闻兵法「虚虚实实」之论？操虽能用兵，只此可以瞒过他也。他见烟起，将谓虚张声势，必然投这条路来。将军休得容情。』云长领了将令，引关平、周仓并五百校刀手，投华容道埋伏去了。玄德曰：『吾弟义气深重，若曹操果然投华容道去时，只恐端的放了。』孔明曰：『亮夜观乾象，操贼未合身亡。留这人情，教云长做了，亦是美事。』玄德曰：『先生神算，世所罕及！』孔明遂与玄德往樊口，看周瑜用兵，留孙乾、简雍守城。

却说曹操在大寨中，与众将商议，只等黄盖消息。当日东南风起甚紧。程昱入告曹操曰：『今日东南风起，宜预提防。』操笑曰：『冬至一阳生，来复之时，安得无东南风？何足为怪！』军士忽报江东一只小船来到，说有黄盖密书。操急唤入。其人呈上书。书中诉说：『周瑜关防得紧，因此无计脱身。今有鄱阳湖新运到粮，周瑜差盖巡哨，已有方便。好歹杀江东名将，献首来降。只在今晚二更，船上插青龙牙旗者，即粮船也。』操大喜，遂与众将来水寨中大船上，观望黄盖船到。

且说江东，天色向晚，周瑜唤出蔡和，令军士缚倒。和叫：『无罪！』瑜曰：『汝是何等人，敢来诈降！吾今缺少福物祭旗，愿借你首级。』和抵赖不过，大叫曰：『汝家阚泽、甘宁亦曾与谋！』瑜曰：『此乃吾之所使也。』蔡和悔之无及。瑜令捉至江边皂纛旗下，奠酒烧纸，一刀斩了蔡和，用血祭旗毕，便令开船。黄盖在第三只火船上，独披掩心，手提利刃，旗上大书『先锋黄盖』。盖乘一天顺风，望赤壁进发。是时东风大作，波浪汹涌。操在中军遥望隔江，看看月上，照耀江水，如万道金蛇，翻波戏浪。操迎风大笑，自以为得志。忽一军指说：『江南隐隐一簇帆幔，使风而来。』操凭高望之。报称：『皆插青龙牙旗。内中有大旗，上书先锋黄盖名字。』操笑曰：『公覆来降，此天助我也！』来船渐近。程昱观望良久，谓操曰：『来船必诈。且休教近寨。』操曰：『何以知之？』程昱曰：『粮在船中，船必稳重；今观来船，轻而且浮。更兼今夜东南风甚紧，倘有诈谋，何以当之？』操省悟，便问：『谁去止之？』文聘曰：『某在水上颇熟，愿请一往。』言毕，跳下小船，用手一指，十数只巡船，随文聘船出。聘立于船头，大叫：『丞相钧旨：南船且休近寨，就江心抛住。』众军齐喝：『快下了篷！』言未绝，弓弦响处，文聘被箭射中左臂，倒在船中。船上大乱，各自奔回。南船距操寨止隔二里水面。黄盖用刀一招，前船一齐发火。火趁风威，风助

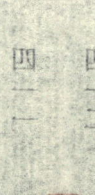

火势，船如箭发，烟焰涨天。二十只火船，撞入水寨，曹寨中船只一时尽着；又被铁环锁住，无处逃避。隔江炮响，四下火船齐到，但见三江面上，火逐风飞，一派通红，漫天彻地。

曹操回观岸上营寨，几处烟火。黄盖跳在小船上，背后数人驾舟，冒烟突火，来寻曹操。操见势急，方欲跳上岸，忽张辽驾一小脚船，扶操下得船时，那只大船，已自着了。张辽与十数人保护曹操，飞奔岸口。黄盖望见穿绛红袍者下船，料是曹操，乃催船速进，手提利刃，高声大叫：『曹贼休走！黄盖在此！』操叫苦连声。张辽拈弓搭箭，觑着黄盖较近，一箭射去。此时风声正大，黄盖在火光中，那里听得弓弦响？正中肩窝，翻身落水。正是：火厄盛时遭水厄，棒疮愈后患金疮。未知黄盖性命如何，且看下文分解。



## 第五十回 诸葛亮智算华容 关云长义释曹操

却说当夜张辽一箭射黄盖下水，救得曹操登岸，寻着马匹走时，军已大乱。韩当冒烟突火来攻水寨，忽听得士卒报道：『梢舵上一人，高叫将军表字。』韩当细听，但闻高叫：『义公救我！』当曰：『此黄公覆也！』急教救起。见黄盖负箭着伤，咬出箭杆，箭头陷在肉内。韩当急为脱去湿衣，用刀剜出箭头，扯旗束之，脱自己战袍与黄盖穿了，先令别船送回大寨医治。原来黄盖深知水性，故大寒之时，和甲堕江，也逃得性命。

却说当日满江火滚，喊声震地。左边是韩当、蒋钦两军从赤壁西边杀来；右边是周泰、陈武两军从赤壁东边杀来；正中是周瑜、程普、徐盛、丁奉大队船只都到。火须兵应，兵仗火威。此正是：三江水战，赤壁鏖兵。曹军着枪中箭、火焚水溺者，不计其数。后人有诗曰：

魏吴争斗决雌雄，赤壁楼船一扫空。烈火初张照云海，周郎曾此破曹公。

又有一绝云：

山高月小水茫茫，追叹前朝割据忙。南士无心迎魏武，东风有意便周郎。

不说江中鏖兵。且说甘宁令蔡中引入曹寨深处，宁将蔡中一刀砍于马下，就草上放起火来。吕蒙遥望中军火起，也放十数处火，接应甘宁。潘璋、董袭分头放火呐喊，四下里鼓声大震。曹操与张辽引百余骑，

在火林内走，看前面无一处不着。正走之间，毛玠救得文聘，引十数骑到。操令军寻路。张辽指道：『只有乌林地面，空阔可走。』操径奔乌林。正走间，背后一军赶到，大叫：『曹贼休走！』火光中现出吕蒙旗号。操催军马向前，留张辽断后，抵敌吕蒙。却见前面火把又起，从山谷中拥出一军，大叫：『凌统在此！』曹操肝胆皆裂。忽刺斜里一彪军到，大叫：『丞相休慌！徐晃在此！』彼此混战一场，夺路望北而走。忽见一队军马，屯在山坡前。徐晃出问，乃是袁绍手下降将马延、张顗，有三千北地军马，列寨在彼；当夜见满天火起，未敢转动，恰好接着曹操。操教二将引一千军马开路，其余留着护身。操得这枝生力军马，心中稍安。马延、张顗二将飞骑前行。不到十里，喊声起处，一彪军出。为首一将，大呼曰：『吾乃东吴甘兴霸也！』马延正欲交锋，早被甘宁一刀斩于马下；张顗挺枪来迎，宁大喝一声，措手不及，被宁手起一刀，翻身落马。后军飞报曹操。操此时指望合淝有兵救应；不想孙权在合淝路口，望见江中火光，知是我军得胜，便教陆逊举火为号，太史慈见了，与陆逊合兵一处，冲杀将来。操只得望彝陵而走。路上撞见张郃，操令断后。

纵马加鞭，走至五更，回望火光渐远，操心方定，问曰：『此是何处？』左右曰：『此是乌林之西，宜都之北。』操见树木丛杂，山川险峻，乃于马上仰面大笑不止。诸将问曰：『丞相何故大笑？』操曰：『吾不笑别人，单笑周瑜无谋，诸葛亮少智。若是吾用兵之时，预先在这里伏下一军，如之奈何？』说犹未了，两边鼓声震响，火光竟天而起，惊得曹操几乎坠马。刺斜里一彪军杀出，大叫：『我赵子龙奉军师将令，在此等候多时了！』操教徐晃、张郃双敌赵云，自己冒烟突火而去。子龙不来追赶，只顾抢夺旗帜。曹操得脱。



天色微明，黑云罩地，东南风尚不息。忽然大雨倾盆，湿透衣甲。操与军士冒雨而行，诸军皆有饥色。操令军士往村落中劫掠粮食，寻觅火种。方欲造饭，后面一军赶到。操心甚慌——原来却是李典、许褚保护着众谋士来到。操大喜，令军马且行，问：『前面是那里地面？』人报：『一边是南彝陵大路，一边是北彝陵山路。』操问：『那里投南郡江陵去近？』军士禀曰：『取北彝陵过葫芦口去最便。』操教走北彝陵。行至葫芦口，军皆饥馁，行走不上，马亦困乏，多有倒于路者。操教前面暂歇。马上有带得锣锅的，也有村中掠得粮米的，便就山边拣干处埋锅造饭，割马肉烧吃。尽皆脱去湿衣，于风头吹晒；马皆摘鞍野放，咽咬草根。操坐于疏林之下，仰面大笑。众官问曰：『适来丞相笑周瑜、诸葛亮，引惹出赵子龙来，又折了许多人马。如今为何又笑？』操曰：『吾笑诸葛亮、周瑜毕竟智谋不足。若是我用兵时，就这个去处，也埋伏一彪军马，以逸待劳；我等纵然脱得性命，也不免重伤矣。彼见

不到此，我是以笑之。』正说间，前军后军一齐发喊。操大惊，弃甲上马。众军多有不及收马者。早见四下火烟布合，山口一军摆开，为首乃燕人张翼德，横矛立马，大叫：『操贼走那里去！』诸军众将见了张飞，尽皆胆寒。许褚骑无鞍马来战张飞。张辽、徐晃二将，纵马也来夹攻。两边军马混战做一团。操先拨马走脱，诸将各自脱身。张飞从后赶来。操迤逦奔逃，追兵渐远，回顾众将多已带伤。

正行间，军士禀曰：『前面有两条路，请问丞相从那条路去？』操问：『那条路近？』军士曰：『大路稍平，却远五十余里。小路投华容道，却近五十余里；只是地窄路险，坑坎难行。』操令人上山观望，回报：『小路山边有数处烟起；大路并无动静。』操教前军便走华容道小路。诸将曰：『烽烟起处，必有军马，何故反走这条路？』操曰：『岂不闻兵书有云：「虚则实之，实则虚之。」诸葛亮多谋，故使人于山僻烧烟，使我军不敢从这条山路走，他却伏兵于大路等着。吾料已定，偏不教中他计！』诸将皆曰：『丞相妙算，人不可及。』遂勒兵走华容道。此时人皆饥倒，马尽困乏。焦头烂额者扶策而行，中箭着枪者勉强而走。衣甲湿透，个个不全；军器旗旛，纷纷不整：大半皆是彝陵道上被赶得慌，只骑得秃马，鞍辔衣服，尽皆抛弃。正值隆冬严寒之时，其苦何可胜言。

操见前军停马不进，问是何故。回报曰：『前面山僻路小，因早晨下雨，坑堑内积水不流，泥陷马蹄，不能前进。』操大怒，叱曰：『军旅逢山开路，遇水叠桥，岂有泥泞不堪行之理！』传下号令，教老弱中伤军士在后慢行，强壮者担土束柴，搬草运芦，填塞道路，务要即时行动，如违令者斩。众军只得都下马，就路旁砍伐竹木，填塞山路。操恐后军来赶，令张辽、许褚、徐晃引百骑执刀在手，但迟慢者便斩之。此时军已饿乏，众皆倒地，操喝令人马践踏而行，死者不可胜数。号哭之声，于路不绝。操怒曰：『生死有命，何哭之有！如再哭者立斩！』三停人马：一停落后，一停填了沟壑，一停跟随曹操。过了险峻，路稍平坦。操回顾止有三百余骑随后，并无衣甲袍铠整齐者。操催速行。众将曰：『马尽乏矣，只好少歇。』操曰：『赶到荆州将息未迟。』又行不到数里，操在马上扬鞭大笑。众将问：『丞相何又大笑？』操曰：『人皆言周瑜、诸葛亮足智多谋，以吾观之，到底是无能之辈。若使此处伏一旅之师，吾等皆束手受缚矣。』

言未毕，一声炮响，两边五百校刀手摆开，为首大将关云长，提青龙刀，跨赤兔马，截住去路。操军见了，亡魂丧胆，面面相觑。操曰：『既到此处，只得决一死战！』众将曰：『人纵然不怯，马力已乏，安能复战？』程昱曰：『某素知云长傲上而不忍下，欺强而不凌弱；恩怨分明，信义素著。丞相旧日有恩于彼，今只亲自告之，可脱此难。』操从其说，即纵马向前，欠身谓云长曰：『将军别来无恙！』云长亦欠身答曰：『关某奉军师将令，等候丞相多时。』操曰：『曹操兵败势危，到此无路，望将军以昔日之情为重。』云长曰：『昔日关某虽蒙丞相厚恩，然已斩颜良，诛文丑，解白马之围，以奉报矣。今日之事，岂敢以私废公？』操曰：『五关斩将之时，还能记否？大丈夫以信义为重。将军深明《春秋》，岂不知庾公之斯追子濯孺子之事乎？』云长是个义重如山之人，想起当日曹操许多恩义，与后来五关斩将之事，如何不动心？又见曹军惶惶，皆欲垂泪，一发心中不忍。于是把马头

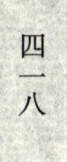

勒回，谓众军曰：『四散摆开。』这个分明是放曹操的意思。操见云长回马，便和众将一齐冲将过去。云长回身时，曹操已与众将过去了。云长大喝一声，众军皆下马，哭拜于地。云长愈加不忍。正犹豫间，张辽纵马而至。云长见了，又动故旧之情，长叹一声，并皆放去。后人有诗曰：

曹瞒兵败走华容，正与关公狭路逢。只为当初恩义重，放开金锁走蛟龙。

曹操既脱华容之难，行至谷口，回顾所随军兵，止有二十七骑。比及天晚，已近南郡，火把齐明，一簇人马拦路。操大惊曰：『吾命休矣！』只见一群哨马冲到，方认得是曹仁军马。操才心安。曹仁接着，言：『虽知兵败，不敢远离，只得在附近迎接。』操曰：『几与汝不相见也！』于是引众人南郡安歇。随后张辽也到，说云长之德。操点将校，中伤者极多，操皆令将息。曹仁置酒与操解闷。众谋士俱在座。操忽仰天大恸。众谋士曰：『丞相于虎窟中逃难之时，全无惧怯；今到城中，人已得食，马已得料，正须整顿军马复仇，何反痛哭？』操曰：『吾哭郭奉孝耳！若奉孝在，决不使吾有此大失也！』遂捶胸大哭曰：『哀哉，奉孝！痛哉，奉孝！惜哉，奉孝！』众谋士皆默然自惭。次日，操唤曹仁曰：



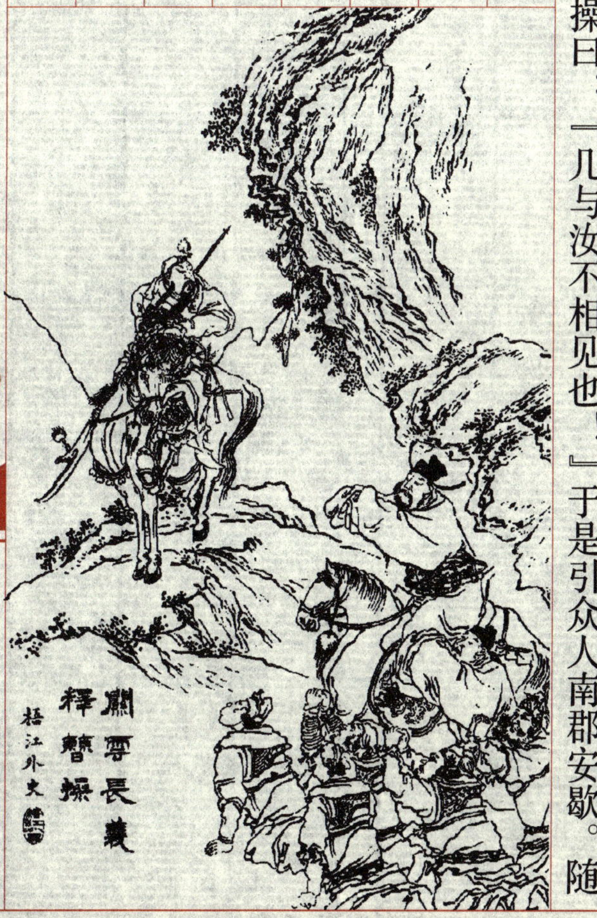


『吾今暂回许都，收拾军马，必来报仇。汝可保全南郡。吾有一计，密留在此，非急休开，急则开之。依计而行，使东吴不敢正视南郡。』仁曰：『合淝、襄阳，谁可保守？』操曰：『荆州托汝管领；襄阳吾已拨夏侯惇守把；合淝最为紧要之地，吾令张辽为主将，乐进、李典为副将，保守此地。但有缓急，飞报将来。』操分拨已定，遂上马引众奔回许昌。荆州原降文武各官，依旧带回许昌调用。曹仁自遣曹洪据守彝陵、南郡，以防周瑜。

却说关云长放了曹操，引军自回。此时诸路军马，皆得马匹、器械、钱粮，已回夏口；独云长不获一人一骑，空身回见玄德。孔明正与玄德作贺，忽报云长至。孔明忙离坐席，执杯相迎曰：『且喜将军立此盖世之功，与普天下除大害。合宜远接庆贺！』云长默然。孔明曰：『将军莫非因吾等不曾远接，故尔不乐？』回顾左右曰：『汝等缘何不先报？』云长曰：『关某特来请死。』孔明曰：『莫非曹操不曾投华容道上来？』云长曰：『是从那里来。关某无能，因此被他走脱。』孔明曰：『拿得甚将士来？』云长曰：『皆不曾拿。』孔明曰：『此是云长想曹操昔日之恩，故意放了。但既有军令状在此，不得不按军法。』遂叱武士推出斩之。正是：拼将一死酬知己，致令千秋仰义名。未知云长性命如何，且看下文分解。

# 第五十一回　曹仁大战东吴兵　孔明一气周公瑾

却说孔明欲斩云长，玄德曰：『昔吾三人结义时，誓同生死。今云长虽犯法，不忍违却前盟。望权记过，容将功赎罪。』孔明方才饶了。

且说周瑜收军点将，各各叙功，申报吴侯。所得降卒，尽发付渡江。大犒三军，遂进兵攻取南郡。前队临江下寨，前后分五营。周瑜居中。瑜正与众商议征进之策，忽报：『刘玄德使孙乾来与都督作贺。』瑜命请入。乾施礼毕，言：『主公特命乾拜谢都督大德，有薄礼上献。』瑜问曰：『玄德在何处？』乾答曰：『现移兵屯油江口。』瑜惊曰：『孔明亦在油江否？』乾曰：『孔明与主公同在油江。』瑜曰：『足下先回，某亲来相谢也。』瑜收了礼物，发付孙乾先回。肃曰：『却才都督为何失惊？』瑜曰：『刘备屯兵油江，必有取南郡之意。我等费了许多军马，用了许多钱粮，目下南郡反手可得；彼等心怀不仁，要就现成，须放着周瑜不死！』肃曰：『当用何策退之？』瑜曰：『吾自去和他说话。好便好；不好时，不等他取南郡，先结果了刘备！』肃曰：『某愿同往。』于是瑜与鲁肃引三千轻骑，径投油江口来。

先说孙乾回见玄德，言周瑜将亲来相谢。玄德乃问孔明曰：『来意若何？』孔明笑曰：『那里为这些薄礼肯来相谢。止为南郡而来。』玄德曰：『他若提兵来，何以待之？』孔明曰：『他来便可如此如此应答。』遂于油江口摆开战船，岸上列着军马。人报：『周瑜、鲁肃引兵到来。』孔明使赵云领数骑来接。





瑜见军势雄壮，心甚不安。行至营门外，玄德、孔明迎入帐中。各叙礼毕，设宴相待。玄德举酒致谢鏖兵之事。酒至数巡，瑜曰：『豫州移兵在此，莫非有取南郡之意否？』玄德曰：『闻都督欲取南郡，故来相助。若都督不取，备必取之。』瑜笑曰：『吾东吴久欲吞并汉江，今南郡已在掌中，如何不取？』玄德曰：『胜负不可预定。曹操临归，令曹仁守南郡等处，必有奇计；更兼曹仁勇不可当：但恐都督不能取耳。』瑜曰：『吾若取不得，那时任从公取。』玄德曰：『子敬、孔明在此为证，都督休悔。』鲁肃踌躇未对。瑜曰：『大丈夫一言既出，何悔之有！』孔明曰：『都督此言，甚是公论。先让东吴去取；若不下，主公取之，有何不可！』瑜与肃辞别玄德、孔明，上马而去。玄德问孔明曰：『却才先生教备如此回答，虽一时说了，展转寻思，于理未然。我今孤穷一身，无置足之地，欲得南郡，权且容身；若先教周瑜取了，城池已属东吴矣，却如何得住？』孔明大笑曰：『当初亮劝主公取荆州，主公不听，今日却想耶？』玄德曰：『前为景升之地，故不忍取；今为曹操之地，理合取之。』孔明曰：『不须主公忧虑。尽着周瑜去厮杀，早晚教主公在南郡城中高坐。』玄德曰：『计将安出？』孔明曰：『只须如此如此。』玄德大喜，只在江口屯扎，按兵不动。

却说周瑜、鲁肃回寨。肃曰：『都督如何亦许玄德取南郡？』瑜曰：『吾弹指可得南郡，落得虚做人情。』随问帐下将士：『谁敢先取南郡？』一人应声而出，乃蒋钦也。瑜曰：『汝为先锋，徐盛、丁奉为副将，拨五千精锐军马，先渡江。吾随后引兵接应。』

且说曹仁在南郡，分付曹洪守彝陵，以为掎角之势。人报：『吴兵已渡汉江。』仁曰：『坚守勿战为上。』

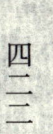

骁将牛金奋然进曰：『兵临城下而不出战，是怯也。况吾兵新败，正当重振锐气。某愿借精兵五百，决一死战。』仁从之，令牛金引五百军出战。丁奉纵马来迎。约战四五合，奉诈败，牛金引军追赶入阵。奉指挥众军一裹围牛金于阵中。金左右冲突，不能得出。曹仁在城上望见牛金困在垓心，遂披甲上马，引麾下壮士数百骑出城，奋力挥刀，杀入吴阵。徐盛迎战，不能抵当。曹仁杀到垓心，救出牛金。回顾尚有数十骑在阵，不能得出，遂复翻身杀入，救出重围。正遇蒋钦拦路，曹仁与牛金奋力冲散。仁弟曹纯，亦引兵接应，混杀一阵。吴军败走，曹仁得胜而回。蒋钦兵败，回见周瑜，瑜怒欲斩之，众将告免。

瑜即点兵，要亲与曹仁决战。甘宁曰：『都督未可造次。今曹仁令曹洪据守彝陵，为掎角之势；某愿以精兵三千，径取彝陵，都督然后可取南郡。』瑜服其论，先教甘宁领三千兵攻打彝陵。早有细作报知曹仁，仁与陈矫商议。矫曰：『彝陵有失，南郡亦不可守矣。宜速救之。』仁遂令曹纯与牛金暗地引兵救曹洪。曹纯先使人报知曹洪，令洪出城诱敌。甘宁引兵至彝陵，洪出与甘宁交锋。战有二十余合，洪败走。宁夺了彝陵。至黄昏时，曹纯、牛金兵到，两下相合，围了彝陵。探马飞

报周瑜，说甘宁困于彝陵城中。瑜大惊。程普曰：『可急分兵救之。』瑜曰：『此地正当冲要之处，若分兵去救，倘曹仁引兵来袭，奈何？』吕蒙曰：『甘兴霸乃江东大将，岂可不救？』瑜曰：『吾欲自往救之；但留何人在此，代当吾任？』蒙曰：『留凌公绩当之。蒙为前驱，都督断后，不须十日，必奏凯歌。』瑜曰：『未知凌公绩肯暂代吾任否？』凌统曰：『若十日为期，可当之；十日之外，不胜其任矣。』瑜大喜，遂留兵万余，付与凌统；即日起大兵投彝陵来。蒙谓瑜曰：『彝陵南僻小路，取南郡极便。可差五百军去砍倒树木，以断其路。彼军若败，必走此路；马不能行，必弃马而走，吾可得其马也。』瑜从之，差军去讫。大兵将至彝陵，瑜问：『谁可突围而入，以救甘宁？』周泰愿往，即时绰刀纵马，直杀入曹军之中，径到城下。甘宁望见周泰至，自出城迎之。泰言：『都督自提兵至。』宁传令教军士严装饱食，准备内应。却说曹洪、曹纯、牛金闻周瑜兵将至，先使人往南郡报知曹仁，一面分兵拒敌。及吴兵至，曹兵迎之。比及交锋，甘宁、周泰分两路杀出，曹兵大乱，吴兵四下掩杀。曹洪、曹纯、牛金果然投小路而走；却被乱柴塞道，马不能行，尽皆弃马而走。吴兵得马五百余匹。周瑜驱兵星夜赶到南郡，正遇曹仁军来救彝陵。两军接着，混战一场。天色已晚，各自收兵。

曹仁回城中，与众商议。曹洪曰：『目今失了彝陵，势已危矣，何不拆丞相遗计观之，以解此危？』曹仁曰：『汝言正合吾意。』遂拆书观之，大喜，便传令教五更造饭；平明，大小军马，尽皆弃城；城上遍插旌旗，虚张声势，军分三门而出。

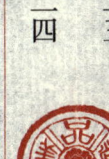

却说周瑜救出甘宁，陈兵于南郡城外。见曹兵分三门而出，瑜上将台观看。只见女墙边虚搠旌旗，无人守护；又见军士腰下各束缚包裹。瑜暗忖曹仁必先准备走路，遂下将台号令，分布两军为左右翼；如前军得胜，只顾向前追赶，直待鸣金，方许退步。命程普督后军，瑜亲自引军取城。对阵鼓声响处，曹洪出马搦战，瑜自至门旗下，使韩当出马，与曹洪交锋；战到三十余合，洪败走。曹仁自出接战，周泰纵马相迎；斗十余合，仁败走。阵势错乱。周瑜麾两翼军杀出，曹军大败。瑜自引军马追至南郡城下，曹军皆不入城，望西北而走。韩当、周泰引前部尽力追赶。瑜见城门大开，城上又无人，遂令众军抢城。数十骑当先而入。瑜在背后纵马加鞭，直入瓮城。陈矫在敌楼上，望见周瑜亲自入城来，暗暗喝采道：『丞相妙策如神！』

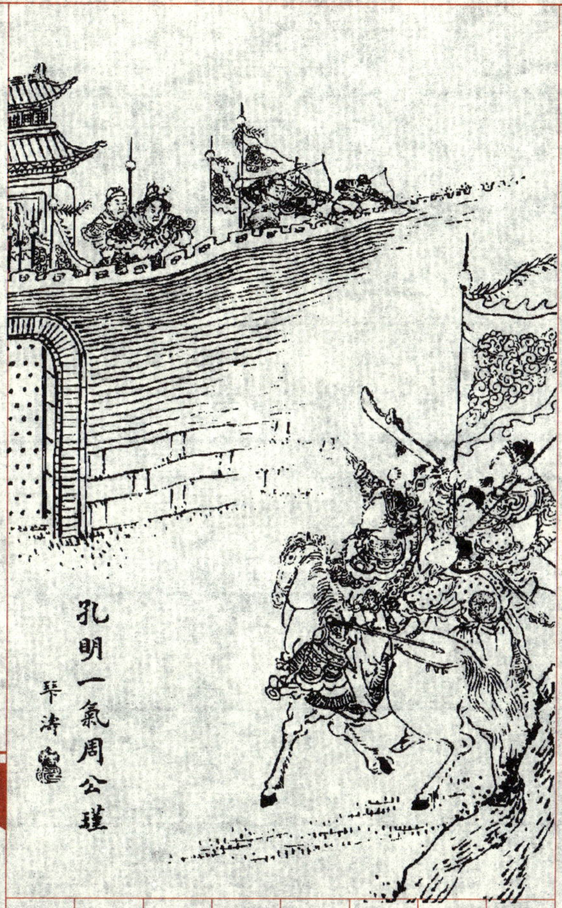


一声梆子响，两边弓弩齐发，势如骤雨。争先入城的，都颠入陷坑内。周瑜急勒马回时，被一弩箭，正射中左肋，翻身落马。牛金从城中杀出，来捉周瑜；徐盛、丁奉二人舍命救去。城中曹兵突出，吴兵自相践踏，落堑坑者无数。程普急收军时，曹仁、曹洪分兵两路杀回。吴兵大败。幸得凌统引一军从刺斜里杀来，敌住曹兵。曹仁引得胜兵进城，程普收败军回寨。丁、徐二将救得周瑜到帐中，唤行军医者用铁钳子拔出箭头，将金疮药敷掩疮口，疼不可当，饮食俱废。医者曰：『此箭头上有毒，急切不能痊可。若怒气冲激，其疮复发。』程普令三军紧守各寨，不许轻出。三日后，牛金引军来搦战，程普按兵不动。牛金骂至日暮方回，次日又来骂战。程普恐瑜生气，不敢报知。第三日，牛金直至寨门外叫骂，声声只道要捉周瑜。程普与众商议，欲暂且退兵，回见吴侯，却再理会。

却说周瑜虽患疮痛，心中自有主张，已知曹兵常来寨前叫骂，却不见众将来禀。一日，曹仁自引大军，擂鼓呐喊，前来搦战。程普拒住不出。周瑜唤入众将入帐问曰：『何处鼓噪呐喊？』众将曰：『军中教演士卒。』瑜怒曰：『何欺我也！吾已知曹兵常来寨前辱骂。程德谋既同掌兵权，何故坐视？』遂命人请程普入帐问之。普曰：『吾见公瑾病疮，医者言勿触怒，故曹兵搦战，不敢报知。』瑜曰：『公等不战，主意若何？』普曰：『众将皆欲收兵暂回江东。待公箭疮平复，再作区处。』瑜听罢，于床上奋然跃起曰：『大丈夫既食君禄，当死于战场，以马革裹尸还，幸也！岂可为我一人，而废国家大事乎？』言讫，即披甲上马。诸军众将，无不骇然。遂引数百骑出营前。望见曹兵已布成阵势，曹仁自立马于门旗下，扬鞭大骂曰：『周瑜孺子，料必横夭，再不敢正觑我兵！』骂犹未绝，瑜从群骑内突然出曰：『曹仁匹夫！见周郎否！』曹军看见，尽皆惊骇。曹仁回顾众将曰：『可大骂之！』众军厉声大骂。周瑜大怒，使潘璋出战。未及交锋，周瑜忽大叫一声，口中喷血，坠于马下。曹兵冲来，众将向前抵住，混战一场，救起周瑜，回到帐中。程普问曰：『都督贵体若何？』瑜密谓普曰：『此吾之计也。』普曰：『计将安出？』瑜曰：『吾身本无

甚痛楚，吾所以为此者，欲令曹兵知我病危，必然欺敌。可使心腹军士去城中诈降，说吾已死。今夜曹仁必来劫寨。吾却于四下埋伏以应之，则曹仁可一鼓而擒也。』程普曰：『此计大妙！』随就帐下举起哀声。众军大惊，尽传言都督箭疮大发而死，各寨尽皆挂孝。

却说曹仁在城中与众商议，言周瑜怒气冲发，金疮崩裂，以致口中喷血，坠于马下，不久必亡。正论间，忽报：『吴寨内有十数个军士来降。中间亦有二人，原是曹兵被掳过去的。』曹仁忙唤入问之。军士曰：『今日周瑜阵前金疮碎裂，归寨即死。今众将皆已挂孝举哀。我等皆受程普之辱，故特归降，便报此事。』曹仁大喜，随即商议今晚便去劫寨，夺周瑜之尸，斩其首级，送赴许都。陈矫曰：『此计速行，不可迟误。』曹仁遂令牛金为先锋，自为中军，曹洪、曹纯为合后，只留陈矫领些少军士守城，其余军兵尽起。初更后出城，径投周瑜大寨。来到寨门，不见一人，但见虚插旗枪而已。情知中计，急忙退军。四下炮声齐发：东边韩当、蒋钦杀来，西边周泰、潘璋杀来，南边徐盛、丁奉杀来，北边陈武、吕蒙杀来。曹兵大败，三路军皆被冲散，首尾不能相救。曹仁引十数骑杀出重围，正遇曹洪，遂引败残军马一同奔走。杀到五更，离南郡不远，一声鼓响，凌统又引一军拦住去路，截杀一阵。曹仁引军刺斜而走，又遇甘宁大杀一阵。曹仁不敢回南郡，径投襄阳大路而行。吴军赶了一程，自回。

周瑜、程普收住众军，径到南郡城下，见旌旗布满，敌楼上一将叫曰：『都督少罪！吾奉军师将令，已取城了。吾乃常山赵子龙也。』周瑜大怒，便命攻城。城上乱箭射下。瑜命且回军商议，使甘宁引数千



军马，径取荆州；凌统引数千军马，径取襄阳；然后却再取南郡未迟。正分拨间，忽然探马急来报说：『诸葛亮自得了南郡，遂用兵符，星夜诈调荆州守城军马来救，却教张飞袭了荆州。』又一探马飞来报说：『夏侯惇在襄阳，被诸葛亮差人赍兵符，诈称曹仁求救，诱惇引兵出，却教云长袭取了襄阳。二处城池，全不费力，皆属刘玄德矣。』周瑜曰：『诸葛亮怎得兵符？』程普曰：『他拿住陈矫，兵符自然尽属之矣。』周瑜大叫一声，金疮迸裂。正是：几郡城池无我分，一场辛苦为谁忙！未知性命如何，且看下文分解。

## 第五十二回　诸葛亮智辞鲁肃　赵子龙计取桂阳

却说周瑜见孔明袭了南郡，又闻他袭了荆襄，如何不气？气伤箭疮，半晌方苏。众将再三劝解。瑜曰：『若不杀诸葛村夫，怎息我心中怨气！程德谋可助我攻打南郡，定要夺还东吴。』正议间，鲁肃至。瑜谓之曰：『吾欲起兵与刘备、诸葛亮共决雌雄，复夺城池。子敬幸助我。』鲁肃曰：『不可。方今与曹操相持，尚未分成败；主公现攻合淝不下。不争自家互相吞并，倘曹兵乘虚而来，其势危矣。况刘玄德旧曾与曹操相厚，若逼得紧急，献了城池，一同攻打东吴，如之奈何？』瑜曰：『吾等用计策，损兵马，费钱粮，他去图现成，岂不可恨！』肃曰：『公瑾且耐。容某亲见玄德，将理来说他。若说不通，那时动兵未迟。』诸将曰：『子敬之言甚善。』

于是鲁肃引从者径投南郡来，到城下叫门。赵云出问，肃曰：『我要见刘玄德有话说。』云答曰：『吾主与军师在荆州城中。』肃遂不入南郡，径奔荆州。见旌旗整列，军容甚盛，肃暗羡曰：『孔明真非常人也！』军士报入城中，说鲁子敬要见。孔明令大开城门，接肃入衙。讲礼毕，分宾主而坐。茶罢，肃曰：『吾主吴侯，与都督公瑾，教某再三申意皇叔：前者，操引百万之众，名下江南，实欲来图皇叔；幸得东吴杀退曹兵，救了皇叔。所有荆州九郡，合当归于东吴。今皇叔用诡计，夺占荆襄，使江东空费钱粮军马，而皇叔安受其利，恐于理未顺。』孔明曰：『子敬乃高明之士，何故亦出此言？常言道：「物必归主。」荆襄九郡，非东吴之地，乃刘景升之基业。吾主固景升之弟也。景升虽亡，其子尚在；以叔辅侄，而取荆州，有何不可？』肃曰：『若果系公子刘琦占据，尚有可解；今公子在江夏，须不在这里！』孔明曰：『子敬欲见公子乎？』便命左右：『请公子出来。』只见两从者从屏风后扶出刘琦。琦谓肃曰：『病躯不能施礼，子敬勿罪。』鲁肃吃了一惊，默然无语，良久，言曰：『公子若不在，便如何？』孔明曰：『公子在一日，守一日；若不在，别有商议。』肃曰：『若公子不在，须将城池还我东吴。』孔明曰：『子敬之言是也。』遂设宴相待。

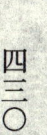

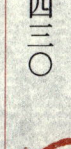

宴罢，肃辞出城，连夜归寨，具言前事。瑜曰：『刘琦正青春年少，如何便得他死？这荆州何日得还？』肃曰：『都督放心。只在鲁肃身上，务要讨荆襄还东吴。』瑜曰：『子敬有何高见？』肃曰：『吾观刘琦过于酒色，病入膏肓，现今面色羸瘦，气喘呕血；不过半年，其人必死。那时往取荆州，刘备须无得推故。』周瑜犹自忿气未消，忽孙权遣使至。瑜令请入。使曰：『主公围合淝，累战不捷。特令都督收回大军，且拨兵赴合淝相助。』周瑜只得班师回柴桑养病，令程普部领战船士卒，来合淝听孙权调用。

却说刘玄德自得荆州、南郡、襄阳，心中大喜，商议久远之计。忽见一人上厅献策，视之，乃伊籍也。玄德感其旧日之恩，十分相敬，坐而问之。籍曰：『要知荆州久远之计，何不求贤士以问之？』玄德曰：『贤士安在？』籍曰：『荆襄马氏，兄弟五人并有才名：幼者名谡，字幼常；其最贤者，眉间有白毛，名良，字季常。乡里为之谚曰：「马氏五常，白眉最良。」公何不求此人而与之谋？』玄德遂命请之。马良

至，玄德优礼相待，请问保守荆襄之策。良曰：『荆襄四面受敌之地，恐不可久守；可令公子刘琦于此养病，招谕旧人以守之，就表奏公子为荆州刺史，以安民心。然后南征武陵、长沙、桂阳、零陵四郡，积收钱粮，以为根本。此久远之计也。』玄德大喜，遂问：『四郡当先取何郡？』良曰：『湘江之西，零陵最近，可先取之；次取武陵。然后湘江之东取桂阳；长沙为后。』玄德遂用马良为从事，伊籍副之。请孔明商议送刘琦回襄阳，替云长回荆州。便调兵取零陵，差张飞为先锋，赵云合后，孔明、玄德为中军，人马一万五千；留云长守荆州；糜竺、刘封守江陵。

却说零陵太守刘度，闻玄德军马到来，乃与其子刘贤商议。贤曰：『父亲放心。他虽有张飞、赵云之勇，我本州上将邢道荣，力敌万人，可以抵对。』刘度遂命刘贤与邢道荣引兵万余，离城三十里，依山靠水下寨。探马报说：『孔明自引一军到来。』道荣便引军出战。两阵对圆，道荣出马，手使开山大斧，厉声高叫：『反贼安敢侵我境界！』只见对阵中，一簇黄旗出。旗开处，推出一辆四轮车，车中端坐一人，头戴纶巾，身披鹤氅，手执羽扇，用扇招邢道荣曰：『吾乃南阳诸葛孔明也。曹操引百万之众，被吾聊施小计，杀得片甲不回。汝等岂堪与我对敌？我今来招安汝等，何不早降？』道荣大笑曰：『赤壁鏖兵，乃周郎之谋也，干汝何事，敢来诳语！』轮大斧竟奔孔明。孔明便回车，望阵中走，阵门复闭。道荣直冲杀过来，阵势急分两下而走。道荣遥望中央一簇黄旗，料是孔明，乃只望黄旗而赶。抹过山脚，黄旗扎住，忽地中央分开，不见四轮车，只见一将挺矛跃马，大喝一声，直取道荣，乃张翼德也。道荣轮大斧来迎，战不数合，气力



不加，拨马便走。翼德随后赶来，喊声大震，两下伏兵齐出。道荣舍死冲过，前面一员大将，拦住去路，大叫：『认得常山赵子龙否！』道荣料敌不过，又无处奔走，只得下马请降。子龙缚来寨中见玄德、孔明。玄德喝教斩首。孔明急止之，问道荣曰：『汝若与我捉了刘贤，便准你投降。』道荣连声愿往。孔明曰：『你用何法捉他？』道荣曰：『军师若肯放某回去，某自有巧说。今晚军师调兵劫寨，某为内应，活捉刘贤，献与军师。刘贤既擒，刘度自降矣。』玄德不信其言。孔明曰：『邢将军非谬言也。』遂放道荣归。道荣得放回寨，将前事实诉刘贤。贤曰：『如之奈何？』道荣曰：『可将计就计。今夜将兵伏于寨外，寨中虚立旗旛，待孔明来劫寨，就而擒之。』刘贤依计。

当夜二更，果然有一彪军到寨口，每人各带草把，一齐放火。刘贤、道荣两下杀来，放火军便退。刘贤、道荣两军乘势追赶，赶了十余里，军皆不见。刘贤、道荣大惊，急回本寨，只见火光未灭，寨中突出一将，乃张翼德也。刘贤叫道荣：『不可入寨，却去劫孔明寨便了。』于是复回军。走不十里，赵云引一军刺斜里杀出，一枪刺道荣于马下。刘贤急拨马奔走，背后张飞赶来，

活捉过马，绑缚见孔明。贤告曰：『邢道荣教某如此，实非本心也。』孔明令释其缚，与衣穿了，赐酒压惊，教人送入城说父投降；如其不降，打破城池，满门尽诛。刘贤回零陵见父刘度，备述孔明之德，劝父投降。度从之，遂于城上竖起降旗，大开城门，赍捧印绶出城，竟投玄德大寨纳降。孔明教刘度仍为郡守，其子刘贤赴荆州随军办事。零陵一郡居民，尽皆喜悦。

玄德入城安抚已毕，赏劳三军。乃问众将曰：『零陵已取了，桂阳郡何人敢取？』赵云应曰：『某愿往。』张飞奋然出曰：『飞亦愿往！』二人相争。孔明曰：『终是子龙先应，只教子龙去。』张飞不服，定要去取。孔明教拈阄，拈着的便去。又是子龙拈着。张飞怒曰：『我并不要人相帮，只独领三千军去，稳取城池。』赵云曰：『某也只领三千军去。如不得城，愿受军令。』孔明大喜，责了军令状，选三千精兵付赵云去。张飞不服，玄德喝退。

赵云领了三千人马，径往桂阳进发。早有探马报知桂阳太守赵范。范急聚众商议。管军校尉陈应、鲍隆愿领兵出战。原来二人都是桂阳岭山乡猎户出身，陈应会使飞叉，鲍隆曾射杀双虎。二人自恃勇力，乃对赵范曰：『刘备若来，某二人愿为前部。』赵范曰：『我闻刘玄德乃大汉皇叔；更兼孔明多谋，关、张极勇；今领兵来的赵子龙，在当阳长坂百万军中，如入无人之境。我桂阳能有多少人马？不可迎敌，只可投降。』应曰：『某请出战。若擒不得赵云，那时任太守投降不迟。』赵范拗不过，只得应允。

陈应领三千人马出城迎敌，早望见赵云领军来到。陈应列成阵势，飞马绰叉而出。赵云挺枪出马，责

## 第五十二回 诸葛亮智辞鲁肃 赵子龙计取桂阳



骂陈应曰：『吾主刘玄德，乃刘景升之弟，今辅公子刘琦同领荆州，特来抚民。汝何敢迎敌！』陈应骂曰：『我等只服曹丞相，岂顺刘备！』赵云大怒，挺枪骤马，直取陈应。应捻叉来迎。两马相交，战到四五合，陈应料敌不过，拨马便走。赵云追赶。陈应回顾赵云马来相近，用飞叉掷去，被赵云接住，回掷陈应。应急躲过，云马早到，将陈应活捉过马，掷于地下，喝军士绑缚回寨。败军四散奔走。云入寨叱陈应曰：『量汝安敢敌我！我今不杀汝，放汝回去；说与赵范，早来投降。』陈应谢罪，抱头鼠窜，回到城中，对赵范尽言其事。范曰：『我本欲降，汝强要战，以致如此。』遂叱退陈应，赍捧印绶，引十数骑出城投大寨纳降。云出寨迎接，待以宾礼，置酒共饮，纳了印绶。酒至数巡，范曰：『将军姓赵，某亦姓赵，五百年前，合是一家。将军乃真定人，某亦真定人，又是同乡。倘得不弃，结为兄弟，实为万幸。』云大喜，各叙年庚。云与范同年。云长范四个月，范遂拜云为兄。二人同乡，同年，又同姓，十分相得。至晚席散，范辞回城。次日，范请云入城安民。云教军士休动，只带五十骑随入城中。居民执香伏道而接。云安民已毕，赵范邀请入衙饮宴。酒至半酣，范复邀云入后堂深处，洗盏更酌。云饮微醉。范忽请出一妇人，与云把酒。子龙见妇人身穿缟素，有倾国倾城之色，乃问范曰：『此何人也？』范曰：『家嫂樊氏也。』子龙改容敬之。樊氏把盏毕，范令就坐。云辞谢。樊氏辞归后堂。云曰：『贤弟何必烦令嫂举杯耶？』范笑曰：『中间有个缘故，乞兄勿阻：先兄弃世已三载，家嫂寡居，终非了局，弟常劝其改嫁。嫂曰：「若得三件事兼全之人，我方嫁之：第一要文武双全，名闻天下；第二要相貌堂堂，威仪出众；第三要与家兄同姓。」你

道天下那得有这般凑巧的？今尊兄堂堂仪表，名震四海，又与家兄同姓，正合家嫂所言。若不嫌家嫂貌陋，愿陪嫁资，与将军为妻，结累世之亲，如何？』云闻言大怒而起，厉声曰：『吾既与汝结为兄弟，汝嫂即吾嫂也，岂可作此乱人伦之事乎！』赵范羞惭满面，答曰：『我好意相待，如何这般无礼！』遂目视左右，有相害之意。云已觉，一拳打倒赵范，径出府门，上马出城去了。

范急唤陈应、鲍隆商议。应曰：『这人发怒去了，只索与他厮杀。』范曰：『但恐赢他不得。』鲍隆曰：『我两个诈降在他军中，太守却引兵来搦战，我二人就阵上擒之。』陈应曰：『必须带些人马。』隆曰：『五百骑足矣。』当夜二人引五百军径奔赵云寨来投降。云已心知其诈，遂教唤入。二将到帐下，说：『赵范欲用美人计赚将军，只等将军醉了，扶入后堂谋杀，将头去曹丞相处献功：如此不仁。某二人见将军怒出，必连累于某，因此投降。』赵云佯喜，置酒与二人痛饮。二人大醉，云乃缚于帐中，擒其手下人问之，果是诈降。云唤五百军入，各赐酒食，传令曰：『要害我者，陈应、鲍隆也；不干众人之事。汝等听吾行计，皆有重赏。』众军拜谢。将降将陈、鲍二人当时斩了；却教五百军引路，云引一千军在后，连夜到桂阳城下叫门。城上听时，说陈鲍二将军杀了赵云回军，请太守商议事务。城上将火照看，果是自家军马。赵范急忙出城。云喝左右捉下。遂入城，安抚百姓已定，飞报玄德。

玄德与孔明亲赴桂阳。云迎接入城，推赵范于阶下。孔明问之，范备言以嫂许嫁之事。孔明谓云曰：『此亦美事，公何如此？』云曰：『赵范既与某结为兄弟，今若娶其嫂，惹人唾骂，一也；其妇再嫁，使失大节，二也；赵范初降，其心难测，三也。主公新定江汉，枕席未安，云安敢以一妇人而废主公大事？』玄德曰：『今日大事已定，与汝娶之，若何？』云曰：『天下女子不少，但恐名誉不立，何患无妻子乎？』玄德曰：『子龙真丈夫也！』遂释赵范，仍令为桂阳太守，重赏赵云。

张飞大叫曰：『偏子龙干得功！偏我是无用之人！只拨三千军马与我去取武陵郡，活捉太守金旋来献！』孔明大喜曰：『翼德要去不妨，但要依一件事。』正是：军师决胜多奇策，将士争先立战功。未知孔明说出那一件事来，且看下文分解。

## 第五十三回　关云长义释黄汉升　孙仲谋大战张文远

却说孔明谓张飞曰：『前者子龙取桂阳郡时，责下军令状而去。今日翼德要取武陵，必须也责下军令状，方可领兵去。』张飞遂立军令状，欣然领三千军，星夜投武陵界上来。金旋听得张飞引兵到，乃集将校，整点精兵器械，出城迎敌。从事巩志谏曰：『刘玄德乃大汉皇叔，仁义布于天下；加之张翼德骁勇非常。不可迎敌，不如纳降为上。』金旋大怒曰：『汝欲与贼通连为内变耶？』喝令武士推出斩之。众官皆告曰：『先斩家人，于军不利。』金旋乃喝退巩志，自率兵出。离城二十里，正迎张飞。飞挺矛立马，大喝金旋。旋问部将：『谁敢出战？』众皆畏惧，莫敢向前。旋自骤马舞刀迎之。张飞大喝一声，浑如巨雷，金旋失色，不敢交锋，拨马便走。飞引众军随后掩杀。金旋走至城边，城上乱箭射下。旋惊视之，见巩志立于城上曰：『汝不顺天时，自取败亡，吾与百姓自降刘矣。』言未毕，一箭射中金旋面门，坠于马下，军士割头献张飞。巩志出城纳降，飞就令巩志赍印绶，往桂阳见玄德。玄德大喜，遂令巩志代金旋之职。

玄德亲至武陵安民毕，驰书报云长，言翼德、子龙各得一郡。云长乃回书上请曰：『闻长沙尚未取，如兄长不以弟为不才，教关某干这件功劳甚好。』玄德大喜，遂教张飞星夜去替云长守荆州，令云长来取长沙。云长既至，入见玄德、孔明。孔明曰：『子龙取桂阳，翼德取武陵，都是三千军去。今长沙太守韩玄，固不足道。只是他有一员大将，乃南阳人，姓黄，名忠，字汉升；是刘表帐下中郎将，与刘表之侄刘磐共守长沙，后事韩玄；虽今年近六旬，却有万夫不当之勇，不可轻敌。云长去，必须多带军马。』云长曰：『军师何故长别人锐气，灭自己威风？量一老卒，何足道哉！关某不须用三千军，只消本部下五百名校刀手，决定斩黄忠、韩玄之首，献来麾下。』玄德苦挡。云长不依，只领五百校刀手而去。孔明谓玄德曰：『云长轻敌黄忠，只恐有失。主公当往接应。』玄德从之，随后引兵望长沙进发。

却说长沙太守韩玄，平生性急，轻于杀戮，众皆恶之。是时听知云长军到，便唤老将黄忠商议。忠曰：『不须主公忧虑。凭某这口刀，这张弓，一千个来，一千个死！』原来黄忠能开二石力之弓，百发百中。言未毕，阶下一人应声而出曰：『不须老将军出战，只就某手中定活捉关某。』韩玄视之，乃管军校尉杨龄。韩玄大喜，遂令杨龄引军一千，飞奔出城。约行五十里，望见尘头起处，云长军马早到。杨龄挺枪出马，立于阵前骂战。云长大怒，更不打话，飞马舞刀，直取杨龄。龄挺枪来迎。不三合，云长手起刀落，砍杨龄于马下。追杀败兵，直至城下。韩玄闻之大惊，便教黄忠出马。玄自来城上观看。忠提刀纵马，引五百

骑兵飞过吊桥。云长见一老将出马，知是黄忠，把五百校刀手一字摆开，横刀立马而问曰：『来将莫非黄忠否？』忠曰：『既知我名，焉敢犯我境！』云长曰：『特来取汝首级！』言罢，两马交锋。斗一百余合，不分胜负。韩玄恐黄忠有失，鸣金收军。黄忠收军入城。云长也退军，离城十里下寨，心中暗忖：『老将黄忠，名不虚传：斗一百合，全无破绽。来日必用拖刀计，背砍赢之。』

次日早饭毕，又来城下搦战。韩玄坐在城上，教黄忠出马。忠引数百骑杀过吊桥，再与云长交马。又斗五六十合，胜负不分。两军齐声喝采。鼓声正急时，云长拨马便走。黄忠赶来。云长方欲用刀砍去，忽听得脑后一声响；急回头看时，见黄忠被战马前失，掀在地下。云长急回马，双手举刀猛喝曰：『我且饶你性命！快换马来厮杀！』黄忠急提起马蹄，飞身上马，奔入城中。玄惊问之。忠曰：『此马久不上阵，故有此失。』玄曰：『汝箭百发百中，何不射之？』忠曰：『来日再战，必然诈败，诱到吊桥边射之。』玄以自己所乘一匹青马与黄忠。忠拜谢而退，寻思：『难得云长如此义气！他不忍杀害我，我又安忍射他？若不射，又恐违了将令。』是夜踌躇未定。次日天晓，人报云长搦战。忠领兵出城。云长两日战黄忠不下，十分焦躁，抖擞威风，与忠交马。战不到三十余合，忠诈败，云长赶来。忠想昨日不杀之恩，不忍便射，带住刀，把弓虚拽弦响，云长急闪，却不见箭；云长又赶，忠又虚拽，云长急闪，又无箭；只道黄忠不会射，放心赶来。将近吊桥，黄忠在桥上搭箭开弓，弦响箭到，正射在云长盔缨根上。前面军齐声喊起。云长吃了一惊，带箭回寨，方知黄忠有百步穿杨之能，今日只射盔缨，正是报昨日不杀之恩也。云长领兵而退。

黄忠回到城上来见韩玄，玄便喝左右捉下黄忠。忠叫曰：『无罪！』玄大怒曰：『我看了三日，汝敢欺我！汝前日不力战，必有私心；昨日马失，他不杀汝，必有关通；今日两番虚拽弓弦，第三箭却止射他盔缨，如何不是外通内连？若不斩汝，必为后患！』喝令刀斧手推下城门外斩之。众将欲告，玄曰：『但告免黄忠者，便是同情！』刚推到门外，恰欲举刀，忽然一将挥刀杀入，砍死刀手，救起黄忠，大叫曰：『黄汉升乃长沙之保障，今杀汉升，是杀长沙百姓也！韩玄残暴不仁，轻贤慢士，当众共殛之！愿随我者便来！』众视其人，面如重枣，目若朗星，乃义阳人魏延也。自襄阳赶刘玄德不着，来投韩玄；玄怪其傲慢少礼，不肯重用，故屈沉于此。当日救下黄忠，教百姓同杀韩玄，袒臂一呼，相从者数百余人。黄忠拦当不住。魏延直杀上城头，一刀砍韩玄为两段，提头上马，引百姓出城，投拜云长。云长大喜，遂入城。安抚已毕，请黄忠相见；忠托病不出。云长即使人去请玄德、孔明。

却说玄德自云长来取长沙，与孔明随后催促人马接应。正行间，青旗倒卷，一鸦自北南飞，连叫三声而去。玄德曰：『此应何祸福？』孔明就马上袖占一课，曰：『长沙郡已得，又主得大将。午时后定见分晓。』少顷，见一小校飞报前来，说：『关将军已得长沙郡，降将黄忠、魏延。耑(zhuān)等主公到彼。』玄德大喜，遂入长沙。云长接入厅上，具言黄忠之事。玄德乃亲往黄忠家相请，忠方出降，求葬韩玄尸首于长沙之东。后人有诗赞黄忠曰：

将军气概与天参，白发犹然困汉南。至死甘心无怨望，临降低首尚怀惭。

宝刀灿雪彰神勇，铁骑临风忆战酣。千古高名应不泯，长随孤月照湘潭。

玄德待黄忠甚厚。云长引魏延来见，孔明喝令刀斧手推下斩之。玄德惊问孔明曰：『魏延乃有功无罪之人，军师何故欲杀之？』孔明曰：『食其禄而杀其主，是不忠也；居其土而献其地，是不义也。吾观魏延脑后有反骨，久后必反，故先斩之，以绝祸根。』玄德曰：『若斩此人，恐降者人人自危。望军师恕之。』孔明指魏延曰：『吾今饶汝性命。汝可尽忠报主，勿生异心；若生异心，我好歹取汝首级。』魏延喏喏连声而退。黄忠荐刘表侄刘磐——现在攸县闲居，玄德取回，教掌长沙郡。四郡已平，玄德班师回荆州，改油江口为公安。自此钱粮广盛，贤士归之；将军马四散屯于隘口。

却说周瑜自回柴桑养病，令甘宁守巴陵郡，令凌统守汉阳郡，二处分布战船，听候调遣。程普引其余将士投合淝县来。原来孙权自从赤壁鏖兵之后，久在合淝，与曹兵交锋，大小十余战，未决胜负，不敢逼城下寨，离城五十里屯兵。闻程普兵到，孙权大喜，亲自出营劳军。人报鲁子敬先至，权乃下马立待之。肃慌忙滚鞍下马施礼。众将见权如此待肃，皆大惊异。权请肃上马，并辔而行，密谓曰：『孤下马相迎，足显公否？』肃曰：『未也。』权曰：『然则何如而后为显耶？』肃曰：『愿明公威德加于四海，总括九州，克成帝业，使肃名书竹帛，始为显矣。』权抚掌大笑。同至帐中，大设饮宴，犒劳鏖兵将士，商议破合淝之策。

忽报张辽差人来下战书。权拆书观毕，大怒曰：『张辽欺吾太甚！汝闻程普军来，故意使人搦战！来日吾不用新军赴敌，看我大战一场！』传令当夜五更，三军出寨，望合淝进发。辰时左右，军马行至半途，



曹兵已到。两边布成阵势。孙权金盔金甲，披挂出马；左宋谦，右贾华，二将使方天画戟，两边护卫。三通鼓罢，曹军阵中，门旗两开，三员将全装惯带，立于阵前：中央张辽，左边李典，右边乐进。张辽纵马当先，专搦孙权决战。权绰枪欲自战，阵门中一将挺枪骤马早出，乃太史慈也。张辽挥刀来迎。两将战有七八十合，不分胜负。曹阵上李典谓乐进曰：『对面金盔者，孙权也。若捉得孙权，足可与八十三万大军报仇。』说犹未了，乐进一骑马，一口刀，从刺斜里取孙权，如一道电光，飞至面前，手起刀落。宋谦、贾华急将画戟遮架。刀到处，两枝戟齐断，只将戟杆望马头上打。乐进回马，宋谦绰军士手中枪赶来。李典搭上箭，望宋谦心窝里便射，应弦落马。太史慈见背后有人堕马，弃却张辽，望本阵便回。张辽乘势掩杀过来，吴兵大乱，四散奔走。张辽望见孙权，骤马赶来。看看赶上，刺斜里撞出一军，为首大将，乃程普也；截杀一阵，救了孙权。张辽收军自回合淝。

程普保孙权归大寨，败军陆续回营。孙权因见折了宋谦，放声大哭。长史张纮曰：『主公恃盛壮之气，轻视大敌，三军之众，莫不寒心。即使斩将搴(qiān)旗，威振疆场，亦偏将之任，非主公所宜也。愿抑贲、育之勇，怀王霸之计。且今日宋谦死于锋镝之下，皆主公轻敌之故。今后切宜保重。』权曰：『是孤之过也。从今当改之。』少顷，太史慈入帐，言：『某手下有一人，姓戈，名定，与张辽手下养马后槽是弟兄。后槽被责怀怨，今晚使人报来，举火为号，刺杀张辽，以报宋谦之仇。某请引兵为外应。』权曰：『戈定何在？』太史慈曰：『已混入合淝城中去了。某愿乞五千兵去。』诸葛瑾曰：『张辽多谋，恐有准备，不可造次。』

太史慈坚执要行。权因伤感宋谦之死，急要报仇，遂令太史慈引兵五千，去为外应。

却说戈定乃太史慈乡人，当日杂在军中，随入合淝城，寻见养马后槽，两个商议。戈定曰：『我已使人报太史慈将军去了，今夜必来接应。你如何用事？』后槽曰：『此间离中军较远，夜间急不能进，只就草堆上放起一把火，你去前面叫反，城中兵乱，就里刺杀张辽，余军自走也。』戈定曰：『此计大妙！』是夜张辽得胜回城，赏劳三军，传令不许解甲宿睡。左右曰：『今日全胜，吴兵远遁，将军何不卸甲安息？』辽曰：『非也。为将之道：勿以胜为喜，勿以败为忧。倘吴兵度我无备，乘虚攻击，何以应之？今夜防备，当比每夜更加谨慎。』说犹未了，后寨火起，一片声叫反，报者如麻。张辽出帐上马，唤亲从将校十数人，当道而立。左右曰：『喊声甚急，可往观之。』辽曰：『岂有一城皆反者？此是造反之人，故惊军士耳。如乱者先斩！』无移时，李典擒戈定并后槽至。辽询得其情，立斩于马前。只听得城门外鸣锣击鼓，喊声大震。辽曰：『此是吴兵外应，可就计破之。』便令人于城门内放起一把火，众皆叫反，大开城门，放下吊桥。太史慈见城门大开，只道内变，挺枪纵马先入。城上一声炮响，乱箭射下，太史慈急退，身中数箭。背后李典、乐进杀出，吴兵折其大半，乘势直赶到寨前。陆逊、董袭杀出，救了太史慈。曹兵自回。孙权见太史慈身带重伤，愈加伤感。张昭请权罢兵。权从之，遂收兵下船，回南徐润州。比及屯住军马，太史慈病重，权使张昭等问安，太史慈大叫曰：『大丈夫生于乱世，当带三尺剑立不世之功；今所志未遂，奈何死乎！』言讫而亡，年四十一岁。后人有诗赞曰：

矢志全忠孝，东莱太史慈；姓名昭远塞，弓马震雄师；
北海酬恩日，神亭酣战时。临终言壮志，千古共嗟咨！

孙权闻慈死，伤悼不已，命厚葬于南徐北固山下，养其子太史亨于府中。

却说玄德在荆州整顿军马，闻孙权合淝兵败，已回南徐，与孔明商议。孔明曰：『亮夜观星象，见西北有星坠地，必应折一皇族。』正言间，忽报公子刘琦病亡。玄德闻之，痛哭不已。孔明劝曰：『生死分定，主公勿忧，恐伤贵体。且理大事：可急差人到彼守御城池，并料理葬事。』玄德曰：『谁可去？』孔明曰：『非云长不可。』即时便教云长前去襄阳保守。玄德曰：『今日刘琦已死，东吴必来讨荆州，如何对答？』孔明曰：『若有人来，亮自有言对答。』过了半月，人报东吴鲁肃特来吊丧。正是：先将计策安排定，只等东吴使命来。未知孔明如何对答，且看下文分解。

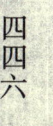

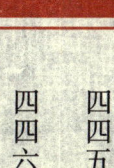

## 第五十四回　吴国太佛寺看新郎　刘皇叔洞房续佳偶

却说孔明闻鲁肃到，与玄德出城迎接，接到公廨，相见毕。肃曰：『主公闻令侄弃世，特具薄礼，遣某前来致祭。周都督再三致意刘皇叔、诸葛先生。』玄德、孔明起身称谢，收了礼物，置酒相待。肃曰：『前者皇叔有言：「公子不在，即还荆州。」今公子已去世，必然见还。不识几时可以交割？』玄德曰：『公且饮酒，有一个商议。』肃强饮数杯，又开言相问。玄德未及回答，孔明变色曰：『子敬好不通理，直须待人开口！自我高皇帝斩蛇起义，开基立业，传至于今；不幸奸雄并起，各据一方；少不得天道好还，复归正统。我主人乃中山靖王之后，孝景皇帝玄孙，今皇上之叔，岂不可分茅裂土？况刘景升乃我主之兄也，弟承兄业，有何不顺？汝主乃钱塘小吏之子，素无功德于朝廷；今倚势力，占据六郡八十一州，尚自贪心不足，而欲并吞汉土。刘氏天下，我主姓刘倒无分，汝主姓孙反要强争？且赤壁之战，我主多负勤劳，众将并皆用命，岂独是汝东吴之力？若非我借东南风，周郎安能展半筹之功？江南一破，休说二乔置于铜雀宫，虽公等家小，亦不能保。适来我主人不即答应者，以子敬乃高明之士，不待细说。何公不察之甚也！』

一席话，说得鲁子敬缄口无言；半晌乃曰：『孔明之言，怕不有理；争奈鲁肃身上甚是不便。』孔明曰：『有何不便处？』肃曰：『昔日皇叔当阳受难时，是肃引孔明渡江，见我主公；后来周公瑾要兴兵取荆州，又是肃挡住；至说待公子去世还荆州，又是肃担承：今却不应前言，教鲁肃如何回覆？我主与周公瑾必然见罪。肃死不恨，只恐惹恼东吴，兴动干戈，皇叔亦不能安坐荆州，空为天下耻笑耳。』孔明曰：『曹操统百万之众，动以天子为名，吾亦不以为意，岂惧周郎一小儿乎！若恐先生面上不好看，我劝主人立纸文书，暂借荆州为本；待我主别图得城池之时，便交付还东吴。此论如何？』肃曰：『孔明待夺得何处，还我荆州？』孔明曰：『中原急未可图；西川刘璋暗弱，我主将图之。若图得西川，那时便还。』肃无奈，只得听从。玄德亲笔写成文书一纸，押了字。保人诸葛孔明也押了字。孔明曰：『亮是皇叔这里人，难道自家作保？烦子敬先生也押个字，回见吴侯也好看。』肃曰：『某知皇叔乃仁义之人，必不相负。』遂押了字，收了文书。宴罢辞回。玄德与孔明，送到船边。孔明嘱曰：『子敬回见吴侯，善言伸意，休生妄想。若不准我文书，我翻了面皮，连八十一州都夺了。今只要两家和气，休教曹贼笑话。』

肃作别下船而回，先到柴桑郡见周瑜。瑜问曰：『子敬讨荆州如何？』肃曰：『有文书在此。』呈与周瑜。瑜顿足曰：『子敬中诸葛之谋也！名为借地，实是混赖。』他说取了西川便还，知他几时取西川？假如十年不得西川，十年不还？这等文书，如何中用，你却与他做保！他若不还时，必须连累足下，主公见罪奈何？』肃闻言，呆了半晌，曰：『恐玄德不负我。』瑜曰：『子敬乃诚实人也。刘备枭雄之辈，诸葛亮奸猾之徒，恐不似先生心地。』肃曰：『若此，如之奈何？』瑜曰：『子敬是我恩人，想昔日指困相赠之情，如何不救你？你且宽心住数日，待江北探细的回，别有区处。』鲁肃跼(jú)蹐(jí)不安。

过了数日，细作回报：『荆州城中扬起布幡做好事，城外别建新坟，军士各挂孝。』瑜惊问曰：『没

了甚人？』细作曰：『刘玄德没了甘夫人，即日安排殡葬。』瑜谓鲁肃曰：『吾计成矣：使刘备束手就缚，荆州反掌可得！』肃曰：『计将安出？』瑜曰：『刘备丧妻，必将续娶。主公有一妹，极其刚勇，侍婢数百，居常带刀，房中军器摆列遍满，虽男子不及。我今上书主公，教人去荆州为媒，说刘备来入赘。赚到南徐，妻子不能勾得，幽囚在狱中，却使人去讨荆州换刘备。等他交割了荆州城池，我别有主意。于子敬身上，须无事也。』鲁肃拜谢。周瑜写了书呈，选快船送鲁肃投南徐见孙权，先说借荆州一事，呈上文书。权曰：『你却如此糊涂！这样文书，要他何用！』肃曰：『周都督有书呈在此，说用此计，可得荆州。』权看毕，点头暗喜，寻思谁人可去。猛然省曰：『非吕范不可。』遂召吕范至，谓曰：『近闻刘玄德丧妇。吾有一妹，欲招赘玄德为婿，永结姻亲，同心破曹，以扶汉室。非子衡不可为媒，望即往荆州一言。』范领命，即日收拾船只，带数个从人，望荆州来。

却说玄德自没了甘夫人，昼夜烦恼。一日，正与孔明闲叙，人报东吴差吕范到来。孔明笑曰：『此乃周瑜之计，必为荆州之故。亮只在屏风后潜听。但有甚说话，主公都应承了。留来人在馆驿中安歇，别作商议。』玄德教请吕范入。礼毕坐定，茶罢，玄德问曰：『子衡来，必有所谕？』范曰：『范近闻皇叔失偶，有一门好亲，故不避嫌，特来作媒。未知尊意若何？』玄德曰：『中年丧妻，大不幸也。骨肉未寒，安忍便议亲？』范曰：『人若无妻，如屋无梁，岂可中道而废人伦？吾主吴侯有一妹，美而贤，堪奉箕帚。若两家共结秦晋之好，则曹贼不敢正视东南也。此事家国两便，请皇叔勿疑。但我国太吴夫人甚爱幼女，不





肯远嫁，必求皇叔到东吴就婚。』玄德曰：『此事吴侯知否？』范曰：『不先禀吴侯，如何敢造次来说！』玄德曰：『吾年已半百，鬓发斑白；吴侯之妹，正当妙龄：恐非配偶。』范曰：『吴侯之妹，身虽女子，志胜男儿。常言：「若非天下英雄，吾不事之。」今皇叔名闻四海，正所谓淑女配君子，岂以年齿上下相嫌乎！』玄德曰：『公用少留，来日回报。』是日设宴相待，留于馆舍。至晚，与孔明商议。孔明曰：『来意亮已知道了。适间卜《易》，得一大吉大利之兆。主公便可应允。先教孙乾和吕范回见吴侯，面许已定，择日便去就亲。』玄德曰：『周瑜定计欲害刘备，岂可以身轻入危险之地？』孔明大笑曰：『周瑜虽能用计，岂能出诸葛亮之料乎！略用小谋，使周瑜半筹不展，吴侯之妹，又属主公；荆州万无一失。』玄德怀疑未决。孔明竟教孙乾往江南说合亲事。孙乾领了言语，与吕范同到江南，来见孙权。权曰：『吾愿将小妹招赘玄德，并无异心。』孙乾拜谢，回荆州见玄德，言：『吴侯专候主公去结亲。』玄德怀疑不敢往。孔明曰：『吾已定下三条计策，非子龙不可行也。』遂唤赵云近前，附耳言曰：『汝保主公入吴，当领此三个锦囊。囊中有三条妙计，依次而行。』即将三个锦囊，与云贴肉收藏。孔明先使人往东吴纳了聘，一切完备。

时建安十四年冬十月。玄德与赵云、孙乾取快船十只，随行五百余人，离了荆州，前往南徐进发。荆州之事，皆听孔明裁处。玄德心中怏怏不安。到南徐州，船已傍岸，云曰：『军师分付三条妙计，依次而行。今已到此，当先开第一个锦囊来看。』于是开囊看了计策。便唤五百随行军士，一一分付如此如此，众军领命而去。又教玄德先往见乔国老。那乔国老乃二乔之父，居于南徐。玄德牵羊担酒，先往拜见，说吕范

为媒，娶夫人之事。随行五百军士，俱披红挂彩，入南徐买办物件，传说玄德入赘东吴，城中人尽知其事。孙权知玄德已到，教吕范相待，且就馆舍安歇。

却说乔国老既见玄德，便入见吴国太贺喜。国太曰：『有何喜事？』乔国老曰：『令爱已许刘玄德为夫人，今玄德已到，何故相瞒？』国太惊曰：『老身不知此事！』便使人请吴侯问虚实，一面先使人于城中探听。人皆回报：『果有此事。女婿已在馆驿安歇，五百随行军士都在城中买猪羊果品，准备成亲。做媒的女家是吕范，男家是孙乾，俱在馆驿中相待。』国太吃了一惊。少顷，孙权入后堂见母亲。国太捶胸大骂。权曰：『母亲何故烦恼？』国太曰：『你直如此将我看承得如无物！我姐姐临危之时，分付你甚么话来！』孙权失惊曰：『母亲有话明说，何苦如此？』国太曰：『男大须婚，女大须嫁，古今常理。我为你母亲，事当禀命于我。你招刘玄德为婿，如何瞒我？女儿须是我的！』权吃了一惊，问曰：『那里得这话来？』国太曰：『若要不知，除非莫为。满城百姓，那一个不知？你倒瞒我！』乔国老曰：『老夫已知多日了，今特来贺喜。』权曰：『非也。此是周瑜之计，因要取荆州，故将此为名，赚刘备来拘囚在此，要他把荆州来换；若其不从，先斩刘备。此是计策，非实意也。』国太大怒，骂周瑜曰：『汝做六郡八十一州大都督，直恁无条计策去取荆州，却将我女儿为名，使美人计！杀了刘备，我女便是望门寡，明日再怎的说亲？须误了我女儿一世！你们好做作！』乔国老曰：『若用此计，便得荆州，也被天下人耻笑。此事如何行得！』说得孙权默然无语。

国太不住口的骂周瑜。乔国老劝曰：『事已如此，刘皇叔乃汉室宗亲，不如真个招他为婿，免得出丑。』权曰：『年纪恐不相当。』国老曰：『刘皇叔乃当世豪杰，若招得这个女婿，也不辱了令妹。』国太曰：『我不曾认得刘皇叔。明日约在甘露寺相见：如不中我意，任从你们行事；若中我的意，我自把女儿嫁他！』孙权乃大孝之人，见母亲如此言语，随即应承，出外唤吕范，分付来日甘露寺方丈设宴，国太要见刘备。吕范曰：『何不令贾华部领三百刀斧手，伏于两廊；若国太不喜时，一声号举，两边齐出，将他拿下。』权遂唤贾华，分付预先准备，只看国太举动。

却说乔国老辞吴国太归，使人去报玄德，言：『来日吴侯、国太亲自要见，好生在意！』玄德与孙乾、赵云商议。云曰：『来日此会，多凶少吉，云自引五百军保护。』次日，吴国太、乔国老先在甘露寺方丈里坐定。孙权引一班谋士，随后都到，却教吕范来馆驿中请玄德。玄德内披细铠，外穿锦袍，从人背剑紧随，上马投甘露寺来。赵云全装惯带，引五百军随行。来到寺前下马，先见孙权。权观玄德仪表非凡，心中有畏惧之意。二人叙礼毕，遂入方丈见国太。国太见了玄德，大喜，谓乔国老曰：『真吾婿也！』国老

当日二人并辔而回。南徐之民，无不称贺。

玄德自回馆驿，与孙乾商议。乾曰：『主公只是哀求乔国老，早早毕姻，免生别事。』次日，玄德复至乔国老宅前下马。国老接入，礼毕，茶罢，玄德告曰：『江左之人，多有要害刘备者，恐不能久居。』国老曰：『玄德宽心。吾为公告国太，令作护持。』玄德拜谢自回。乔国老入见国太，言玄德恐人谋害，急急要回。国太大怒曰：『我的女婿，谁敢害他！』即时便教搬入书院暂住，择日毕姻。玄德自入告国太曰：『只恐赵云在外不便，军士无人约束。』国太教尽搬入府中安歇，休留在馆驿中，免得生事。玄德暗喜。

数日之内，大排筵会，孙夫人与玄德结亲。至晚客散，两行红炬，接引玄德入房。灯光之下，但见枪刀簇满；侍婢皆佩剑悬刀，立于两傍。唬得玄德魂不附体。正是：惊看侍女横刀立，疑是东吴设伏兵。毕竟是何缘故，且看下文分解。



## 第五十五回 玄德智激孙夫人 孔明二气周公瑾

却说玄德见孙夫人房中两边枪刀森列，侍婢皆佩剑，不觉失色。管家婆进曰：『贵人休得惊惧：夫人自幼好观武事，居常令侍婢击剑为乐，故尔如此。』玄德曰：『非夫人所观之事，吾甚心寒，可命暂去。』管家婆禀覆孙夫人曰：『房中摆列兵器，娇客不安，今且去之。』孙夫人笑曰：『厮杀半生，尚惧兵器乎！』命尽撤去，令侍婢解剑伏侍。当夜玄德与孙夫人成亲，两情欢洽。玄德又将金帛散给侍婢，以买其心，先教孙乾回荆州报喜。自此连日饮酒。国太十分爱敬。

却说孙权差人来柴桑郡报周瑜，说：『我母亲力主，已将吾妹嫁刘备。不想弄假成真。此事还复如何？』瑜闻大惊，行坐不安，乃思一计，修密书付来人持回见孙权。权拆书视之。书略曰：

瑜所谋之事，不想反覆如此。既已弄假成真，又当就此用计。刘备以枭雄之姿，有关、张、赵云之将，更兼诸葛用谋，必非久屈人下者。愚意莫如软困之于吴中：盛为筑宫室，以丧其心志；多送美色玩好，以娱其耳目；使分开关、张之情，隔远诸葛之契：各置一方，然后以兵击之，大事可定矣。今若纵之，恐蛟龙得云雨，终非池中物也。愿明公熟思之。

孙权看毕，以书示张昭。昭曰：『公瑾之谋，正合愚意。刘备起身微末，奔走天下，未尝受享富贵。今若以华堂大厦，子女金帛，令彼享用，自然疏远孔明、关、张等，使彼各生怨望，然后荆州可图也。主

公可依公瑾之计而速行之。」权大喜，即日修整东府，广栽花木，盛设器用，请玄德与妹居住；又增女乐数十余人，并金玉锦绮玩好之物。国太只道孙权好意，喜不自胜。玄德果然被声色所迷，全不想回荆州。

却说赵云与五百军在东府前住，终日无事，只去城外射箭走马。看看年终。云猛省：「孔明分付三个锦囊与我，教我一到南徐，开第一个；住到年终，开第二个；临到危急无路之时，开第三个：于内有神出鬼没之计，可保主公回家。此时岁已将终，主公贪恋女色，并不见面，何不拆开第二个锦囊，看计而行？」遂拆开视之。原来如此神策。即日径到府堂，要见玄德。侍婢报曰：「赵子龙有紧急事来报贵人。」玄德唤入问之。云佯作失惊之状曰：「主公深居画堂，不想荆州耶？」玄德曰：「有甚事如此惊怪？」云曰：「今早孔明使人来报，说曹操要报赤壁鏖兵之恨，起精兵五十万，杀奔荆州，甚是危急，请主公便回。」玄德曰：「必须与夫人商议。」云曰：「若和夫人商议，必不肯教主公回。不如休说，今晚便好起程。迟则误事！」玄德曰：「你且暂退，我自有道理。」云故意催逼数番而出。玄德入见孙夫人，暗暗垂泪。孙夫人曰：「丈夫何故烦恼？」玄德曰：「念备一身飘荡异乡，生不能侍奉二亲，又不能祭礼宗祖，乃大逆不孝也。今岁旦在迩，使备悒怏不已。」孙夫人曰：「你休瞒我，我已听知了也！方才赵子龙报说荆州危急，你欲还乡，故推此意。」玄德跪而告曰：「夫人既知，备安敢相瞒。备欲不去，使荆州有失，被天下人耻笑；欲去，又舍不得夫人：因此烦恼。」夫人曰：「妾已事君，任君所之，妾当相随。」玄德曰：「夫人之心，虽则如此，争奈国太与吴侯安肯容夫人去？夫人若可怜刘备，暂时辞别。」言毕，泪如雨下。孙夫人劝曰：「丈夫休得烦恼。妾当苦告母亲，必放妾与君同去。」玄德曰：「纵然国太肯时，吴侯必然阻挡。」孙夫人沉吟良久，乃曰：「妾与君正旦拜贺时，推称江边祭祖，不告而去，若何？」玄德又跪而谢曰：「若如此，生死难忘！切勿漏泄。」两个商议已定。玄德密唤赵云分付：「正旦日，你先引军士出城，于官道等候。吾推祭祖，与夫人同走。」云领诺。建安十五年春正月元旦，吴侯大会文武于堂上。玄德与孙夫人入拜国太。孙夫人曰：「夫主想父母宗祖坟墓，俱在涿郡，昼夜伤感不已。今日欲往江边，望北遥祭，须告母亲得知。」国太曰：「此孝道也，岂有不从？汝虽不识舅姑，可同汝夫前去祭拜，亦见为妇之礼。」孙夫人同玄德拜谢而出。

此时只瞒着孙权，夫人乘车，止带随身一应细软。玄德上马，引数骑跟随出城，与赵云相会。五百军士前遮后拥，离了南徐，趱程而行。当日，孙权大醉，左右近侍扶入后堂，文武皆散。比及众官探得玄德、夫人逃遁之时，天色已晚。要报孙权，权醉不醒。及至睡觉，已是五更。次日，孙权闻知走了玄德，急唤文武商议。张昭曰：「今日走了此人，早晚必生祸乱。可急追之。」孙权令陈武、潘璋选五百精兵，无分昼夜，务要赶上拿回。二将领命去了。孙权深恨玄德，将案上玉砚摔为粉碎。程普曰：「主公空有冲天之怒，某料陈武、潘璋必擒此人不得。」权曰：「焉敢违我令！」普曰：「郡主自幼好观武事，严毅刚正，诸将皆惧。既然肯顺刘备，必同心而去。所追之将，若见郡主，岂肯下手？」权大怒，掣所佩之剑，唤蒋钦、周泰听令，曰：「汝二人将这口剑去取吾妹并刘备头来！违令者立斩！」蒋钦、周泰领命，随后引一千军

赶来。

却说玄德加鞭纵辔，趱程而行；当夜于路暂歇两个更次，慌忙起行。看看来到柴桑界首，望见后面尘头大起，人报：『追兵至矣！』玄德慌问赵云曰：『追兵既至，如之奈何？』赵云曰：『主公先行，某愿当后。』转过前面山脚，一彪军马拦住去路。当先两员大将，厉声高叫曰：『刘备早早下马受缚！吾奉周都督将令，守候多时！』原来周瑜恐玄德走脱，先使徐盛、丁奉引三千军马于冲要之处扎营等候，时常令人登高遥望，料得玄德若投旱路，必经此道而过。当日徐盛、丁奉望得玄德一行人到，各绰兵器截住去路。玄德惊慌勒回马问赵云曰：『前有拦截之兵，后有追赶之兵：前后无路，如之奈何？』云曰：『主公休慌。军师有三条妙计，多在锦囊之中。已拆了两个，并皆应验。今尚有第三个在此，分付遇危难之时，方可拆看。今日危急，当拆观之。』便将锦囊拆开，献与玄德。玄德看了，急来车前泣告孙夫人曰：『备有心腹之言，至此尽当实诉。』夫人曰：『丈夫有何言语，实对我说。』玄德曰：『昔日吴侯与周瑜同谋，将夫人招嫁刘备，实非为夫人计，乃欲幽困刘备而夺荆州耳。夺了荆州，必将杀备。是以夫人为香饵而钓备也。备不惧万死而来，盖知夫人有男子之胸襟，必能怜备。昨闻吴侯将欲加害，故托荆州有难，以图归计。幸得夫人不弃，同至于此。今吴侯又令人在后追赶，周瑜又使人于前截住，非夫人莫解此祸。如夫人不允，备请死于车前，以报夫人之德。』夫人怒曰：『吾兄既不以我为亲骨肉，我有何面目重相见乎！今日之危，我当自解。』于是叱从人推车直出，卷起车帘，亲喝徐盛、丁奉曰：『你二人欲造反耶？』徐、丁二将慌忙下马，弃了兵器，声喏于车前曰：『安敢造反。为奉周都督将令，屯兵在此专候刘备。』孙夫人大怒曰：『周瑜逆贼！我东吴不曾亏负你！玄德乃大汉皇叔，是我丈夫。我已对母亲、哥哥说知回荆州去。今你两个于山脚去处，引着军马拦截道路，意欲劫掠我夫妻财物耶？』徐盛、丁奉喏喏连声，口称：『不敢。请夫人息怒。这不干我等之事，乃是周都督的将令。』孙夫人叱曰：『你只怕周瑜，独不怕我？周瑜杀得你，我岂杀不得周瑜？』把周瑜大骂一场，喝令推车前进。徐盛、丁奉自思：『我等是下人，安敢与夫人违拗？』又见赵云十分怒气，只得把军喝住，放条大路教过去。

恰才行不得五六里，背后陈武、潘璋赶到。徐盛、丁奉备言其事。陈、潘二将曰：『你放他过去差了也。我二人奉吴侯旨意，特来追捉他回去。』于是四将合兵一处，趱程赶来。玄德正行间，忽听得背后喊声大起，玄德又告孙夫人曰：『后面追兵又到，如之奈何？』夫人曰：『丈夫先行，我与子龙当后。』玄德先引三百军，望江岸去了。子龙勒马于车傍，将士卒摆开，专候来将。四员将见了孙夫人，只得下马，叉手而立。夫人曰：『陈武、潘璋，来此何干？』二将答曰：『奉主公之命，请夫人、玄德回。』夫人正色叱曰：『都是你这伙匹夫，离间我兄妹不睦！我已嫁他人，今日归去，须不是与人私奔。我奉母亲慈旨，令我夫妇回荆州。便是我哥哥来，也须依礼而行。你二人倚仗兵威，欲待杀害我耶？』骂得四人面面相觑，各自寻思：『他一万年也只是兄妹。更兼国太作主；吴侯乃大孝之人，怎敢违逆母言？明日翻过脸来，只是我等不是。不如做个人情。』军中又不见玄德，但见赵云怒目睁眉，只待厮杀。因此四将喏喏连声而退。

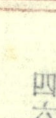

# 第五十六回　曹操大宴铜雀台　孔明三气周公瑾

却说周瑜被诸葛亮预先埋伏关公、黄忠、魏延三枝军马，一击大败。黄盖、韩当急救下船，折却水军无数。遥望玄德、孙夫人车马仆从，都停住于山顶之上，瑜如何不气？箭疮未愈，因怒气冲激，疮口迸裂，昏绝于地。众将救醒，开船逃去。孔明教休追赶，自和玄德归荆州庆喜，赏赐众将。

周瑜自回柴桑。蒋钦等一行人马自归南徐报孙权。权不胜忿怒，欲拜程普为都督，起兵取荆州。周瑜又上书，请兴兵雪恨。张昭谏曰：『不可。曹操日夜思报赤壁之恨，因恐孙、刘同心，故未敢兴兵。今主公若以一时之忿，自相吞并，操必乘虚来攻，国势危矣。』顾雍曰：『许都岂无细作在此？若知孙、刘不睦，操必使人勾结刘备。备惧东吴，必投曹操。若是，则江南何日得安？为今之计，莫若使人赴许都，表刘备为荆州牧。曹操知之，则惧而不敢加兵于东南。且使刘备不恨于主公。然后使心腹用反间之计，令曹、刘相攻，吾乘隙而图之，斯为得耳。』权曰：『元叹之言甚善。但谁可为使？』雍曰：『此间有一人，乃曹操敬慕者，可以为使。』权问何人。雍曰：『华歆在此，何不遣之？』权大喜，即遣歆赍表赴许都。歆领命起程，径到许都来见曹操。闻操会群臣于邺郡，庆赏铜雀台，歆乃赴邺郡候见。

操自赤壁败后，常思报仇，只疑孙、刘并力，因此不敢轻进。时建安十五年春，造铜雀台成，操乃大会文武于邺郡，设宴庆贺。其台正临漳河，中央乃铜雀台，左边一座名玉龙台，右边一座名金凤台，各高十丈，上横二桥相通，千门万户，金碧交辉。是日，曹操头戴嵌宝金冠，身穿绿锦罗袍，玉带珠履，凭高而坐。文武侍立台下。



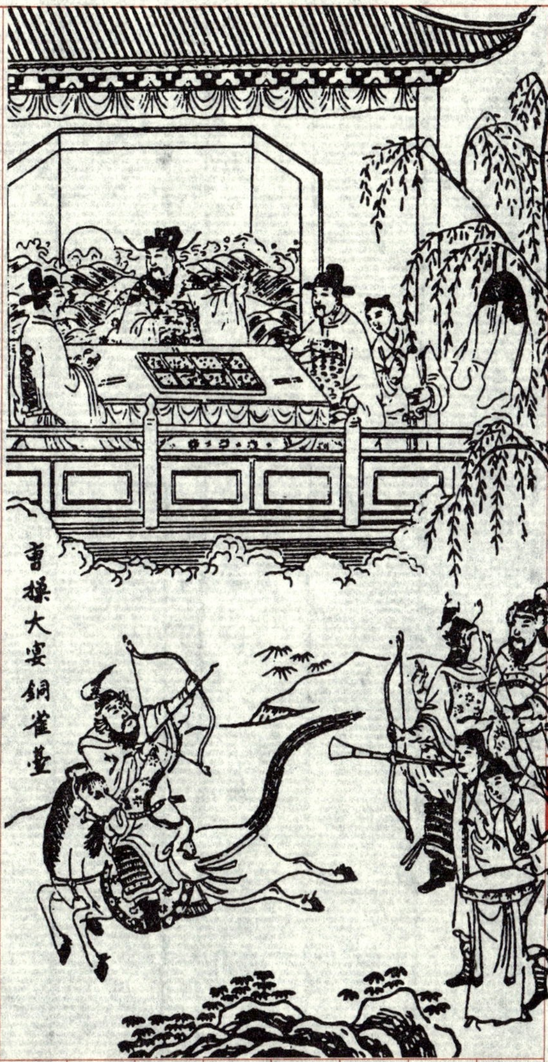


操欲观武官比试弓箭，乃使近侍将西川红锦战袍一领，挂于垂杨枝上，下设一箭垛，以百步为界。分武官为两队：曹氏宗族俱穿红，其余将士俱穿绿；各带雕弓长箭，跨鞍勒马，听候指挥。操传令曰：『有能射中箭垛红心者，即以锦袍赐之；如射不中，罚水一杯。』号令方下，红袍队中，一个少年将军骤马而出，众视之，乃曹休也。休飞马往来，奔驰三次，扣上箭，拽满弓，一箭射去，正中红心。金鼓齐鸣，众皆喝采。曹操于台上望见大喜，曰：『此吾家千里驹也！』方欲使人取锦袍与曹休，只见绿袍队中，一骑飞出，叫曰：『丞相锦袍，合让俺外姓先取，宗族中不宜搀越。』操视其人，乃文聘也。众官曰：『且看文仲业射法。』文聘拈弓纵马一箭，亦中红心。众皆喝采，金鼓乱鸣。聘大呼曰：『快取袍来！』只见红袍队中，又一将飞马而出，厉声曰：『文烈先射，汝何得争夺？看我与你两个解箭！』拽满弓，一箭射去，也中红心。众人齐声喝采。视其人，乃曹洪也。洪

方欲取袍，只见绿袍队里又一将出，扬弓叫曰：『你三人射法，何足为奇！看我射来！』众视之，乃张郃也。郃飞马翻身，背射一箭，也中红心。四枝箭齐齐的攒在红心里。众人都道：『好射法！』郃曰：『锦袍须该是我的！』言未毕，红袍队中一将飞马而出，大叫曰：『汝翻身背射，何足称异！看我夺射红心！』众视之，乃夏侯渊也。渊骤马至界口，扭回身一箭射去，正在四箭当中，金鼓齐鸣。渊勒马按弓大叫曰：『此箭可夺得锦袍么？』只见绿袍队里，一将应声而出，大叫：『且留下锦袍与我徐晃！』渊曰：『汝更有何射法，可夺我袍？』晃曰：『汝夺射红心，不足为异。看我单取锦袍！』拈弓搭箭，遥望柳条射去，恰好射断柳条，锦袍坠地。徐晃飞取锦袍，披于身上，骤马至台前声喏曰：『谢丞相袍！』曹操与众官无不称羡。晃才勒马要回，猛然台边跃出一个绿袍将军，大呼曰：『你将锦袍那里去？早早留下与我！』众视之，乃许褚也。晃曰：『袍已在此，汝何敢强夺！』褚更不回答，竟飞马来夺袍。两马相近，徐晃便把弓打许褚。褚一手按住弓，把徐晃拖离鞍鞒。晃急弃了弓，翻身下马，褚亦下马，两个揪住厮打。操急使人解开。那领锦袍已是扯得粉碎。操令二人都上台。徐晃睁眉怒目，许褚切齿咬牙，各有相斗之意。操笑曰：『孤特视公等之勇耳。岂惜一锦袍哉？』便教诸将尽都上台，各赐蜀锦一匹。诸将各各称谢。操命各依位次而坐。乐声竞奏，水陆并陈。文官武将轮次把盏，献酬交错。

操顾谓众文官曰：『武将既以骑射为乐，足显威勇矣。公等皆饱学之士，登此高台，可不进佳章以纪一时之胜事乎？』众官皆躬身而言曰：『愿从钧命。』时有王朗、钟繇、王粲、陈琳一班文官，进献诗章。诗中多有称颂曹操功德巍巍、合当受命之意。曹操逐一览毕，笑曰：『诸公佳作，过誉甚矣。孤本愚陋，始举孝廉，后值天下大乱，筑精舍于谯东五十里，欲春夏读书，秋冬射猎，以待天下清平，方出仕耳。不意朝廷征孤为典军校尉，遂更其意，专欲为国家讨贼立功，图死后得题墓道曰：「汉故征西将军曹侯之墓」，平生愿足矣。念自讨董卓、剿黄巾以来，除袁术、破吕布、灭袁绍、定刘表，遂平天下。身为宰相，人臣之贵已极，又复何望哉？如国家无孤一人，正不知几人称帝，几人称王。或见孤权重，妄相忖度，疑孤有异心，此大谬也。孤常念孔子称文王之至德，此言耿耿在心。但欲孤委捐兵众，归就所封武平侯之国，实不可耳：诚恐一解兵柄，为人所害；孤败则国家倾危；是以不得慕虚名而处实祸也。诸公必无知孤意者。』众皆起拜曰：『虽伊尹、周公，不及丞相矣。』后人有诗曰：

周公恐惧流言日，王莽谦恭下士时；假使当年身便死，一生真伪有谁知！

曹操连饮数杯，不觉沉醉，唤左右捧过笔砚，亦欲作《铜雀台诗》。刚才下笔，忽报：『东吴使华歆表奏刘备为荆州牧，孙权以妹嫁刘备，汉上九郡大半已属备矣。』操闻之，手脚慌乱，投笔于地。程昱曰：『丞相在万军之中，矢石交攻之际，未尝动心；今闻刘备得了荆州，何故如此失惊？』操曰：『刘备，人中之龙也，生平未尝得水。今得荆州，是困龙入大海矣。孤安得不动心哉！』程昱曰：『丞相知华歆来意否？』操曰：『未知。』昱曰：『孙权本忌刘备，欲以兵攻之；但恐丞相乘虚而击，故令华歆为使，表荐刘备，乃安备之心，以塞丞相之望耳。』操点头曰：『是也。』昱曰：『某有一计，使孙、刘自相吞并，丞相乘

间图之，一鼓而二敌俱破。』操大喜，遂问其计。程昱曰：『东吴所倚者，周瑜也。丞相今表奏周瑜为南郡太守，程普为江夏太守，留华歆在朝重用之，瑜必自与刘备为仇敌矣。我乘其相并而图之，不亦善乎？』操曰：『仲德之言，正合孤意。』遂召华歆上台，重加赏赐。当日筵散，操即引文武回许昌，表奏周瑜为总领南郡太守、程普为江夏太守。封华歆为大理少卿，留在许都。使命至东吴，周瑜、程普各受职讫。

周瑜既领南郡，愈思报仇，遂上书吴侯，乞令鲁肃去讨还荆州。孙权乃命肃曰：『汝昔保借荆州与刘备，今备迁延不还，等待何时？』肃曰：『文书上明白写着，得了西川便还。』权叱曰：『只说取西川，到今又不动兵，不等老了人！』肃曰：『某愿往言之。』遂乘船投荆州而来。

却说玄德与孔明在荆州广聚粮草，调练军马，远近之士多归之。忽报鲁肃到。玄德问孔明曰：『子敬此来何意？』孔明曰：『昨者孙权表主公为荆州牧，此是惧曹操之计。操封周瑜为南郡太守，此欲令我两家自相吞并，他好于中取事也。今鲁肃此来，又是周瑜既受太守之职，要来索荆州之意。』玄德曰：『何以答之？』孔明曰：『若肃提起荆州之事，主公便放声大哭。哭到悲切之处，亮自出来解劝。』计会已定，接鲁肃入府，礼毕，叙坐。肃曰：『今日皇叔做了东吴女婿，便是鲁肃主人，如何敢坐？』玄德笑曰：『子敬与我旧交，何必太谦？』肃乃就坐。茶罢，肃曰：『今奉吴侯钧命，专为荆州一事而来。皇叔已借住多时，未蒙见还。今既两家结亲，当看亲情面上，早早交付。』玄德闻言，掩面大哭。肃惊曰：『皇叔何故如此？』玄德哭声不绝。孔明从屏后出曰：『亮听之久矣。子敬知吾主人哭的缘故么？』肃曰：『某实不



知。』孔明曰：『有何难见？当初我主人借荆州时，许下取得西川便还。仔细想来：益州刘璋是我主人之弟，一般都是汉朝骨肉，若要兴兵去取他城池时，恐被外人唾骂；若要不取，还了荆州，何处安身？若不还时，于尊舅面上又不好看。事实两难，因此泪出痛肠。』孔明说罢，触动玄德衷肠，真个捶胸顿足，放声大哭。鲁肃劝曰：『皇叔且休烦恼，与孔明从长计议。』孔明曰：『有烦子敬，回见吴侯，勿惜一言之劳，将此烦恼情节，恳告吴侯，再容几时。』肃曰：『倘吴侯不从，如之奈何？』孔明曰：『吴侯既以亲妹聘嫁皇叔，安得不从乎？望子敬善言回覆。』

鲁肃是个宽仁长者，见玄德如此哀痛，只得应允。玄德、孔明拜谢。宴毕，送鲁肃下船。径到柴桑，见了周瑜，具言其事。周瑜顿足曰：『子敬又中诸葛亮之计也！当初刘备依刘表时，常有吞并之意，何况西川刘璋乎？似此推调，未免累及老兄矣。吾有一计，使诸葛亮不能出吾算中。子敬便当一行。』肃曰：『愿闻妙策。』瑜曰：『子敬不必去见吴侯，再去荆州对刘备说，孙、刘两家，既结为亲，便是一家；若刘氏不忍去取西川，我东吴起兵去取，取得西川时，以作嫁资，却把荆州交还东吴。』肃曰：『西川迢递，取之非易。都督此计，莫非不可？』瑜笑曰：『子敬真长者也。你道我真个去取西川与他？我只以此为名，实欲去取荆州，且教他不做准备。东吴军马收川，路过荆州，就问他索要钱粮，刘备必然出城劳军。那时乘势杀之，夺取荆州，雪吾之恨，解足下之祸。』鲁肃大喜，便再往荆州来。玄德与孔明商议。孔明曰：『鲁肃必不曾见吴侯，只到柴桑和周瑜商量了甚计策，来诱我耳。但说的话，主公只看我点头，便满口应承。』

计会已定。鲁肃入见，礼毕，曰：『吴侯甚是称赞皇叔盛德，遂与诸将商议，起兵替皇叔收川。取了西川，却换荆州，以西川权当嫁资。但军马经过，却望应些钱粮。』孔明听了，忙点头曰：『难得吴侯好心！』玄德拱手称谢曰：『此皆子敬善言之力。』孔明曰：『如雄师到日，即当远接犒劳。』鲁肃暗喜，宴罢辞回。玄德问孔明曰：『此是何意？』孔明大笑曰：『周瑜死日近矣！这等计策，小儿也瞒不过！』玄德又问如何，孔明曰：『此乃「假途灭虢」之计也。虚名收川，实取荆州。等主公出城劳军，乘势拿下，杀入城来，「攻其无备，出其不意」也。』玄德曰：『如之奈何？』孔明曰：『主公宽心，只顾「准备窝弓以擒猛虎，安排香饵以钓鳌鱼」。等周瑜到来，他便不死，也九分无气。』便唤赵云听计：『如此如此，其余我自有摆布。』玄德大喜。后人有诗叹云：

周瑜决策取荆州，诸葛先知第一筹。指望长江香饵稳，不知暗里钓鱼钩。

却说鲁肃回见周瑜，说玄德、孔明欢喜一节，准备出城劳军。周瑜大笑曰：『原来今番也中了吾计！』便教鲁肃禀报吴侯，并遣程普引军接应。周瑜此时箭疮已渐平愈，身躯无事，使甘宁为先锋，自与徐盛、丁奉为第二，凌统、吕蒙为后队，水陆大兵五万，望荆州而来。周瑜在船中，时复欢笑，以为孔明中计。前军至夏口，周瑜问：『荆州有人在前面接否？』人报：『刘皇叔使糜竺来见都督。』瑜唤至，问劳军如何。糜竺曰：『主公皆准备安排下了。』瑜曰：『皇叔何在？』竺曰：『在荆州城门外相等，与都督把盏。』瑜曰：『今为汝家之事，出兵远征；劳军之礼，休得轻易。』糜竺领了言语先回。战船密密排在江上，依次而进。看看至公安，并无一只军船，又无一人远接。周瑜催船速行。离荆州十余里，只见江面上静荡荡的。哨探的回报：『荆州城上，插两面白旗，并不见一人之影。』瑜心疑，教把船傍岸，亲自上岸乘马，带了甘宁、徐盛、丁奉一班军官，引亲随精军三千人，径望荆州来。既至城下，并不见动静。瑜勒住马，令军士叫门。城上问是谁人。吴军答曰：『是东吴周都督亲自在此。』言未毕，忽一声梆子响，城上军一齐都竖起枪刀。敌楼上赵云出曰：『都督此行，端的为何？』瑜曰：『吾替汝主取西川，汝岂犹未知耶？』云曰：『孔明军师已知都督「假途灭虢」之计，故留赵云在此。吾主公有言：「孤与刘璋，皆汉室宗亲，安忍背义而取西川？若汝东吴端的取蜀，吾当披发入山，不失信于天下也。」』周瑜闻之，勒马便回。只见一人打着令字旗，于马前报说：『探得四路军马，一齐杀到：关某从江陵杀来，张飞从秭归杀来，黄忠从公安杀来，魏延从孱(chán)陵小路杀来，四路正不知多少军马。喊声远近震动百余里，皆言要捉周瑜。』瑜马上大叫一声，箭疮复裂，坠于马下。正是：一着棋高难对敌，几番算定总成空。未知性命如何，且看下文分解。

## 第五十七回 柴桑口卧龙吊丧 耒阳县凤雏理事

却说周瑜怒气填胸，坠于马下，左右急救归船。军士传说：『玄德、孔明在前山顶上饮酒取乐。』瑜大怒，咬牙切齿曰：『你道我取不得西川，吾誓取之！』正恨间，人报吴侯遣弟孙瑜到。周瑜接入，具言其事。孙瑜曰：『吾奉兄命来助都督。』遂令催军前行。行至巴丘，人报上流有刘封、关平二人领军截住水路。周瑜愈怒。忽又报孔明遣人送书至。周瑜拆封视之。书曰：

汉军师中郎将诸葛亮，致书于东吴大都督公瑾先生麾下：亮自柴桑一别，至今恋恋不忘。闻足下欲取西川，亮窃以为不可。益州民强地险，刘璋虽门暗弱，足以自守。今劳师远征，转运万里，欲收全功，虽吴起不能定其规，孙武不能善其后也。曹操失利于赤壁，志岂须臾忘报仇哉？今足下兴兵远征，倘操乘虚而至，江南齑粉矣！亮不忍坐视，特此告知。幸垂照鉴。

周瑜览毕，长叹一声，唤左右取纸笔作书上吴侯。乃聚众将曰：『吾非不欲尽忠报国，奈天命已绝矣。汝等善事吴侯，共成大业。』言讫，昏绝。徐徐又醒，仰天长叹曰：『既生瑜，何生亮！』连叫数声而亡。寿三十六岁。后人有诗叹曰：

赤壁遗雄烈，青年有俊声。弦歌知雅意，杯酒谢良朋。曾谒三千斛，常驱十万兵。巴丘终命处，凭吊欲伤情。

周瑜停丧于巴丘。众将将所遗书缄，遣人飞报孙权。权闻瑜死，放声大哭。拆视其书，乃荐鲁肃以自





代也。书略曰：

瑜以凡才，荷蒙殊遇，委任腹心，统御兵马，敢不竭股肱之力，以图报效。奈死生不测，修短有命；愚志未展，微躯已殒，遗恨何极！方今曹操在北，疆场未静；刘备寄寓，有似养虎；天下之事，尚未可知。此正朝士旰(gàn)食之秋，至尊垂虑之日也。鲁肃忠烈，临事不苟，可以代瑜之任。『人之将死，其言也善』。倘蒙垂鉴，瑜死不朽矣。

孙权览毕，哭曰：『公瑾有王佐之才，今忽短命而死，孤何赖哉？既遗书特荐子敬，孤敢不从之。』即日便命鲁肃为都督，总统兵马；一面教发周瑜灵柩回葬。

却说孔明在荆州，夜观天文，见将星坠地，乃笑曰：『周瑜死矣。』至晓告于玄德。玄德使人探之，果然死了。玄德问孔明曰：『周瑜既死，还当如何？』孔明曰：『代瑜领兵者，必鲁肃也。亮观天象，将星聚于东方。亮当以吊丧为由，往江东走一遭，就寻贤士佐助主公。』玄德曰：『只恐吴中将士加害于先生。』孔明曰：『瑜在之日，亮犹不惧，今瑜已死，又何患乎？』乃与赵云引五百军，具祭礼，下船赴巴丘吊丧。于路探听得孙权已令鲁肃为都督，周瑜灵柩已回柴桑。孔明径至柴桑，鲁肃以礼迎接。周瑜部将皆欲杀孔明，因见赵云带剑相随，不敢下手。孔明教设祭物于灵前，亲自奠酒，跪于地下，读祭文曰：

呜呼公瑾，不幸夭亡！修短故天，人岂不伤？我心实痛，酹酒一觞；君其有灵，享我烝尝！吊君幼学，以交伯符；仗义疏财，让舍以居。吊君弱冠，万里鹏抟；定建霸业，割据江南。吊君壮力，远镇巴丘；景升怀虑，讨逆无忧。吊君丰度，佳配小乔；汉臣之婿，不愧当朝。吊君气概，谏阻纳质；始不垂翅，终能奋翼。吊君鄱阳，

蒋干来说；挥洒自如，雅量高志。吊君弘才，文武筹略；火攻破敌，挽强为弱。想君当年，雄姿英发；哭君早逝，俯地流血。忠义之心，英灵之气；命终三纪，名垂百世。哀君情切，愁肠千结；惟我肝胆，悲无断绝。昊天昏暗，三军怆然；主为哀泣，友为泪涟。

亮也不才，丐计求谋；助吴拒曹，辅汉安刘；掎角之援，首尾相俦（chóu）；若存若亡，何虑何忧？呜呼公瑾！生死永别！朴守其贞，冥冥灭灭。魂如有灵，以鉴我心：从此天下，更无知音！呜呼痛哉！伏惟尚飨。

孔明祭毕，伏地大哭，泪如涌泉，哀恸不已。众将相谓曰：『人尽道公瑾与孔明不睦，今观其祭奠之情，人皆虚言也。』鲁肃见孔明如此悲切，亦为感伤，自思曰：『孔明自是多情，乃公瑾量窄，自取死耳。』后人有诗叹曰：

卧龙南阳睡未醒，又添列曜下舒城。苍天既已生公瑾，尘世何须出孔明！

鲁肃设宴款待孔明。宴罢，孔明辞回。方欲下船，只见江边一人道袍竹冠，皂绦素履，一手揪住孔明大笑曰：『汝气死周郎，却又来吊孝，明欺东吴无人耶！』孔明急视其人，乃凤雏先生庞统也。孔明亦大笑。两人携手登舟，各诉心事。孔明乃留书一封与统，嘱曰：『吾料孙仲谋必不能重用足下。稍有不如意，可来荆州共扶玄德。此人宽仁厚德，必不负公平生之所学。』统允诺而别。孔明自回荆州。

却说鲁肃送周瑜灵柩至芜湖，孙权接着，哭祭于前，命厚葬于本乡。瑜有两男一女，长男循，次男胤，权皆厚恤之。鲁肃曰：『肃碌碌庸才，误蒙公瑾重荐，其实不称所职。愿举一人以助主公。此人上通天文，



下晓地理；谋略不减于管、乐，枢机可并于孙、吴。往日周公瑾多用其言，孔明亦深服其智。现在江南，何不重用？』权闻言大喜，便问此人姓名。肃曰：『此人乃襄阳人，姓庞，名统，字士元，道号凤雏先生。』权曰：『孤亦闻其名久矣。今既在此，可即请来相见。』于是鲁肃邀请庞统入见孙权。施礼毕。权见其人浓眉掀鼻，黑面短髯，形容古怪，心中不喜。乃问曰：『公平生所学，以何为主？』统曰：『不必拘执，随机应变。』权曰：『公之才学，比公瑾如何？』统笑曰：『某之所学，与公瑾大不相同。』权平生最喜周瑜，见统轻之，心中愈不乐，乃谓统曰：『公且退，待有用公之时，却来相请。』统长叹一声而出。鲁肃曰：『主公何不用庞士元？』权曰：『狂士也，用之何益！』肃曰：『赤壁鏖兵之时，此人曾献连环策，成第一功。主公想必知之。』权曰：『此时乃曹操自欲钉船，未必此人之功也。吾誓不用之。』鲁肃出谓庞统曰：『非肃不荐足下，奈吴侯不肯用公。公且耐心。』统低头长叹不语。肃曰：『公莫非无意于吴中乎？』统不答。肃曰：『公抱匡济之才，何往不利？可实对肃言，将欲何往？』统曰：『吾欲投曹操去也。』肃曰：『此明珠暗投矣。可往荆州投刘皇叔，必然重用。』统曰：『统意实欲如此，前言戏耳。』肃曰：『某当作书奉荐。公辅玄德，必令孙、刘两家，无相攻击，同力破曹。』统曰：『此某平生之素志也。』乃求肃书，径往荆州来见玄德。

此时孔明按察四郡未回。门吏传报：『江南名士庞统，特来相投。』玄德久闻统名，便教请入相见。统见玄德，长揖不拜。玄德见统貌陋，心中亦不悦，乃问统曰：『足下远来不易？』统不拿出鲁肃、孔明书投呈，但答曰：『闻皇叔招贤纳士，特来相投。』玄德曰：『荆楚稍定，苦无闲职。此去东北一百三十里，

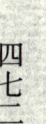

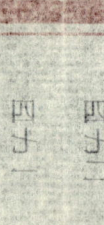

有一县名耒阳县，缺一县宰，屈公任之。如后有缺，却当重用。」统思：「玄德待我何薄！」欲以才学动之，见孔明不在，只得勉强相辞而去。统到耒阳县，不理政事，终日饮酒为乐；一应钱粮词讼，并不理会。有人报知玄德，言庞统将耒阳县事尽废。玄德怒曰：「竖儒焉敢乱吾法度！」遂唤张飞分付，引从人去荆南诸县巡视：「如有不公不法者，就便究问。恐于事有不明处，可与孙乾同去。」

张飞领了言语，与孙乾前至耒阳县。军民官吏，皆出郭迎接，独不见县令。飞问曰：「县令何在？」同僚覆曰：「庞县令自到任及今，将百余日，县中之事，并不理问，每日饮酒，自旦及夜，只在醉乡。今日宿酒未醒，犹卧不起。」张飞大怒，欲擒之。孙乾曰：「庞士元乃高明之人，未可轻忽。且到县问之。

如果于理不当，治罪未晚。」飞乃入县，正厅上坐定，教县令来见。统衣冠不整，扶醉而出。飞怒曰：「吾兄以汝为人，令作县宰，汝焉敢尽废县事！」统笑曰：「将军以吾废了县中何事？」飞曰：「汝到任百余日，终日在醉乡，安得不废政事？」统曰：「量百里小县，些小公事，何难决断！将军少坐，待我发落。」随即唤公吏，将百余日所积公务，都取来剖断。吏皆纷然赍抱案卷上厅，诉词被告人等，环跪阶下。统手中批判，口中发落，耳内听词，曲直分明，并无分毫差错。民皆叩首拜伏。不到半日，将百余日之事，尽断毕了，投笔于地而对张飞曰：「所废之事何在？曹操、孙权，吾视之若掌上观文，量此小县，何足介意！」飞大惊，下席谢曰：「先生大才，小子失敬。吾当于兄长处极力举荐。」统乃将出鲁肃荐书。飞曰：「先生初见吾兄，何不将出？」统曰：「若便将出，似乎专藉荐书来干谒矣。」飞顾谓孙乾曰：「非公则失一大贤也。」遂辞统回荆州见玄德，具说庞统之才。玄德大惊曰：「屈待大贤，吾之过也！」飞将鲁肃荐书呈上。玄德拆视之。书略曰：

庞士元非百里之才，使处治中、别驾之任，始当展其骥足。如以貌取之，恐负所学，终为他人所用，实可惜也！

玄德看毕，正在嗟叹，忽报孔明回。玄德接入，礼毕，孔明先问曰：「庞军师近日无恙否？」玄德曰：「近治耒阳县，好酒废事。」孔明笑曰：「士元非百里之才，胸中之学，胜亮十倍。亮曾有荐书在士元处，曾达主公否？」玄德曰：「今日方得子敬书，却未见先生之书。」孔明曰：「大贤若处小任，往往以酒糊涂，倦于视事。」玄德曰：「若非吾弟所言，险失大贤。」随即令张飞往耒阳县敬请庞统到荆州。玄德下阶请罪。统方将出孔明所荐之书。玄德看书中之意，言凤雏到日，宜即重用。玄德喜曰：「昔司马德操言：『伏龙、凤雏，两人得一，可安天下。』今吾二人皆得，汉室可兴矣。」遂拜庞统为副军师中郎将，与孔明共赞方略，教练军士，听候征伐。

早有人报到许昌，言刘备有诸葛亮、庞统为谋士，招军买马，积草屯粮，连结东吴，早晚必兴兵北伐。

曹操闻之，遂聚众谋士商议南征。荀攸进曰：『周瑜新死，可先取孙权，次攻刘备。』操曰：『我若远征，恐马腾来袭许都。前在赤壁之时，军中有讹言，亦传西凉入寇之事，今不可不防也。』荀攸曰：『以愚所见，不若降诏加马腾为征南将军，使讨孙权，诱入京师，先除此人，则南征无患矣。』操大喜，即日遣人赍诏至西凉召马腾。

却说腾字寿成，汉伏波将军马援之后。父名肃，字子硕，桓帝时为天水兰干县尉；后失官流落陇西，与羌人杂处，遂取羌女生腾。腾身长八尺，体貌雄异，禀性温良，人多敬之。灵帝末年，羌人多叛，腾招募民兵破之。初平中年，因讨贼有功，拜征西将军，与镇西将军韩遂为弟兄。当日奉诏，乃与长子马超商议曰：『吾自与董承受衣带诏以来，与刘玄德约共讨贼，不幸董承已死，玄德屡败。我又僻处西凉，未能协助玄德。今闻玄德已得荆州，我正欲展昔日之志，而曹操反来召我，当是如何？』马超曰：『操奉天子之命以召父亲，今若不往，彼必以「逆命」责我矣。当乘其来召，竟往京师，于中取事，则昔日之志可展也。』马腾兄子马岱谏曰：『曹操心怀叵测，叔父若往，恐遭其害。』超曰：『儿愿尽起西凉之兵，随父亲杀入许昌，为天下除害，有何不可？』腾曰：『汝自统羌兵保守西凉，只教次子马休、马铁并侄马岱随我同往。曹操见有汝在西凉，又有韩遂相助，谅不敢加害于我也。』超曰：『父亲欲往，切不可轻入京师。当随机应变，观其动静。』腾曰：『吾自有处，不必多虑。』于是马腾乃引西凉兵五千，先教马休、马铁为前部，留马岱在后接应，迤逦望许昌而来。离许昌二十里屯住军马。



曹操听知马腾已到，唤门下侍郎黄奎分付曰：『目今马腾南征，吾命汝为行军参谋，先至马腾寨中劳军，可对马腾说：西凉路远，运粮甚难，不能多带人马。我当更遣大兵，协同前进。来日教他入城面君，吾就应付粮草与之。』奎领命，来见马腾。腾置酒相待。奎酒半酣而言曰：『吾父黄琬死于李傕、郭汜之难，尝怀痛恨。不想今日又遇欺君之贼！』腾曰：『谁为欺君之贼？』奎曰：『欺君者操贼也。公岂不知之，而问我耶？』腾恐是操使来相探，急止之曰：『耳目较近，休得乱言。』奎叱曰：『公竟忘却衣带诏乎！』腾见他说出心事，乃密以实情告之。奎曰：『操欲公入城面君，必非好意。公不可轻入。来日当勒兵城下。待曹操出城点军，就点军处杀之，大事济矣。』二人商议已定。黄奎回家，恨气未息。其妻再三问之，奎不肯言。不料其妾李春香，与奎妻弟苗泽私通。泽欲得春香，正无计可施。妾见黄奎愤恨，遂对泽曰：『黄侍郎今日商议军情回，意甚愤恨，不知为谁？』泽曰：『汝可以言挑之曰：「人皆说刘皇叔仁德，曹操奸雄，何也？」看他说甚言语。』是夜黄奎果到春香房中。妾以言挑之。奎乘醉言曰：『汝乃妇人，尚知邪正，何况我乎？吾所恨者，欲杀曹操也！』妾曰：『若欲杀之，如何下手？』奎曰：『吾已约定马将军，明日在城外点兵时杀之。』妾告于苗泽，泽报知曹操。操便密唤曹洪、许褚分付如此如此；又唤夏侯渊、徐晃分付如此如此。各人领命去了，一面先将黄奎一家老小拿下。

次日，马腾领着西凉兵马，将次近城，只见前面一簇红旗，打着丞相旗号。马腾只道曹操自来点军，拍马向前。忽听得一声炮响，红旗开处，弓弩齐发。一将当先，乃曹洪也。马腾急拨马回时，两下喊声又

起：左边许褚杀来，右边夏侯渊杀来，后面又是徐晃领兵杀至，截断西凉军马，将马腾父子三人困在垓心。马腾见不是头，奋力冲杀。马铁早被乱箭射死。马休随着马腾，左冲右突，不能得出。二人身带重伤，坐下马又被箭射倒，父子二人俱被执。曹操教将黄奎与马腾父子，一齐绑至。黄奎大叫：『无罪！』操教苗泽对证。马腾大骂曰：『竖儒误我大事！我不能为国杀贼，是乃天也！』操命牵出。马腾骂不绝口，与其子马休，及黄奎，一同遇害。后人有诗叹马腾曰：

父子齐芳烈，忠贞著一门。捐生图国难，誓死答君恩。嚼血盟言在，诛奸义状存。西凉推世胄，不愧伏波孙！

苗泽告操曰：『不愿加赏，只求李春香为妻。』操笑曰：『你为了一妇人，害了你姐夫一家，留此不义之人何用！』便教将苗泽、李春香与黄奎一家老小并斩于市。观者无不叹息。后人有诗叹曰：

苗泽因私害荩臣，春香未得反伤身。奸雄亦不相容恕，枉自图谋作小人。

曹操教招安西凉兵马，谕之曰：『马腾父子谋反，不干众人之事。』一面使人分付把住关隘，休教走了马岱。

且说马岱自引一千兵在后。早有许昌城外逃回军士，报知马岱。岱大惊，只得弃了兵马，扮作客商，连夜逃遁去了。曹操杀了马腾等，便决意南征。忽人报曰：『刘备调练军马，收拾器械，将欲取川。』操惊曰：『若刘备收川，则羽翼成矣。将何以图之？』言未毕，阶下一人进言曰：『某有一计，使刘备、孙权不能相顾，江南、西川皆归丞相。』于是：西州豪杰方遭戮，南国英雄又受殃。未知献计者是谁，且看下文分解。



## 第五十八回 马孟起兴兵雪恨 曹阿瞒割须弃袍

却说献策之人，乃治书侍御史陈群，字长文。操问曰：『陈长文有何良策？』群曰：『今刘备、孙权结为唇齿，若刘备欲取西川，丞相可命上将提兵，会合淝之众，径取江南，则孙权必求救于刘备；备意在西川，必无心救权；权无救则力乏兵衰，江东之地，必为丞相所得。若得江东，则荆州一鼓可平也；荆州既平，然后徐图西川：天下定矣。』操曰：『长文之言，正合吾意。』即时起大兵三十万，径下江南；令合淝张辽，准备粮草，以为供给。

早有细作报知孙权。权聚众将商议。张昭曰：『可差人往鲁子敬处，教急发书到荆州，使玄德同力拒曹。子敬有恩于玄德，其言必从；且玄德既为东吴之婿，亦义不容辞。若玄德来相助，江南可无患矣。』权从其言，即遣人谕鲁肃，使求救于玄德。肃领命，随即修书使人送玄德。玄德看了书中之意，留使者于馆舍，差人往南郡请孔明。孔明到荆州，玄德将鲁肃书与孔明看毕，孔明曰：『也不消动江南之兵，也不必动荆州之兵，自使曹操不敢正觑东南。』便回书与鲁肃，教：『高枕无忧。若但有北兵侵犯，皇叔自有退兵之策。』使者去了。玄德问曰：『今操起三十万大军，会合淝之众，一拥而来，先生有何妙计，可以退之？』孔明曰：『操平生所虑者，乃西凉之兵也。今操杀马腾，其子马超，现统西凉之众，必切齿操贼。主公可作一书，往结马超，使超兴兵入关，则操又何暇下江南乎？』玄德大喜，即时作书，遣一心腹人，径往西凉州投下。

却说马超在西凉州，夜感一梦：梦见身卧雪地，群虎来咬。惊惧而觉，心中疑惑，聚帐下将佐，告说梦中之事。帐下一人应声曰：『此梦乃不祥之兆也。』众视其人，乃帐前心腹校尉，姓庞，名德，字令明。超问：『令明所见若何？』德曰：『雪地遇虎，梦兆殊恶。莫非老将军在许昌有事否？』言未毕，一人踉跄而入，哭拜于地曰：『叔父与弟皆死矣！』超视之，乃马岱也。超惊问何为。岱曰：『叔父与侍郎黄奎同谋杀操，不幸事泄，皆被斩于市。二弟亦遇害。惟岱扮作客商，星夜走脱。』超闻言，哭倒于地。众将救起。超咬牙切齿，痛恨操贼。忽报荆州刘皇叔遣人赍书至。超拆视之。书略曰：

伏念汉室不幸，操贼专权，欺君罔上，黎民凋残。备昔与令先君同受密诏，誓诛此贼。今令先君被操所害，此将军不共天地、不同日月之仇也。若能率西凉之兵，以攻操之右，备当举荆襄之众，以遏操之前：则逆操可擒，奸党可灭，仇辱可报，汉室可兴矣。书不尽言，立待回音。

马超看毕，即时挥涕回书，发使者先回，随后便起西凉军马。正欲进发，忽西凉太守韩遂使人请马超往见。超至遂府，遂将出曹操书示之。内云：『若将马超擒赴许都，即封汝为西凉侯。』

超拜伏于地曰：『请叔父就缚俺兄弟二人，解赴许昌，免叔父戈戟之劳。』韩遂扶起曰：『吾与汝父结为兄弟，安忍害汝？汝若兴兵，吾当相助。』马超拜谢。韩遂便将操使者推出斩之，乃点手下八部军马，一同进发。那八部？乃侯选、程银、李堪、张横、梁兴、成宜、马玩、杨秋也。八将随着韩遂，合马超手下庞德、马岱，共起二十万大兵，杀奔长安来。长安郡守钟繇，飞报曹操；一面引军拒敌，布阵于野。西凉州前部先锋马岱，引军一万五千，浩浩荡荡，漫山遍野而来。钟繇出马答话。岱使宝刀一口，与繇交战。不一合，繇大败奔走。岱提刀赶来。马超、韩遂引大军都到，围住长安。钟繇上城守护。长安乃西汉建都之处，城郭坚固，壕堑险深，急切攻打不下。一连围了十日，不能攻破。庞德进计曰：『长安城中土硬水碱，甚不堪食，更兼无柴。今围十日，军民饥荒。不如暂且收军，只须如此如此，长安唾手可得。』马超曰：『此计大妙！』即时差『令』字旗传与各部，尽教退军，马超亲自断后。各部军马渐渐退去。钟繇次日登城看时，军皆退了，只恐有计；令人哨探，果然远去，方才放心。纵令军民出城打柴取水，大开城门，放人出入。至第五日，人报马超兵又到，军民竞奔入城，钟繇仍复闭城坚守。

却说钟繇弟钟进，守把西门。约近三更，城门里一把火起。钟进急来救时，城边转过一人，举刀纵马大喝曰：『庞德在此！』钟进措手不及，被庞德一刀斩于马下，杀散军校，斩关断锁，放马超、韩遂军马入城。钟繇从东门弃城而走。马超、韩遂得了城池，赏劳三军。钟繇退守潼关，飞报曹操。操知失了长安，不敢复议南征。遂唤曹洪、徐晃分付：『先带一万人马，替钟繇紧守潼关。如十日内失了关隘，皆斩；十

日外，不干汝二人之事。我统大军随后便至。』二人领了将令，星夜便行。曹仁谏曰：『洪性躁，诚恐误事。』操曰：『你与我押送粮草，便随后接应。』

却说曹洪、徐晃到潼关，替钟繇坚守关隘，并不出战。马超领军来关下，把曹操三代毁骂。曹洪大怒，要提兵下关厮杀。徐晃谏曰：『此是马超要激将军厮杀，切不可与战。待丞相大军来，必有主画。』马超军日夜轮流来骂。曹洪只要厮杀，徐晃苦苦挡住。至第九日，在关上看时，西凉军都弃马在于关前草地上坐；多半困乏，就于地上睡卧。曹洪便教备马，点起三千兵杀下关来。西凉兵弃马抛戈而走。洪迤逦追赶。时徐晃正在关上点视粮车，闻曹洪下关厮杀，大惊，急引兵随后赶来，大叫曹洪回马。忽然背后喊声大震，马岱引军杀至。曹洪、徐晃急回走时，一棒鼓响，山背后两军截出：左是马超，右是庞德，混杀一阵。曹洪抵挡不住，折军大半，撞出重围，奔到关上。西凉兵随后赶来，洪等弃关而走。庞德直追过潼关，撞见曹仁军马，救了曹洪等一军。马超接应庞德上关。曹洪失了潼关，奔见曹操。操曰：『与你十日限，如何九日失了潼关？』洪曰：『西凉军兵，百般辱骂。因见彼军懈怠，乘势赶去，不想中贼奸计。』操曰：『洪年幼躁暴，徐晃你须晓事！』晃曰：『累谏不从。当日晃在关上点粮车，比及知道，小将军已下关了。晃恐有失，连忙赶去，已中贼奸计矣。』操大怒，喝斩曹洪。众官告免。曹洪服罪而退。

操进兵直叩潼关。曹仁曰：『可先下定寨栅，然后打关未迟。』操令砍伐树木，起立排栅，分作三寨：左寨曹仁，右寨夏侯渊，操自居中寨。次日，操引三寨大小将校，杀奔关隘前去，正遇西凉军马。两边各布阵势。操出马于门旗下，看西凉之兵，人人勇健，个个英雄。又见马超生得面如傅粉，唇若抹朱，腰细膀宽，声雄力猛，白袍银铠，手执长枪，立马阵前；上首庞德，下首马岱。操暗暗称奇，自纵马谓超曰：『汝乃汉朝名将子孙，何故背反耶？』超咬牙切齿，大骂：『操贼！欺君罔上，罪不容诛！害我父弟，不共戴天之仇！吾当活捉生啖汝肉！』说罢，挺枪直杀过来。曹操背后于禁出迎。两马交战，斗得八九合，于禁败走。张郃出迎，战二十合亦败走。李通出迎，超奋威交战，数合之中，一枪刺李通于马下。超把枪望后一招，西凉兵一齐冲杀过来。操兵大败。西凉兵来得势猛，左右将佐，皆抵当不住。马超、庞德、马岱引百余骑，直入中军来捉曹操。操在乱军中，只听得西凉军大叫：『穿红袍的是曹操！』操就马上急脱下红袍。又听得大叫：『长髯者是曹操！』操惊慌，掣所佩刀断其髯。军中有人将曹操割髯之事，告知马超，超遂令人叫拿：『短髯者是曹操！』操闻知，即扯旗角包颈而逃。后人有诗曰：

潼关战败望风逃，孟德怆惶脱锦袍。剑割髭髯应丧胆，马超声价盖天高。

曹操正走之间，背后一骑赶来，回头视之，正是马超。操大惊。左右将校见超赶来，各自逃命，只撇下曹操。超厉声大叫曰：『曹操休走！』操惊得马鞭坠地。看看赶上，马超从后使枪搠来。操绕树而走，超一枪搠在树上；急拔下时，操已走远。超纵马赶来，山坡边转过一将，大叫：『勿伤吾主！曹洪在此！』轮刀纵马，拦住马超。操得命走脱。洪与马超战到四五十合，渐渐刀法散乱，气力不加。夏侯渊引数十骑随到。马超独自一人，恐被所算，乃拨马而回。夏侯渊也不来赶。

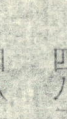

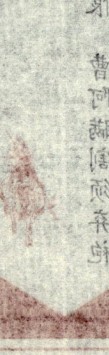

曹操回寨，却得曹仁死据定了寨栅，因此不曾多折军马。操入帐叹曰：『吾若杀了曹洪，今日必死于马超之手也！』遂唤曹洪，重加赏赐。收拾败军，坚守寨栅，深沟高垒，不许出战。超每日引兵来寨前辱骂搦战。操传令教军士坚守，如乱动者斩。诸将曰：『西凉之兵，尽使长枪，当选弓弩迎之。』操曰：『战与不战，皆在于我，非在贼也。贼虽有长枪，安能便刺？诸公但坚壁观之，贼自退矣。』诸将皆私相议曰：『丞相自来征战，一身当先；今败于马超，何如此之弱也？』过了几日，细作报来：『马超又添二万生力兵来助战，乃是羌人部落。』操闻知大喜。诸将曰：『马超添兵，丞相反喜，何也？』操曰：『待吾胜了，却对汝等说。』三日后又报关上又添军马。操又大喜，就于帐中设宴作贺。诸将皆暗笑。操曰：『诸公笑我无破马超之谋，公等有何良策？』徐晃进曰：『今丞相盛兵在此，贼亦全部现屯关上，此去河西，必无准备；若得一军暗渡蒲阪津，先截贼归路，丞相径发河北击之，贼两不相应，势必危矣。』操曰：『公明之言，正合吾意。』便教徐晃引精兵四千，和朱灵同去径袭河西，伏于山谷之中，『待我渡河北同时击之。』徐晃、朱灵领命，先引四千军暗暗去了。操下令，先教曹洪于蒲阪津，安排船筏。留曹仁守寨，操自领兵渡渭河。早有细作报知马超。超曰：『今操不攻潼关，而使人准备船筏，欲渡河北，必将遏吾之后也。吾当引一军循河拒住岸北。操兵不得渡，不消二十日，河东粮尽，操兵必乱，却循河南而击之，操可擒矣。』韩遂曰：『不必如此。岂不闻「兵法」有云：「兵半渡可击。」待操兵渡至一半，汝却于南岸击之，操兵皆死于河内矣。』超曰：『叔父之言甚善。』即使人探听曹操几时渡河。

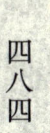

却说曹操整兵已毕，分三停军，前渡渭河。比及人马到河口时，日光初起，操先发精兵渡过北岸，开创营寨。操自引亲随护卫军将百人，按剑坐于南岸，看军渡河。忽然人报：『后边白袍将军到了！』众皆认得是马超，一拥下船。河边军争上船者，声喧不止。操犹坐而不动，按剑指约休闹。只听得人喊马嘶，蜂拥而来，船上一将跃身上岸，呼曰：『贼至矣！请丞相下船！』操视之，乃许褚也。操口内犹言：『贼至何妨？』回头视之，马超已离不得百余步。许褚拖操下船时，船已离岸一丈有余，褚负操一跃上船。随行将士尽皆下水，扳住船边，争欲上船逃命。船小将翻，褚掣刀乱砍，傍船手尽折，倒于水中，急将船望下水棹去。许褚立于梢上，忙用木篙撑之。操伏在许褚脚边。马超赶到河岸，见船已流在半河，遂拈弓搭箭，喝令骁将绕河射之，矢如雨急。褚恐伤曹操，以左手举马鞍遮之。马超箭不虚发，船上驾舟之人，应弦落水；船中数十人皆被射倒。其船反撑不定，于急水中旋转。许褚独奋神威，将两腿夹舵摇撼，一手使篙撑船，一手举鞍遮护曹操。

时有渭南县令丁斐，在南山之上，见马超追操甚急，恐伤操命，遂将寨内牛只马匹，尽驱于外，漫山遍野，皆是牛马。西凉兵见之，都回身争取牛马，无心追赶，曹操因此得脱。方到北岸，便把船筏凿沉。诸将听得曹操在河中逃难，急来救时，操已登岸。许褚身被重铠，箭皆嵌在甲上。众将保操至野寨中，皆拜于地而问安。操大笑曰：『我今日几为小贼所困！』褚曰：『若非有人纵马放牛以诱贼，贼必努力渡河矣。』操问曰：『诱贼者谁也？』有知者答曰：『渭南县令丁斐也。』少顷，斐入见。操谢曰：『若非公

之良谋，则吾被贼所擒矣。』遂命为典军校尉。裴曰：『贼虽暂去，明日必复来。须以良策拒之。』操曰：『吾已准备了也。』遂唤诸将各分头循河筑起甬道，暂为寨脚。贼若来时，陈兵于甬道外，内虚立旌旗，以为疑兵；更沿河掘下壕堑，虚土棚盖，河内以兵诱之：『贼急来必陷，贼陷便可击矣。』

却说马超回见韩遂，说：『几乎捉住曹操！有一将奋勇负操下船去了，不知何人。』遂曰：『吾闻曹操选极精壮之人，为帐前侍卫，名曰「虎卫军」，以骁将典韦、许褚领之。典韦已死，今救曹操者，必许褚也。此人勇力过人，人皆称为「虎痴」；如遇之，不可轻敌。』超曰：『吾亦闻其名久矣。』遂曰：『今操渡河，将袭我后，可速攻之，不可令他创立营寨。若立营寨，急难剿除。』超曰：『以侄愚意，还只拒住北岸，使彼不得渡河，乃为上策。』遂曰：『贤侄守寨，吾引军循河战操，若何？』超曰：『令庞德为先锋，跟叔父前去。』于是韩遂与庞德将兵五万，直抵渭南。操令众将于甬道两旁诱之。庞德先引铁骑千余，冲突而来。喊声起处，人马俱落于陷马坑内。庞德踊身一跳，跃出土坑，立于平地，立杀数人，步行砍出重围。韩遂已被困在垓心，庞德步行救之。正遇着曹仁部将曹永，被庞德一刀砍于马下，夺其马，杀开一条血路，救出韩遂，投东南而走。背后曹兵赶来，马超引军接应，杀败曹兵，复救出大半军马。战至日暮方回。计点人马，折了将佐程银、张横，陷坑中死者二百余人。超与韩遂商议：『若迁延日久，操于河北立了营寨，难以退敌；不若乘今夜引轻骑去劫野营。』遂曰：『须分兵前后相救。』于是超自为前部，令庞德、马岱为后应，当夜便行。

却说曹操收兵屯渭北，唤诸将曰：『贼欺我未立寨栅，必来劫野营。可四散伏兵，虚其中军。号炮响时，伏兵尽起，一鼓可擒也。』众将依令，伏兵已毕。当夜，马超却先使成宜引三十骑往前哨探。成宜见无人马，径入中军。操军见西凉兵到，遂放号炮。四面伏兵皆出，只围得三十骑。成宜被夏侯渊所杀。马超却自从背后与庞德、马岱兵分三路蜂拥杀来。正是：纵有伏兵能候敌，怎当健将共争先？未知胜负若何，且看下文分解。

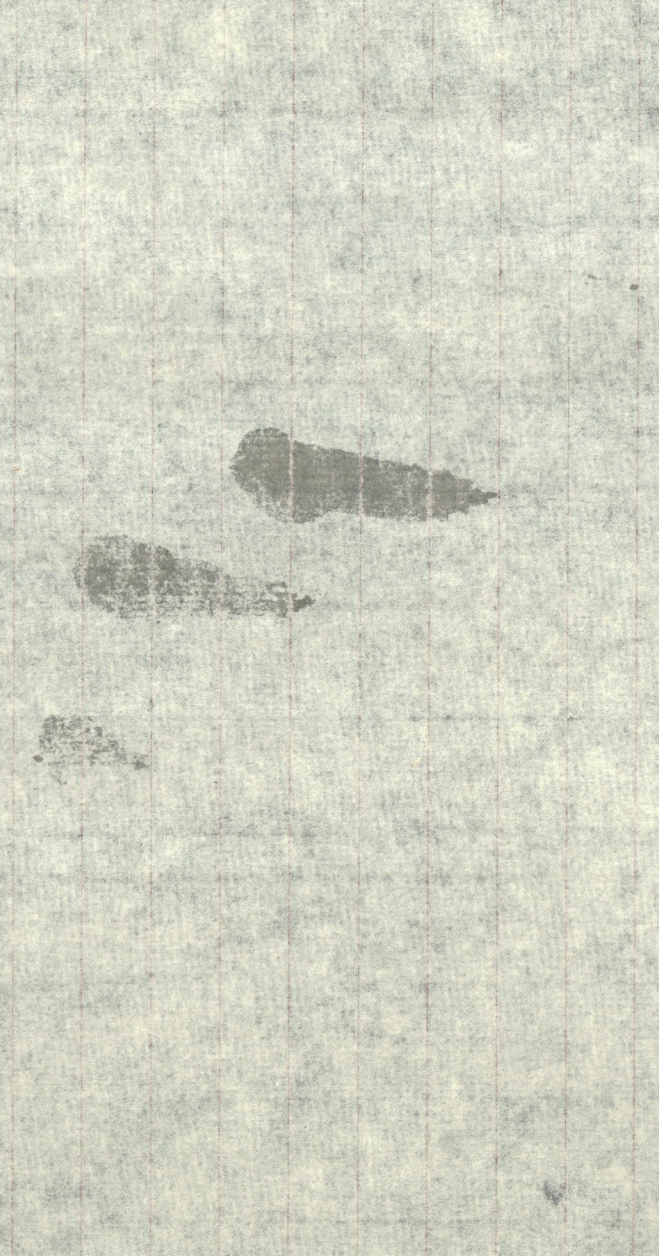

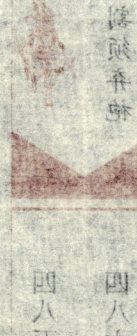

## 第五十九回　许褚裸衣斗马超　曹操抹书间韩遂

却说当夜两兵混战，直到天明，各自收兵。马超屯兵渭口，日夜分兵，前后攻击。曹操在渭河内将船筏锁链作浮桥三条，接连南岸。曹仁引军夹河立寨，将粮草车辆穿连，以为屏障。马超闻之，教军士各挟草一束，带着火种，与韩遂引军并力杀到寨前，堆积草把，放起烈火。操兵抵敌不住，弃寨而走。车乘、浮桥，尽被烧毁。西凉兵大胜，截住渭河。曹操立不起营寨，心中忧惧。荀攸曰：『可取渭河沙土筑起土城，可以坚守。』操拨三万军担土筑城。马超又差庞德、马岱各引五百马军，往来冲突；更兼沙土不实，筑起便倒，操无计可施。时当九月尽，天气暴冷，彤云密布，连日不开。曹操在寨中纳闷。忽人报曰：『有一老人来见丞相，欲陈说方略。』操请入。见其人鹤骨松姿，形貌苍古。问之，乃京兆人也，隐居终南山，姓娄，名子伯，道号『梦梅居士』。操以客礼待之。子伯曰：『丞相欲跨渭安营久矣，今何不乘时筑之？』操曰：『沙土之地，筑垒不成。隐士有何良策赐教？』子伯曰：『丞相用兵如神，岂不知天时乎？连日阴云布合，朔风一起，必大冻矣。风起之后，驱兵士运土泼水，比及天明，土城已就。』操大悟，厚赏子伯。子伯不受而去。

是夜北风大作。操尽驱兵士担土泼水；为无盛水之具，作缣(jiān)囊盛水浇之，随筑随冻。比及天明，沙水冻紧，土城已筑完。细作报知马超。超领兵观之，大惊，疑有神助。次日，集大军鸣鼓而进。操自乘马出营，止有许褚一人随后。操扬鞭大呼曰：『孟德单骑至此，请马超出来答话。』超乘马挺枪而出。操曰：『汝欺我营寨不成，今一夜天已筑就，汝何不早降！』马超大怒，竟欲突前擒之，见操背后一人，睁圆怪眼，手提钢刀，勒马而立。超疑是许褚，乃扬鞭问曰：『闻汝军中有虎侯，安在哉？』许褚提刀大叫曰：『吾即谯郡许褚也！』目射神光，威风抖擞。超不敢动，乃勒马回。操亦引许褚回寨。两军观之，无不骇然。操谓诸将曰：『贼亦知仲康乃虎侯也！』自此军中皆称褚为虎侯。许褚曰：『某来日必擒马超。』操曰：『马超英勇，不可轻敌。』褚曰：『某誓与死战！』即使人下战书，说虎侯单搦马超来日决战。超接书大怒曰：『何敢如此相欺耶！』即批次日誓杀『虎痴』。

次日，两军出营布成阵势。超分庞德为左翼，马岱为右翼，韩遂押中军。超挺枪纵马，立于阵前，高叫：『虎痴快出！』曹操在门旗下回顾众将曰：『马超不减吕布之勇！』言未绝，许褚拍马舞刀而出。马超挺枪接战。斗了一百余合，胜负不分。马匹困乏，各回军中，换了马匹，又出阵前。又斗一百余合，不分胜负。许褚性起，飞回阵中，卸了盔甲，浑身筋突，赤体提刀，翻身上马，来与马超决战。两军大骇。两个又斗

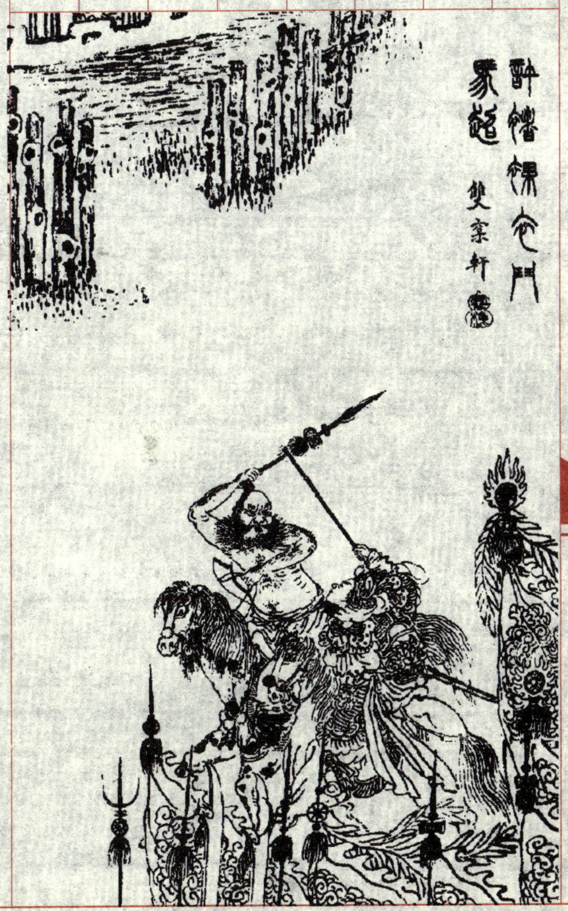

到三十余合，褚奋威举刀便砍马超。超闪过，一枪望褚心窝刺来。褚弃刀将枪挟住。两个在马上夺枪。许褚力大，一声响，拗断枪杆，各拿半节在马上乱打。操恐褚有失，遂令夏侯渊、曹洪两将齐出夹攻。庞德、马岱见操将齐出，麾两翼铁骑，横冲直撞，混杀将来。操兵大乱。许褚臂中两箭。诸将慌退入寨。马超直杀到壕边，操兵折伤大半。操令坚闭休出。马超回至渭口，谓韩遂曰：『吾见恶战者莫如许褚，真「虎痴」也！』

却说曹操料马超可以计破，乃密令徐晃、朱灵尽渡河西结营，前后夹攻。一日，操于城上见马超引数百骑，直临寨前，往来如飞。操观良久，掷兜鍪于地曰：『马儿不死，吾无葬地矣！』夏侯渊听了，心中气忿，厉声曰：『吾宁死于此地，誓灭马贼！』遂引本部千余人，大开寨门，直赶去。操急止不住，恐其有失，慌自上马前来接应。马超见曹兵至，乃将前军作后队，后队作先锋，一字儿摆开。夏侯渊到，马超接住厮杀。超于乱军中遥见曹操，就撇了夏侯渊，直取曹操。操大惊，拨马而走。曹兵大乱。正追之际，忽报操有一军，已在河西下了营寨。超大惊，无心追赶，急收军回寨，与韩遂商议，言：『操兵乘虚已渡河西，吾军前后受敌，如之奈何？』部将李堪曰：『不如割地请和，两家且各罢兵。捱过冬天，到春暖别作计议。』韩遂曰：『李堪之言最善，可从之。』

超犹豫未决。杨秋、侯选皆劝求和。于是韩遂遣杨秋为使，直往操寨下书，言割地请和之事。操曰：『汝且回寨。吾来日使人回报。』杨秋辞去。贾诩入见操曰：『丞相主意若何？』操曰：『公所见若何？』



诩曰：『兵不厌诈，可伪许之，然后用反间计，令韩、马相疑，则一鼓可破也。』操抚掌大喜曰：『天下高见，多有相合。文和之谋，正吾心中之事也。』于是遣人回书，言：『待我徐徐退兵，还汝河西之地。』一面教搭起浮桥，作退军之意。马超得书，谓韩遂曰：『曹操虽然许和，奸雄难测。倘不准备，反受其制。超与叔父轮流调兵，今日叔向操，超向徐晃；明日超向操，叔向徐晃：分头提备，以防其诈。』韩遂依计而行。

早有人报知曹操。操顾贾诩曰：『吾事济矣！』问：『来日是谁合向我这边？』人报曰：『韩遂。』次日，操引众将出营，左右围绕，操独显一骑于中央。韩遂部卒多有不识操者，出阵观看。操高叫曰：『汝诸军欲观曹公耶？吾亦犹人也，非有四目两口，但多智谋耳。』诸军皆有惧色。操使人过阵谓韩遂曰：『丞相谨请韩将军会话。』韩遂即出阵，见操并无甲仗，亦弃衣甲，轻服匹马而出。二人马头相交，各按辔对话。操曰：『吾与将军之父，同举孝廉，吾尝以叔事之。吾亦与公同登仕路，不觉有年矣。将军今年妙龄几何？』韩遂答曰：『四十岁矣。』操曰：『往日在京师，皆青春年少，何期又中旬

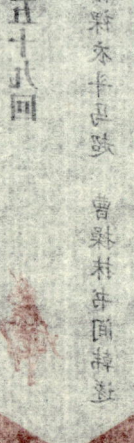

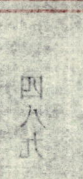

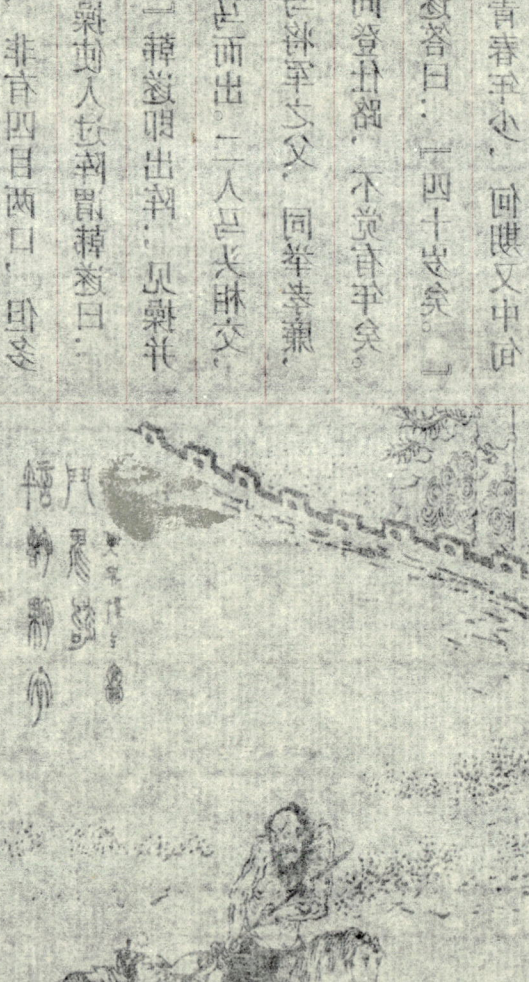

矣！安得天下清平共乐耶！』只把旧事细说，并不提起军情。说罢大笑，相谈有一个时辰，方回马而别，各自归寨。早有人将此事报知马超。超忙来问韩遂曰：『今日曹操阵前所言何事？』遂曰：『只诉京师旧事耳。』超曰：『安得不言军务乎？』遂曰：『曹操不言，吾何独言之？』超心甚疑，不言而退。

却说曹操回寨，谓贾诩曰：『公知吾阵前对语之意否？』诩曰：『此意虽妙，尚未足间二人。某有一策，令韩、马自相仇杀。』操问其计。贾诩曰：『马超乃一勇之夫，不识机密。丞相亲笔作一书，单与韩遂，中间朦胧字样，于要害处，自行涂抹改易，然后封送与韩遂，故意使马超知之。超必索书来看。若看见上面要紧去处，尽皆改抹，只猜是韩遂恐超知甚机密事，自行改抹，正合着单骑会语之疑；疑则必生乱。我更暗结韩遂部下诸将，使互相离间，超可图矣。』操曰：『此计甚妙。』随写书一封，将紧要处尽皆改抹，然后实封，故意多遣从人送过寨去，下了书自回。果然有人报知马超。超心愈疑，径来韩遂处索书看。韩遂将书与超。超见上面有改抹字样，问遂曰：『书上如何都改抹糊涂？』遂曰：『原书如此，不知何故。』超曰：『岂有以草稿送与人耶？必是叔父怕我知了详细，先改抹了。』遂曰：『莫非曹操错将草稿误封来了。』超曰：『吾又不信。曹操是精细之人，岂有差错？吾与叔并力杀贼，奈何忽生异心？』遂曰：『汝若不信吾心，来日吾在阵前赚操说话，汝从阵内突出，一枪刺杀便了。』超曰：『若如此，方见叔父真心。』两人约定。次日，韩遂引侯选、李堪、梁兴、马玩、杨秋五将出阵。马超藏在门影里。韩遂使人到操寨前，高叫：『韩将军请丞相攀话。』操乃令曹洪引数十骑径出阵前与韩遂相见。马离数步，洪马上欠身言曰：『夜来丞相拜意将军之言，切莫有误。』言讫便回马。超听得大怒，挺枪骤马，便刺韩遂。五将拦住，劝解回寨。遂曰：『贤侄休疑，我无歹心。』马超那里肯信，恨怨而去。韩遂与五将商议曰：『这事如何解释？』杨秋曰：『马超倚仗武勇，常有欺凌主公之心，便胜得曹操，怎肯相让？以某愚见，不如暗投曹公，他日不失封侯之位。』遂曰：『吾与马腾结为兄弟，安忍背之？』杨秋曰：『事已至此，不得不然。』遂曰：『谁可以通消息？』杨秋曰：『某愿往。』遂乃写密书，遣杨秋径来操寨，说投降之事。操大喜，许封韩遂为西凉侯、杨秋为西凉太守，其余皆有官爵。约定放火为号，共谋马超。杨秋拜辞，回见韩遂，备言其事：『约定今夜放火，里应外合。』遂大喜，就令军士于中军帐后堆积干柴，五将各悬刀剑听候。韩遂商议，欲设宴赚请马超，就席图之，犹豫未去。

不想马超早已探知备细，便带亲随数人，仗剑先行，令庞德、马岱为后应。超潜步入韩遂帐中，只见五将与韩遂密语，只听得杨秋口中说道：『事不宜迟，可速行之！』超大怒，挥剑直入，大喝曰：『群贼焉敢谋害我！』众皆大惊。超一剑望韩遂面门剁去，遂慌以手迎之，左手早被砍落。五将挥刀齐出。超纵步出帐外，五将围绕混杀。超独挥宝剑，力敌五将。剑光明处，鲜血溅飞：砍翻马玩，剁倒梁兴，三将各自逃生。超复入帐中来杀韩遂时，已被左右救去。帐后一把火起，各寨兵皆动。超连忙上马。庞德、马岱亦至，互相混战。超领军杀出时，操兵四至：前有许褚，后有徐晃，左有夏侯渊，右有曹洪。西凉之兵，自相并杀。超不见了庞德、马岱，乃引百余骑，截于渭桥之上。天色微明，只见李堪领一军从桥下过，超挺枪纵马逐之。

李堪拖枪而走。恰好于禁从马超背后赶来，禁开弓射马超。超听得背后弦响，急闪过，却射中前面李堪，落马而死。超回马来杀于禁，禁拍马走了。超回桥上住扎。操兵前后大至，虎卫军当先，乱箭夹射马超。超以枪拨之，矢皆纷纷落地。超令从骑往来突杀。争奈曹兵围裹坚厚，不能冲出。超于桥上大喝一声，杀入河北，从骑皆被截断。超独在阵中冲突，却被暗弩射倒坐下马，马超堕于地上，操军逼合。正在危急，忽西北角上一彪军杀来，乃庞德、马岱也。二人救了马超，将军中战马与马超骑了，翻身杀条血路，望西北而走。曹操闻马超走脱，传令诸将：『无分晓夜，务要赶到马儿。如得首级者，千金赏，万户侯；生获者封大将军。』众将得令，各要争功，迤逦追袭。马超顾不得人马困乏，只顾奔走。从骑渐渐皆散。步兵走不上者，多被擒去。止剩得三十余骑，与庞德、马岱望陇西临洮而去。

曹操亲自追至安定，知马超去远，方收兵回长安。众将毕集。韩遂已无左手，做了残疾之人，操教就于长安歇马，授西凉侯之职。杨秋、侯选皆封列侯，令守渭口。下令班师回许都。凉州参军杨阜，字义山，径来长安见操。问之，杨阜曰：『马超有吕布之勇，深得羌人之心。今丞相若不乘势剿绝，他日养成气力，陇上诸郡，非复国家之有也。望丞相且休回兵。』操曰：『吾本欲留兵征之，奈中原多事，南方未定，不可久留。君当为孤保之。』阜领诺，又保荐韦康为凉州刺史，同领兵屯冀城，以防马超。阜临行，请于操曰：『长安必留重兵以为后援。』操曰：『吾已定下，汝但放心。』阜辞而去。众将皆问曰：『初贼据潼关，渭北道缺，丞相不从河东击冯翊，而反守潼关，迁延日久，而后北渡，立营固守，何也？』操曰：『初贼守潼关，若吾初到，便取河东，贼必以各寨分守诸渡口，则河西不可渡矣。吾故盛兵皆聚于潼关前，使贼尽南守，而河西不准备，故徐晃、朱灵得渡也。吾然后引兵北渡，连车树栅为甬道，筑冰城，欲贼知吾弱，以骄其心，使不准备。吾乃巧用反间，畜士卒之力，一旦击破之。正所谓「疾雷不及掩耳」。兵之变化，固非一道也。』众将又请问曰：『丞相每闻贼加兵添众，则有喜色，何也？』操曰：『关中边远，若群贼各依险阻，征之非一二年不可平复；今皆来聚一处，其众虽多，人心不一，易于离间，一举可灭：吾故喜也。』众将拜曰：『丞相神谋，众不及也！』操曰：『亦赖汝众文武之力。』遂重赏诸军。留夏侯渊屯兵长安，所得降兵，分拨各部。夏侯渊保举冯翊高陵人，姓张，名既，字德容，为京兆尹，与渊同守长安。操班师回都。献帝排銮驾出郭迎接。诏操「赞拜不名，入朝不趋，剑履上殿」，如汉相萧何故事。自此威震中外。

这消息播入汉中，早惊动了汉宁太守张鲁。原来张鲁乃沛国丰人。其祖张陵在西川鹄鸣山中造作道书以惑人，人皆敬之。陵死之后，其子张衡行之。百姓但有学道者，助米五斗，世号「米贼」。张衡死，张鲁行之。鲁在汉中自号为「师君」；其来学道者皆号为「鬼卒」；为首者号为「祭酒」；领众多者号为「治

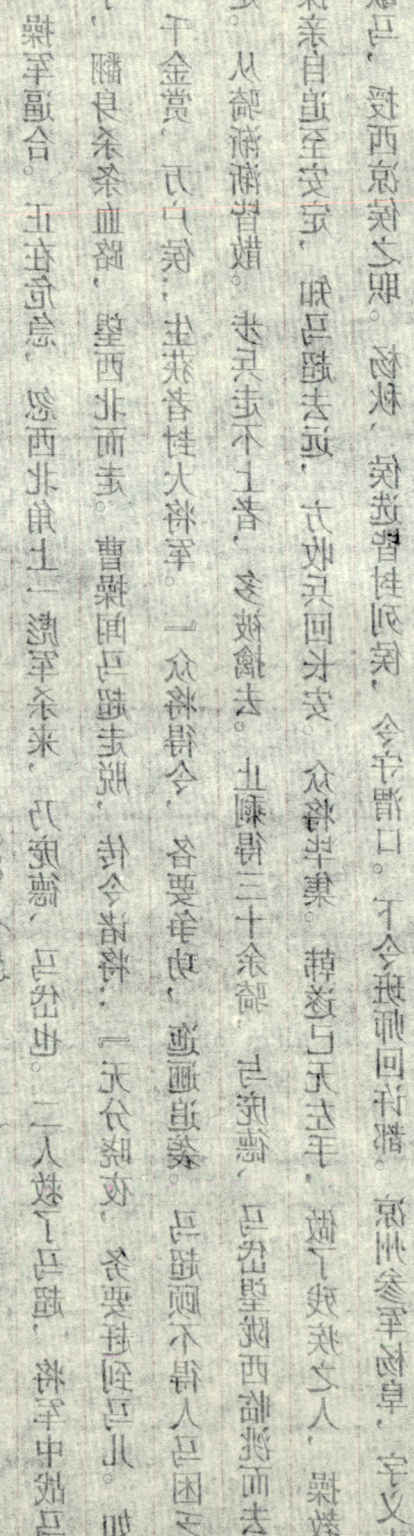

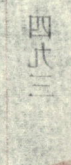

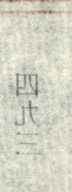

头大祭酒』。务以诚信为主，不许欺诈。如有病者，即设坛使病人居于静室之中，自思己过，当面陈首，然后为之祈祷；主祈祷之事者，号为『奸令祭酒』。祈祷之法，书病人姓名，说服罪之意，作文三通，名为『三官手书』：一通放于山顶以奏天，一通埋于地以奏地，一通沉于水以申水官。如此之后，但病痊可，将米五斗为谢。又盖义舍：舍内饭米、柴火、肉食齐备，许过往人量食多少，自取而食；多取者受天诛。境内有犯法者，必恕三次；不改者，然后施刑。所在并无官长，尽属祭酒所管。如此雄据汉中之地已三十年。国家以为地远不能征伐，就命鲁为镇南中郎将，领汉宁太守，通进贡而已。当年闻操破西凉之众，威震天下，乃聚众商议曰：『西凉马腾遭戮，马超新败，曹操必将侵我汉中。我欲自称汉宁王，督兵拒曹操，诸君以为何如？』阎圃曰：『汉川之民，户出十万余众，财富粮足，四面险固；今马超新败，西凉之民，从子午谷奔入汉中者，不下数万。愚意益州刘璋昏弱，不如先取西川四十一州为本，然后称王未迟。』张鲁大喜，遂与弟张卫商议起兵。早有细作报入川中。

却说益州刘璋，字季玉，即刘焉之子，汉鲁恭王之后。章帝元和中，徙封竟陵，支庶因居于此。后焉官至益州牧，兴平元年患病疽而死，州大吏赵韪等，共保璋为益州牧。璋曾杀张鲁母及弟，因此有仇。璋使庞羲为巴西太守，以拒张鲁。时庞羲探知张鲁欲兴兵取川，急报知刘璋。璋平生懦弱，闻得此信，心中大忧，急聚众官商议。忽一人昂然而出曰：『主公放心。某虽不才，凭三寸不烂之舌，使张鲁不敢正眼来觑西川。』正是：只因蜀地谋臣进，致引荆州豪杰来。未知此人是谁，且看下文分解。





## 第六十回　张永年反难杨修　庞士元议取西蜀

却说那进计于刘璋者，乃益州别驾，姓张，名松，字永年。其人生得额头尖，鼻偃齿露，身短不满五尺，言语有若铜钟。刘璋问曰：『别驾有何高见，可解张鲁之危？』松曰：『某闻许都曹操，扫荡中原，吕布、二袁皆为所灭，近又破马超，天下无敌矣。主公可备进献之物，松亲往许都，说曹操兴兵取汉中，以图张鲁。则鲁拒敌不暇，何敢复窥蜀中耶？』刘璋大喜，收拾金珠锦绮，为进献之物，遣张松为使。松乃暗画西川地理图本藏之，带从人数骑，取路赴许都。早有人报入荆州。孔明便使人入许都打探消息。

却说张松到了许都馆驿中住定，每日去相府伺候，求见曹操。原来曹操自破马超回，傲睨(nì)得志，每日饮宴，无事少出，国政皆在相府商议。张松候了三日，方得通姓名。左右近侍先要贿赂，却才引入。操坐于堂上，松拜毕，操问曰：『汝主刘璋连年不进贡，何也？』松曰：『为路途艰难，贼寇窃发，不能通进。』操叱曰：『吾扫清中原，有何盗贼？』松曰：『南有孙权，北有张鲁，西有刘备，至少者亦带甲十余万，岂得为太平耶？』操先见张松人物猥琐，五分不喜；又闻语言冲撞，遂拂袖而起，转入后堂。左右责松曰：『汝为使命，何不知礼，一味冲撞？幸得丞相看汝远来之面，不见罪责。汝可急急回去！』松笑曰：『吾川中无谄佞之人也。』忽然阶下一人大喝曰：『汝川中不会谄佞，吾中原岂有谄佞者乎？』

松观其人，单眉细眼，貌白神清。问其姓名，乃太尉杨彪之子杨修，字德祖，现为丞相门下掌库主簿。

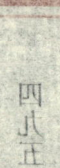

此人博学能言，智识过人。松知修是个舌辩之士，有心难之。修亦自恃其才，小觑天下之士。当时见张松言语讥讽，遂邀出外面书院中，分宾主而坐，谓松曰：「蜀道崎岖，远来劳苦。」松曰：「奉主之命，虽赴汤蹈火，弗敢辞也。」修问：「蜀中风土何如？」松曰：「蜀为西郡，古号益州。路有锦江之险，地连剑阁之雄。回还二百八程，纵横三万余里。鸡鸣犬吠相闻，市井闾阎不断。田肥地茂，岁无水旱之忧；国富民丰，时有管弦之乐。所产之物，阜如山积。天下莫可及也！」修又问曰：「蜀中人物如何？」松曰：「文有相如之赋，武有伏波之才；医有仲景之能，卜有君平之隐。九流三教，「出乎其类，拔乎其萃」者，不可胜记，岂能尽数！」修又问曰：「方今刘季玉手下，如公者还有几人？」松曰：「文武全才，智勇足备，忠义慷慨之士，动以百数。如松不才之辈，车载斗量，不可胜记。」修曰：「公近居何职？」松曰：「滥充别驾之任，甚不称职。敢问公为朝廷何官？」修曰：「现为丞相府主簿。」松曰：「久闻公世代簪缨，何不立于庙堂，辅佐天子，乃区区作相府门下一吏乎？」杨修闻言，满面羞惭，强颜而答曰：「某虽居下寮，丞相委以军政钱粮之重，早晚多蒙丞相教诲，极有开发，故就此职耳。」松笑曰：「松闻曹丞相文不明孔、孟之道，武不达孙、吴之机，专务强霸而居大位，安能有所教诲，以开发明公耶？」修曰：「公居边隅，安知丞相大才乎？吾试令公观之。」呼左右于箧中取书一卷，以示张松。松观其题曰：「孟德新书」。从头至尾，看了一遍，共一十三篇，皆用兵之要法。松看毕，问曰：「公以此为何书耶？」修曰：「此是丞相酌古准今，仿《孙子十三篇》而作。公欺丞相无才，此堪以传后世否？」松大笑曰：「此书吾蜀中三尺小童，亦能暗诵，何为「新书」？此是战国时无名氏所作，曹丞相盗窃以为己能，止好瞒足下耳！」修曰：「丞相秘藏之书，虽已成帙，未传于世。公言蜀中小儿暗诵如流，何相欺乎？」松曰：「公如不信，吾试诵之。」遂将《孟德新书》，从头至尾，朗诵一遍，并无一字差错。修大惊曰：「公过目不忘，真天下奇才也！」后人有诗赞曰：

古怪形容异，清高体貌疏。语倾三峡水，目视十行书。
胆量魁西蜀，文章贯太虚。百家并诸子，一览更无馀。

当下张松欲辞回。修曰：「公且暂居馆舍，容某再禀丞相，令公面君。」松谢而退。

修入见操曰：「适来丞相何慢张松乎？」操曰：「言语不逊，吾故慢之。」修曰：「丞相尚容一祢衡，何不纳张松？」操曰：「祢衡文章，播于当今，吾故不忍杀之。松有何能？」修曰：「且无论其口似悬河，辩才无碍。适修以丞相所撰《孟德新书》示之，彼观一遍，即能暗诵。如此博闻强记，世所罕有。松言此书乃战国时无名氏所作，蜀中小儿，皆能熟记。」操曰：「莫非古人与我暗合否？」令扯碎其书烧之。修曰：「此人可使面君，教见天朝气象。」操曰：「来日我于西教场点军，汝可先引他来，使见我军容之盛，

教他回去传说：吾即日下了江南，便来收川。』修领命。

至次日，与张松同至西教场。操点虎卫雄兵五万，布于教场中。果然盔甲鲜明，衣袍灿烂；金鼓震天，戈矛耀日；四方八面，各分队伍；旌旗飏彩，人马腾空。松斜目视之。良久，操唤松指而示曰：『汝川中曾见此英雄人物否？』松曰：『吾蜀中不曾见此兵革，但以仁义治人。』操变色视之。松全无惧意。杨修频以目视松。操谓松曰：『吾视天下鼠辈犹草芥耳。大军到处，战无不胜，攻无不取，顺吾者生，逆吾者死。汝知之乎？』松曰：『丞相驱兵到处，战必胜，攻必取，松亦素知。昔日濮阳攻吕布之时，宛城战张绣之日；赤壁遇周郎，华容逢关羽；割须弃袍于潼关，夺船避箭于渭水：此皆无敌于天下也！』操大怒曰：『竖儒怎敢揭吾短处！』喝令左右推出斩之。杨修谏曰：『松虽可斩，奈从蜀道而来入贡，若斩之，恐失远人之意。』操怒气未息。荀彧亦谏。操方免其死，令乱棒打出。

松归馆舍，连夜出城，收拾回川。松自思曰：『吾本欲献西川州郡与曹操，谁想如此慢人！我来时于刘璋之前，开了大口；今日怏怏空回，须被蜀中人所笑。吾闻荆州刘玄德仁义远播久矣，不如径由那条路回。试看此人如何，我自有主见。』于是乘马引仆从望荆州界上而来。前至郢州界口，忽见一队军马，约有五百余骑，为首一员大将，轻妆软扮，勒马前问曰：『来者莫非张别驾乎？』松曰：『然也。』那将慌忙下马，声喏曰：『赵云等候多时。』松下马答礼曰：『莫非常山赵子龙乎？』云曰：『然也。某奉主公刘玄德之命，为大夫远涉路途，鞍马驱驰，特命赵云聊奉酒食。』言罢，军士跪奉酒食，云敬进之。松自思曰：『人言刘玄德宽仁爱客，今果如此。』遂与赵云饮了数杯，上马同行，来到荆州界首。是日天晚，前到馆驿，见驿门外百余人侍立，击鼓相接。一将于马前施礼曰：『奉兄长将令，为大夫远涉风尘，令关某洒扫驿庭，以待歇宿。』松下马，与云长、赵云同入馆舍，讲礼叙坐。须臾，排上酒筵，二人殷勤相劝。饮至更阑，方始罢席，宿了一宵。

次日早膳毕，上马行不到三五里，只见一簇人马到。乃是玄德引着伏龙、凤雏，亲自来接。遥见张松，早先下马等候。松亦慌忙下马相见。玄德曰：『久闻大夫高名，如雷灌耳。恨云山遥远，不得听教。今闻回都，专此相接。倘蒙不弃，到荒州暂歇片时，以叙渴仰之思，实为万幸！』松大喜，遂上马并辔入城。至府堂上各各叙礼，分宾主依次而坐，设宴款待。饮酒间，玄德只说闲话，并不提起西川之事。松以言挑之曰：『今皇叔守荆州，还有几郡？』孔明答曰：『荆州乃暂借东吴的，每每使人取讨。今我主因是东吴女婿，故权且在此安身。』松曰：『东吴据六郡八十一州，民强国富，犹且不知足耶？』庞统曰：『吾主汉朝皇叔，反不能占据州郡；其他皆汉之蟊贼，却都恃强侵占地土：惟智者不平焉。』玄德曰：『二公休言。吾有何德，敢多望乎？』松曰：『不然。明公乃汉室宗亲，仁义充塞乎四海，休道占据州郡，便代正统而居帝位，亦非分外。』玄德拱手谢曰：『公言太过，备何敢当！』

自此一连留张松饮宴三日，并不提起川中之事。松辞去，玄德于十里长亭设宴送行。玄德举酒酌松曰：『甚荷大夫不外，留叙三日；今日相别，不知何时再得听教。』言罢，潸然泪下。张松自思：『玄德如此

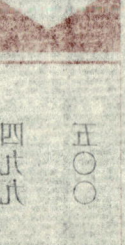

宽仁爱士，安可舍之？不如说之，令取西川。」乃言曰：「松亦思朝暮趋侍，恨未有便耳。松观荆州：东有孙权，常怀虎踞；北有曹操，每欲鲸吞。亦非可久恋之地也。」玄德曰：「故知如此，但未有安迹之所。」松曰：「益州险塞，沃野千里，民殷国富；智能之士，久慕皇叔之德。若起荆襄之众，长驱西指，霸业可成，汉室可兴矣。」玄德曰：「备安敢当此？刘益州亦帝室宗亲，恩泽布蜀中久矣。他人岂可得而动摇乎？」松曰：「某非卖主求荣；今遇明公，不敢不披沥肝胆：刘季玉虽有益州之地，禀性暗弱，不能任贤用能；加之张鲁在北，时思侵犯；人心离散，思得明主。松此一行，专欲纳款于操，何期逆贼恣逞奸雄，傲贤慢士，故特来见明公。明公先取西川为基，然后北图汉中，收取中原，匡正天朝，名垂青史，功莫大焉。明

公果有取西川之意，松愿施犬马之劳，以为内应。未知钧意若何？」玄德曰：「深感君之厚意。奈刘季玉与备同宗，若攻之，恐天下人唾骂。」松曰：「大丈夫处世，当努力建功立业，著鞭在先。今若不取，为他人所取，悔之晚矣。」玄德曰：「备闻蜀道崎岖，千山万水，车不能方轨，马不能联辔；虽欲取之，用何良策？」松于袖中取出一图，递与玄德曰：「松感明公盛德，敢献此图。但看







此图，便知蜀中道路矣。」玄德略展视之，上面尽写着地理行程，远近阔狭，山川险要，府库钱粮，一一俱载明白。松曰：「明公可速图之。松有心腹契友二人：法正、孟达。此二人必能相助。如二人到荆州时，可以心事共议。」玄德拱手谢曰：「青山不老，绿水长存。他日事成，必当厚报。」松曰：「松遇明主，不得不尽情相告，岂敢望报乎？」说罢作别。孔明命云长等护送数十里方回。

张松回益州，先见友人法正。正字孝直，右扶风郿人也，贤士法真之子。松见正，备说：「曹操轻贤傲士，只可同忧，不可同乐。吾已将益州许刘皇叔矣。专欲与兄共议。」法正曰：「吾料刘璋无能，已有心见刘皇叔久矣。此心相同，又何疑焉？」少顷，孟达至。达字子庆，与法正同乡。达入，见正与松密语。达曰：「吾已知二公之意。将欲献益州耶？」松曰：「是欲如此。兄试猜之，合献与谁？」达曰：「非刘玄德不可。」三人抚掌大笑。法正谓松曰：「兄明日见刘璋，当若何？」松曰：「吾荐二公为使，可往荆州。」二人应允。

次日，张松见刘璋。璋问：「干事若何？」松曰：「操乃汉贼，欲篡天下，不可为言。彼已有取川之心。」璋曰：「似此如之奈何？」松曰：「松有一谋，使张鲁、曹操必不敢轻犯西川。」璋曰：「何计？」松曰：「荆州刘皇叔，与主公同宗，仁慈宽厚，有长者风。赤壁鏖兵之后，操闻之而胆裂，何况张鲁乎？主公何不遣使结好，使为外援，可以拒曹操、张鲁矣。」璋曰：「吾亦有此心久矣。谁可为使？」松曰：「非法正、孟达，不可往也。」璋即召二人入，修书一封，令法正为使，先通情好；次遣孟达领精兵五千，迎

玄德入川为援。正商议间，一人自外突入，汗流满面，大叫曰：『主公若听张松之言，则四十一州郡，已属他人矣！』松大惊，视其人，乃西阆中巴人，姓黄，名权，字公衡，现为刘璋府下主簿。璋问曰：『玄德与我同宗，吾故结之为援；汝何出此言？』权曰：『某素知刘备宽以待人，柔能克刚，英雄莫敌；远得人心，近得民望；兼有诸葛亮、庞统之智谋，关、张、赵云、黄忠、魏延为羽翼。若召到蜀中，以部曲待之，刘备安肯伏低做小？若以客礼待之，又一国不容二主。今听臣言，则西蜀有泰山之安；不听臣言，则主公有累卵之危矣。张松昨从荆州过，必与刘备同谋。可先斩张松，后绝刘备，则西川万幸也。』璋曰：『曹操、张鲁到来，何以拒之？』权曰：『不如闭境绝塞，深沟高垒，以待时清。』璋曰：『贼兵犯界，有烧眉之急；若待时清，则是慢计也。』遂不从其言，遣法正行。又一人阻曰：『不可！不可！』璋视之，乃帐前从事官王累也。累顿首言曰：『主公今听张松之说，自取其祸。』璋曰：『不然。吾结好刘玄德，实欲拒张鲁也。』累曰：『张鲁犯界，乃癣疥之疾；刘备入川，乃心腹之大患。况刘备世之枭雄，先事曹操，便思谋害；后从孙权，便夺荆州。心术如此，安可同处乎？今若召来，西川休矣！』璋叱曰：『再休乱道！玄德是我同宗，他安肯夺我基业？』便教扶二人出。遂命法正便行。

法正离益州，径取荆州，来见玄德。参拜已毕，呈上书信。玄德拆封视之。书曰：

族弟刘璋，再拜致书于玄德宗兄将军麾下：久伏电天，蜀道崎岖，未及贡，甚切惶愧。璋闻『吉凶相救，患难相扶』，朋友尚然，况宗族乎？今张鲁在北，旦夕兴兵，侵犯璋界，甚不自安。专人谨奉尺书，上乞钧听。倘念同宗之情，全手足之义，即日兴师剿灭狂寇，永为唇齿，自有重酬。书不尽言，耑(zhuān)候车骑。



玄德看毕大喜，设宴相待法正。酒过数巡，玄德屏退左右，密谓正曰：『久仰孝直英名，张别驾多谈盛德。今获听教，甚慰平生。』法正谢曰：『蜀中小吏，何足道哉！盖闻马逢伯乐而嘶，人遇知己而死。张别驾昔日之言，将军复有意乎？』玄德曰：『备一身寄客，未尝不伤感而叹息。尝思鹪(jiāo)鹩(liáo)尚存一枝，狡兔犹藏三窟，何况人乎？蜀中丰余之地，非不欲取；奈刘季玉系备同宗，不忍相图。』法正曰：『益州天府之国，非治乱之主，不可居也。今刘季玉不能用贤，此业不久必属他人。今日自付与将军，不可错失。岂不闻「逐兔先得」之语乎？将军欲取，某当效死。』玄德拱手谢曰：『尚容商议。』

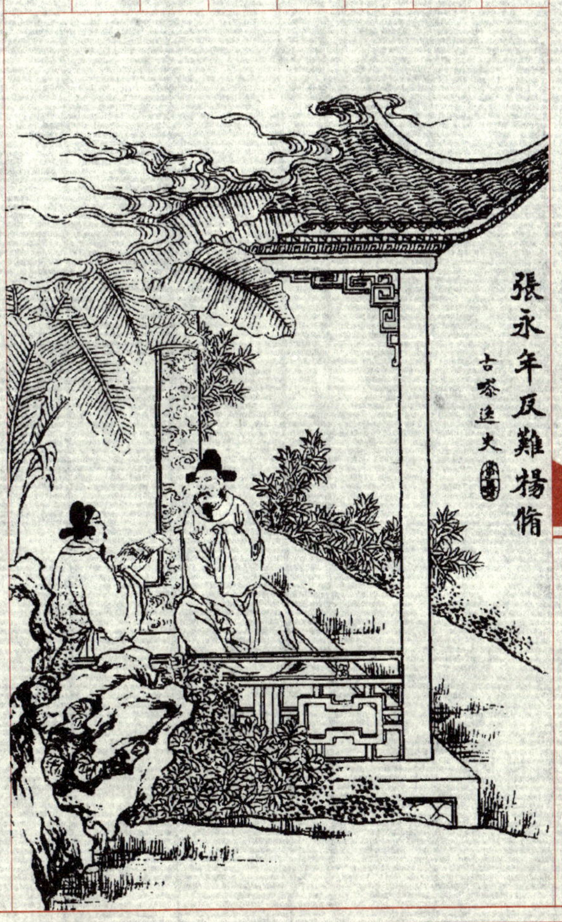


当日席散，孔明亲送法正归馆舍。玄德独坐沉吟。庞统进曰：『事当决而不决者，愚人也。主公高明，何多疑耶？』玄德问曰：『以公之意，当复何如？』统曰：『荆州东有孙权，北有曹操，难以得志。益州户口百万，土广财富，可资大业。今幸张松、法正为内助，此天赐也。何必疑哉？』玄德曰：『今与吾水火相敌者，曹操也。操以急，吾以宽；操以暴，吾以仁；操以谲，吾以忠：每与操相反，事乃可成。若以

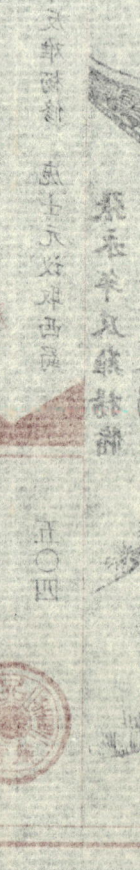

小利而失信义于天下，吾不忍也。』庞统笑曰：『主公之言，虽合天理，奈离乱之时，用兵争强，固非一道；若拘执常理，寸步不可行矣，宜从权变。且「兼弱攻昧」、「逆取顺守」，汤、武之道也。若事定之后，报之以义，封为大国，何负于信？今日不取，终被他人取耳。主公幸熟思焉。』玄德乃恍然曰：『金石之言，当铭肺腑。』于是遂请孔明，同议起兵西行。孔明曰：『荆州重地，必须分兵守之。』玄德曰：『吾与庞士元、黄忠、魏延前往西川；军师可与关云长、张翼德、赵子龙守荆州。』孔明应允。于是孔明总守荆州；关公拒襄阳要路，当青泥隘口；张飞领四郡巡江；赵云屯江陵，镇公安。玄德令黄忠为前部，魏延为后军，玄德自与刘封、关平在中军，庞统为军师，马步兵五万，起程西行。临行时，忽廖化引一军来降。玄德便教廖化辅佐云长以拒曹操。

是年冬月，引兵望西川进发。行不数程，孟达接着，拜见玄德，说刘益州令某领兵五千远来迎接。玄德使人入益州，先报刘璋。璋便发书告报沿途州郡，供给钱粮。璋欲出涪城亲接玄德，即下令准备车乘帐幔，旌旗铠甲，务要鲜明。主簿黄权入谏曰：『主公此去，必被刘备之害。某食禄多年，不忍主公中他人奸计。望三思之！』张松曰：『黄权此言，疏间宗族之义，滋长寇盗之威，实无益于主公。』璋乃叱权曰：『吾意已决，汝何逆吾！』权叩首流血，近前口衔璋衣而谏。璋大怒，扯衣而起。权不放，顿落门牙两个。璋喝左右，推出黄权。权大哭而归。

璋欲行，一人叫曰：『主公不纳黄公衡忠言，乃欲自就死地耶！』伏于阶前而谏。璋视之，乃建宁俞元人也，姓李，名恢。叩首谏曰：『窃闻「君有诤臣，父有诤子」。黄公衡忠义之言，必当听从。若容刘备入川，是犹迎虎于门也。』璋曰：『玄德是吾宗兄，安肯害吾？再言者必斩！』叱左右推出李恢。张松曰：『今蜀中文官各顾妻子，不复为主公效力；诸将恃功骄傲，各有外意。不得刘皇叔，则敌攻于外，民攻于内，必败之道也。』璋曰：『公所谋，深于吾有益。』次日，上马出榆桥门。人报：『从事王累，自用绳索倒吊于城门之上，一手执谏章，一手仗剑，口称如谏不从，自割断其绳索，撞死于此地。』刘璋教取所执谏章观之。其略曰：

> 益州从事臣王累，泣血恳告：窃闻『良药苦口利于病，忠言逆耳利于行』。昔楚怀王不听屈原之言，会盟于武关，为秦所困。今主公轻离大郡，欲迎刘备于涪城，恐有去路而无回路矣。倘能斩张松于市，绝刘备之约，则蜀中老幼幸甚，主公之基业亦幸甚！

刘璋观毕，大怒曰：『吾与仁人相会，如亲芝兰，汝何数侮于吾耶！』王累大叫一声，自割断其索，撞死于地。后人有诗叹曰：

> 倒挂城门捧谏章，拚将一死报刘璋。黄权

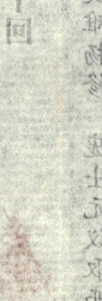

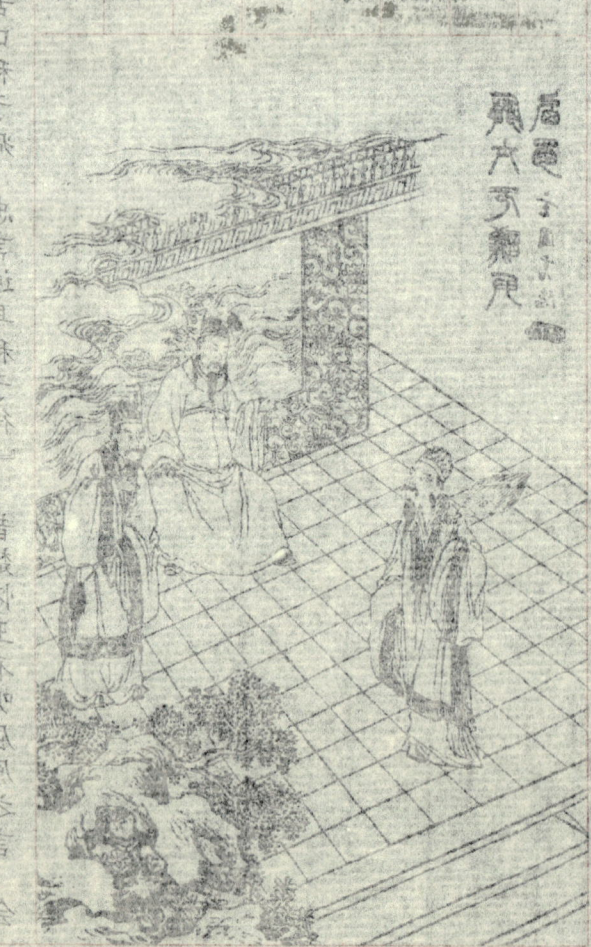

折齿终降备，矢节何如王累刚！

刘璋将三万人马往涪城来。后军装载资粮钱帛一千余辆，来接玄德。

却说玄德前军已到垫江。所到之处，一者是西川供给；二者是玄德号令严明，如有妄取百姓一物者斩：于是所到之处，秋毫无犯。百姓扶老携幼，满路瞻观，焚香礼拜。玄德皆用好言抚慰。

却说法正密谓庞统曰：『近张松有密书到此，言于涪城相会刘璋，便可图之。机会切不可失。』统曰：『此意且勿言。待二刘相见，乘便图之。若预走泄，于中有变。』法正乃秘而不言。涪城离成都三百六十里。璋已到，使人迎接玄德。两军皆屯于涪江之上。玄德入城，与刘璋相见，各叙兄弟之情。礼毕，挥泪诉告衷情。饮宴毕，各回寨中安歇。

璋谓众官曰：『可笑黄权、王累等辈，不知宗兄之心，妄相猜疑。吾今日见之，真仁义之人也。吾得他为外援，又何虑曹操、张鲁耶？非张松则失之矣。』乃脱所穿绿袍，并黄金五百两，令人往成都赐与张松。时部下将佐刘璝(guì)、泠苞、张任、邓贤等一班文武官曰：『主公且休欢喜。刘备柔中有刚，其心未可测，还宜防之。』璋笑曰：『汝等皆多虑。吾兄岂有二心哉！』众皆嗟叹而退。

却说玄德归到寨中。庞统入见曰：『主公今日席上见刘季玉动静乎？』玄德曰：『季玉真诚实人也。』统曰：『季玉虽善，其臣刘璝、张任等皆有不平之色，其间吉凶未可保也。以统之计，莫若来日设宴，请季玉赴席；于壁衣中埋伏刀斧手一百人，主公掷杯为号，就筵上杀之；一拥入成都，刀不出鞘，弓不上弦，可坐而定也。』玄德曰：『季玉是吾同宗，诚心待吾；更兼吾初到蜀中，恩信未立；若行此事，上天不容，下民亦怨。公此谋，虽霸者亦不为也。』统曰：『此非统之谋，是法孝直得张松密书，言事不宜迟，只在早晚当图之。』言未已，法正入见，曰：『某等非为自己，乃顺天命也。』玄德曰：『刘季玉与吾同宗，不忍取之。』正曰：『明公差矣。若不如此，张鲁与蜀有杀母之仇，必来攻取。明公远涉山川，驱驰士马，既到此地，进则有功，退则无益。若执狐疑之心，迁延日久，大为失计。且恐机谋一泄，反为他人所算。不若乘此天与人归之时，出其不意，早立基业，实为上策。』庞统亦再三相劝。正是：人主几番存厚道，才臣一意进权谋。未知玄德心下如何，且看下文分解。